肖川教育随笔 四

教育的情趣与艺术

THE MEANING AND ART OF EDUCATION

肖川 著

岳麓书社

目 录

理性的可贵

诗意地生活

成为知识分子

在星辉里放歌

做个好书的鼓吹者

目录

自序：走在通往博学的路上

我们一生最终能走多远，最终能取得怎样的成就，恐怕谁也说不准。但有一点我们可以掌控的是，如果愿意，我们可以始终走在通往博学的路上。按照词典上的解释，博学，不仅指学问的广博，也指学问的精深。

我以为博学是具有生命价值的。“非学无以广才”（诸葛亮《诫子书》），非学也无以明智。博学能够拓展我们生命的宽度，开掘我们生命的深度，提升我们生命的高度，使我们的人生变得丰富、纯净和厚重。走在通往博学的路上，是一种姿态，一种开放的姿态，一种学习者的姿态，一种诚实、谦逊和求实的姿态。如何让生命充满内在意义，走在通往博学的路上无疑是可行的途径。能够有这样一种生命状态的人是有福的人，因此，能够以学问为职志的人最该惜福。

走在通往博学的路上，可以使我们有一种美好的心智状态，有一种宁静的心绪，过一种真正的内心的生活。古人说：“静以修身，俭以养德。”（诸葛亮《诫子书》）这在我有限的人生经历看来的确是至理名言。唯有沉静，沉潜，我们才能褪去世俗涂抹的炫目的色彩，回归本真的自我。喧嚣和浮华，是难以沉淀出人生的智慧的。

一个人要能气定心闲、无怨无悔且有成就感地走在这条路上，首先是要有向学之心，视学问为一种安身立命的过程，一种生命的当有的状态。古人有“一物不知，儒者之耻”之说，这在今天当然也有不合时宜的一面，但此等志向却仍弥足珍贵。

走在通往博学的路上，只为了积蓄学识，涵养才情。当然这还不是根本的目的，根本的目的是生命的成长，是成人，是立于天地之间。对于我们个人来说，学问就是一张网，一张用以捕捉“世界”的网。你能捕捉到什么，取决于你编织的网线是否足够结实，网眼是否足够缜密，以及你挥洒这张网的能力，当然，还取决于你以何种姿态站立在怎样一片水域旁。

其次就是学问要讲究方法，具有方法论意识，有一种思想者的姿态。“好学深思，心知其意”（《史记·五帝本纪》），固然必要，但学问不能仅仅从读书中来。西方近代以来学术研究的意识和思路值得我们很好地学习。中国传统读书人的学问，更多的只是识记加感悟。尽管乾嘉以后也发展出“义理之学”“考据之学”，但对知识论本身并无深究。比如，历代读书人都喜欢游弋山水，喜欢写山水诗，画山水画。但是，如此喜爱山水，仅仅止于观赏，充其量是“外师造化，心得中源”，面对满目的松师石友，竟从不曾发生知识的兴趣。这一点，就连大理学家朱熹也不例外。朱熹在游览名山时，在山顶上发现了贝壳的化石，他感叹到：“真是沧海桑田！”这本来是地质学上的重大发现，可他不但没有对自然界奥秘发现的惊喜，反而是马上想到应该专注于“修齐治平”之学，心不可有旁骛。中国传统读书人即使天天混迹在自然界中，对自然的运行，也毫无体察，更无纯粹理性的审思。没有一个人想到事实的考索，去做实证的研究，没有一个人试图去建立新的知识体系。两千多年间，读书人做的事还是那么几件事，想的问题还是那么几个问题。“年复一年，丝毫没有长进。”这是中国文化的一大缺陷，也是近代科学没有能够在中国产生的重要原因。我们今天要努力弥补这种缺陷。因此，教育中最要紧的一点就是在学生心中培植起对学问的兴趣、虔诚和尊崇。让更多的人成为行走在这条幽径上的人，这是教育应该追求的一个目标。

每一个人都有垂垂老矣的那一天，也都有江郎才尽的那一天。一个人才情的孕育、积蓄、喷发和枯竭的规律谁也逃脱不了，只是人文学者倘若学识积累很丰富，枯竭的时日会来得慢一点、晚一点。

我最欣赏、最期盼、最得意的生命存在的状态就是走在通往博学的路上。“吾生也有涯，而知也无涯”，通往博学的路是一条没有终点的路。好在“人生代代无穷尽”，倘若我们愿意成为这条路上的一座桥，一座通往永远那么远的桥，那么我们就融入了历史，我们就赢得了永恒。走在通往博学的路上，让生命植根于仁爱、热情、希望与责任之中，植根于创造与追求永恒之中。我实在想不出，人生还有什么比这更有价值，更值得追求的。

叩问教育

好教育与好人生

什么是好教育，什么是好人生，尽管人们会有不同的观点，但我相信，在受到过现代文明洗礼的、有着健全智识的人们之间是不难达成共识的。

好教育包括重视健康人格的培养，重视人类核心价值的浸染，重视理智训练，重视充分和得体的自我表达；好教育也包括学习内容是能够引发学生的探索兴趣和学习的内在需要的，是充满了人道主义精神的，代表着人类文明的前进方向的；好教育还包括教育过程始终充满礼貌、尊严、秩序、温暖和热情——如果学生处于一种充满支持和鼓励的学习氛围中，他们就更愿意挑战有难度的任务并尝试各种各样的学习策略，在这个过程中，师生共同分享对于学习的激情，校园生活是能够令人沉醉与怡然的。好教育必然内含着某种心灵的引导和精神的激励，这是好教育把人引向卓越与高贵的根本所在。

好人生是我们每一个人孜孜以求的。好人生是宽阔而又有所坚守的，丰富而又清纯的，富有而又淡泊的，有情趣而又有境界的，如胡适的人生、林语堂的人生、梁实秋的人生、钱钟书的人生。这当然是好人生极致的代表。明确的目标追求、和谐的人际关系、丰富的内心生活、宽广的活动舞台，构成了他们灿烂的人生。对于我们普通人，同样可以拥有好人生：掌握好谋生的技能，衣食无忧地发展自己的兴趣和爱好，尊重并善待我们身边的每一个人。好人生如香茗，淡雅纯净；好人生如佳酿，醇厚悠长。

没有受过好教育的人，或许会很讲江湖义气，但他们有可能是沆瀣一气，他们之间也极易反目成仇；他们也可能有许多钱财，但往往挥霍铺张，而不是简单生活；没有受过好教育的个别人也有可能身居高位，但他们往往唯我独尊、专横跋扈；没有受过好教育的人有可能表现出纯朴憨厚，但也可能制造出令人发指的罪恶。他们内心中原始的欲望和本能缺乏理性的栅栏，一经触发便不可收拾。朴素的情感的确很美，也很令人感怀，但缺乏了好教育的熏染，往往并不可靠。正如偏远乡村的乡民也许很纯情，但他们变得厚颜无耻的速度往往更快，由于生活环境的封闭，他们容易缺乏对于各种诱惑的免疫力，他们的心中很有可能没有道德的底线，他们羞怯却并没有很高的自尊与自重。

在我们人类的潜能中，有两种力量，一种是向上向善的力量，一种是堕落邪恶的力量，正如我们都有求生与死亡两种本能，建设与破坏两种本能。好教育引导人们求真向善臻美，引导人生向自由与光明的境界缓缓飞升；而坏教育，平庸、贫乏的教育，充斥着对人的尊严的亵渎和人性禁锢的教育，只能使人变得低俗无趣、眼光短浅、心胸狭窄、猥琐自私、昏聩无能。课业负担过重而令人疲惫、令人压抑的教育不是好教育，眼中只有“考生”而没有“学生”的教育不是好教育，充斥着假话、空话、套话的教育不是好教育——我们特别须要牢记苏霍姆林斯基告诫我们的：“在学校里不许讲空话，不许搞空洞的思想教育！要珍惜每一句话！当儿童不能理解某些词语时，就不要让这些词语从他们嘴里说出来！请不要把那些高尚的、神圣的语言变成一钱不值的破烂。”

好教育是为了人生的教育，而不是为了任何外在目的的教育——不管这个目标如何动听、崇高和神圣，因为每一个人首先是目的；好教育是在师生当下善好生活中所进行的教育：对学生而言，当下的生活是愉悦的，学习效果会更好，健康人格的形成也更有保障，因为学习过程并不是单纯的认知过程，而是完整的人的存在过程。古人说得好:“学不至于乐,不可谓之学。”这丝毫不意味着学生学习的过程不需要付出努力,丝毫不意味着不需要放弃当前感官享乐的诱惑。一个不难确认的真理是:任何一个学习者,如果在学习过程中不能获得成就感,或者怀疑所学知识的价值,就会很容易失去学习的兴趣以及主动性。相反,好教育要着力培养学生对自己学业成败的责任感,学会放弃,能够放眼未来,学会规划自己的人生。“由于一个真正受过教育的人把那些永恒的标准运用于特定的情境,所以他表现出和谐、自制和文明。由于他具有智慧,所以他能控制情境。由于真理指导着他的生活,所以他是一个高尚的人。教育就是发展;教育就是引申;教育就是自我实现;教育就是由于人逐渐认识真理而使人变得富于人性。”(〔美〕罗伯特·梅逊著,陆有铨译《当代教育思想精要》,文化教育出版社,1984年,第42页)

对美好人生充满向往,对“每一个人都有成为好人的需要”充满信心,无限相信良好教育的力量是一个真正的教育者的精神修养。好教育来自教育者的好人生,而教育者的好人生既取决于好社会,也取决于教育者的自我求取。

人、环境与教育

人是环境的产物。在这一命题中，"人"既可指整个人类，或一个人群，也可以指"个人"。而环境，则包括自然生态环境和人文环境，即我们可以"遭遇"到的一切。因此，"环境"的最大项就是包括生产力发展水平在内的社会文明程度。正如马克思所指出的："一个人的发展取决于和他直接或间接进行交往的其他一切人的发展，彼此发生关系的个人的世世代代是相互联系的，后代的肉体存在是由他们的前代决定的，后代继承着前代积累起来的生产力和交往形式，这就决定了他们这一代的相互关系。"(《马克思恩格斯全集》第40卷，人民出版社，1974年，第515页)

"人是环境的产物"，意味着在人的发展上，环境有着决定性的影响力。人种的进化就很好地说明了这一点。比如，寒冷地带的人鼻翼比较长，而热带地区的人鼻翼则比较短。这是因为，前者从体外吸入空气进入体内，需要通过比较长一点时间的温暖，而后者却不需要。还如，热带地区的人们嘴唇比较厚，而寒冷地带的人们嘴唇则比较薄。人们的嘴唇之所以是"红"的，是因为它布满了血管。嘴唇厚有助于从人体内散发出更多的热量，嘴唇薄则有利于保存人体内的热量。赤道地区人们自然卷曲的短发则是为了形成一个空气层，更好地保持大脑免受过于强烈的阳光的暴晒。

俗话说："十里不同风，百里不同俗。"康芒斯指出："习俗不只是习惯。它是造成个人习惯的社会习惯。"(康芒斯著，于树生译《制度经济学》上册，商务印书馆，1962年，第58页)"'习俗'是一种外在方面没有保障的规则，行为者自愿地事实上遵守它，不管是干脆出于'毫无思考'也好，或者出于'方便'也好，或者不管出于什么原因，而且他可以期待这个范围内的其他成员由于这些原因也很可能会遵守它。"（〔德〕马克斯·韦伯著，林荣远译《经济与社会》上卷，商务印书馆，1997年，第60页）风俗（习俗）是一定的人群适应生存的自然环境的产物。而一定的风俗一旦形成，它又构成人们生存环境的一部分，成为塑造人们性格的一种力量。

孔子说："知者乐水，仁者乐山。知者动，仁者静；知者乐，仁者寿。"（《论语·雍也》）其意是说，智者像水一样机智敏捷，善于应对，随物附形；仁者像山一样厚重质朴，不管风吹雨打、电闪雷鸣，仍然岿然不动。智者乐水是因为水的澄澈、流动与深沉难以测量；仁爱之人像山一样平静，一样稳定，不为外在的事物所动摇。

"知者乐水，仁者乐山"，这一说法是有意味的，其实如果说"山更能成就仁者作风，水更能熏陶出智者气象"也是很有道理的。1996年，我的导师孙喜亭教授到长沙参加学术会议，在岳麓山下的枫林宾馆住了多日，特别是参观游览了依山傍水的岳麓书院，深有感触地对我说："湘江之滨能产生出那么多的才俊，与这方山水的灵秀是密不可分的。"我从自己的成长经历中，感悟出"山水孕育灵性，朗诵涵养才情"。浙江嘉兴海盐县境内的南北湖风景秀美，集"山、海、湖"于一体，是难得的休闲度假的胜地，特别是它的"人生得意山水间"的广告词可谓深得吾心。

在"个体"的意义上，人同样是环境的产物。古人曰"蓬生麻中，不扶而直"，讲的就是环境对人具有潜移默化的陶冶作用。班杜拉的社会学习理论也告诉我们：人是在社会环境中进行学习，从而形成和发展个性特点的。

一个人生活的家庭文化环境对个人的成长有着更直接的影响。美国社会学家发现，在使用第一人称上，出身于社会上层阶级的人习惯于用第一人称的单数，如：I guess...，I believe...，I want...而出身于社会底层的人更倾向于用第一人称的复数：we、our、us。我想原因就在于：出身于社会上层的人获得过许多的成功的体验，他们往往更自信，更容易显示出个人的自主性和独立性，所以会更直截了当地表达个人的需要、愿望和感怀；而出身于社会下层的人往往自信心不足，比较怯懦和卑琐，常常不敢理直气壮地表达个人的意愿和观点，所以经常要“扯虎皮作大旗”，成为“隐入群众之中寻求庇护的人”。

人是环境的产物，但环境也是可以由人来改变的。当今中国正走在通向法治社会的路途之中。“人情社会”制约着中国的进一步发展，中国迫切需要建立法律至上的观念，“江湖中国”的土壤之上是建立不起法治大厦的。

为了国家和民族的进步，需要我们以积极的心态从点滴做起。即使一切都不改变，我们仍然有努力的空间。更何况当我们不能改变环境时，我们可以改变我们的心态，而心态改变了，环境就发生了变化。因为所有的现实都不过是我们眼中的现实。当社会文明程度得到提升时，教育的环境就会变得更好，我们教育的努力就会更有效率。

“教育是我们时代少有的伟大希望之一。在一个理性的世界中，教育取代了许多古老的神话和信仰。正是通过教育，现代人才相信美好的将来掌握在自己的手中。教育就是塑造未来。”（查尔斯·赫梅尔著，王静等译《今日的教育为了明日的世界》，对外翻译出版公司，1983年，第4页）而教育就是环境的创设，它体现着人的能动性和超越性。创设一个安全、快乐、奋发向上、互助友爱、诚信、和谐的生活环境，不仅有益于学生的成长，也有助于社会的进步。

教育的意向性

教育之于人，既完全可能，又非常必要，而人——作为教育者是教育实践活动的主体，作为受教育者是教育活动的对象。人们怎样看待教育？通过教育要达到何种目的？这便是教育的意向性问题。换言之，教育的意向性，即人们对教育过程及其结果所抱的态度和期望。教育的意向性既有社会的，也有教育者的和受教育者的。

社会的教育意向性，按其形态又可分为意识形态型的教育意向性和社会心理型的教育意向性。

意识形态型的教育意向性，以教育方针和教育目的、人才培养的规格明确地表现出来，它是一定社会或阶级系统地、自觉地、直接地反映社会经济形态和政治制度的教育思想，它集中体现一定阶级的利益和要求。“任何一个时代的统治思想始终都不过是统治阶级的思想。”(《马克思恩格斯选集》第1卷，人民出版社，1995年，第270页)意识形态型的教育意向性在阶级社会中总是强势地表现着统治阶级的教育意向性。

社会心理型的教育意向性是一定阶级、民族、社会集团或其他特定环境中的人群，在其日常生活中和相互交往中自发形成的、不定型的有关教育目的、教育功能、教育价值等方面的社会意识，它表现在人们的感情、情绪、风俗、习惯、传统和社会风气中。如中国传统社会中的“书中自有黄金屋，书中自有颜如玉”的社会心理，轻视女子教育的传统和习俗；又如“文革”中“读书无用”论的情绪和社会风气等。

教育者的教育意向性可分为学生家长的和教师的。教育者的教育意向性表现为教育者对受教育者群体或个体的可教育性和对教育的需要性的认识以及对受教育者所抱的期望。如有的家长认为自己的子女“天生很笨”,“不可教也”;或是因为染有某种不良习惯,又因教育不得法,一时难以克服,就认为“朽木不可雕也”等;在对教育的需要性上,如有的家长认为自己的子女读了书能种好田,不读书或少读点书也照样能种好田,故而读不读书无关紧要;在对子女的期望上,不同的家长因自身眼界、见识、所受教育的不同,对其子女的期望也就千差万别。家长的教育意向性影响着子女的教育意向性。

教师的教育意向性,即对一定的学生群体与学生个体可教育性和对教育的需要性以及对学生所抱的期望。教师的教育意向性在教育工作中具有十分重要的意义。首先因为,一定社会或阶级的教育意向性必须通过教师来体现和贯彻。正如列宁所指出的:“学校的真正性质和方向并不是由地方组织和良好愿望决定,不由学生委员会的决议决定,也不由‘教育大纲’决定,而是由教学人员决定的。”(《列宁全集》,第15卷,人民出版社,1988年,第441页)人类学家乔治·史宾德勒就曾经注意到美国教育中有这样一种现象:在美国,大多数的教师都出身于中等阶级,于是他们就用中等阶级的是非好坏标准作为教育上的奖惩依据,合乎他们要求的就受到鼓励嘉奖,否则就遭到处罚(宋光宇编译《人类学导论》,台北:桂冠图书有限公司,1979年,第441~442页)。

其次因为,教师对学生抱有良好的期望,可以产生积极的效应,心理学研究和教育实践都已证明了这一点。如著名的“罗森塔尔效应”。R.罗森塔尔等人对小学各年级学生进行了“预测未来发展的测验”,然后将平日受教师歧视的贫穷家庭的儿童挑选出来,告诉教师这些儿童未来大有提高的可能性。实际上,这些儿童的挑选并非根据智能测验，而是随机抽取的。可是，一个学期之后再次进行的测验表明，“他们的智能成绩真的提高了”。罗森塔尔认为这个结果是从任课教师的期望中产生的，即由于教师对儿童的期望不同，导致对儿童施加影响的态度和方法的不同，因而教学效果也就大不一样。许多优秀教师也发现：学生受到有威信的教师的关怀，就会更尊敬教师，努力学习教师传授的知识，仿效教师的优良品德和模范行为，从而更健康、更快地成长。

教师对学生抱有较高的期望，对学生具有激励、鞭策的作用；而教师对学生抱有较高的期望，需要教师对人类潜能有一种科学认识和对教育的信心。人本主义心理学家亚伯拉罕·马斯洛就经常鼓励他的研究生们把目标定得高点。他会问他们准备写出什么样的伟大著作，或完成什么样的伟大任务。他对学生们说：“假如你不渴望写出伟大的新的第一流作品来，那么谁来写呢？假如你故意想偷懒，少花点力气，那么，我警告你，你今后的一生都会不幸。你将总是避开力所能及的事，避开自己有可能做到的事。”（〔美〕弗兰克·戈布尔著，吕明、陈红雯译《第三思潮：马斯洛心理学》，上海译文出版社，2006年，第60页）。

教师对学生的期望反映着教师作为教育者的眼界和追求。爱因斯坦指出：“用专业知识教育人是不够的，通过专业教育，他可以成为一种有用的机器，但是不能成为一个和谐发展的人。要使学生对价值有所理解并且产生热烈的感情，那是最基本的。他必须获得对美和道德上的善有鲜明的辨别力。否则，他——连同他的专业知识——就更像一只受过很好训练的狗，而不像一个和谐发展的人。”（《爱因斯坦文集（3）》，商务印书馆，1979年，第310页）“这种人，在我看来，正像一个极端近视而又不屑戴眼镜的人。他完全依从他那个时代的偏见和风尚，因为他从来看不见也听不到别的任何东西。一个人要是单凭自己来进行思考，而得不到别人的思想和经验的激发，那么即使在最好的情况下，他所想的也不会有什么价值，定是单调无味的。”（〔美〕爱因斯坦《论古典文学》，《大学活页文库》合订本，华东师范大学出版社，1999年，第15页）

我们的教育究竟要带给学生什么，让学生获得怎样的发展决定着教育的方向和品质。

学生的教育意向性既是教育及其环境影响的结果，又是进一步教育所应认真考虑的。学生的教育意向性也包括对教育的功能、教育的价值和对自我的期望。学生良好的教育意向性是学生接受教育和进行自我教育的必要前提。正如爱因斯坦所指出的：“即使是一头健康的猛兽，当它不饿的时候，如果有可能用鞭子强迫它不断地吞食，特别是当人们强迫喂给它吃的食物是经过适当选择的时候，也会使它丧失贪吃的习性的。”（〔美〕爱因斯坦著，许良英译《爱因斯坦文集（1）》，商务印书馆，1976年，第8页）

不论是社会的教育意向性，还是教育者和受教育者的教育意向性，都会影响到受教育者的成长和进步。如，人们一般认为女孩学习数学的能力不如男孩。然而，一些研究证实：在学习数学的能力上并不存在性别差异的倾向。某些统计数字所表明的男孩在数学方面要胜女孩，只是因为在女孩的早期生活中人们便让她们相信自己不适宜学数学，因此到了青春期女孩往往回避选修数学课（〔加〕江绍伦《教与育的心理学》，江西教育出版社，1985年，第293～294页）。

人是需要受教育的，也是可以受教育的，人们的教育意向性影响着教育过程和教育效果，而人的可教育性、人对教育的需要性其本身就是教育意向性得以形成和确立的最重要的观念。这虽不是一个全新的观念，但随着科学的发展，人们对它的认识一定会愈益全面、深刻、丰富，从而我们更加真切地认识人的潜能、人的本质、教育的职能与价值。

教育与个人的自由发展

所谓个人的自由发展,是指每一个真实具体的个人,基于人格的独立和平等,在遵守社会理性规范(包括道德规范)的前提下,依照自己自觉自主的意志而充分展开自己的生命活动,积极能动地发挥自己无穷的创造才能。在这里,每个人人格的独立、自主和平等是自由的基础,个人对社会关系的高度驾驭、个人社会关系的充分实现、个人激情活动的能动展开是自由的基本内涵。外部世界不再是压迫、束缚人的力量,劳动真正成为人的自主性创造活动的源泉。这时,人与人之间的交往关系才会发生根本性变化,即由对抗的、压迫的关系变成自由、平等的关系;社会不再是一种束缚人的盲目力量,而成为一种与人的个性相吻合的自觉力量。每个个人只有在社会中通过主体间的平等交往,才能获得满足自己物质和精神需求的条件,获得个性全面发展的条件。

只有以"现实的个人""有生命的个人"为前提和出发点来关注人的发展,才具有现实意义,也才具有理论的魅力、理想的光辉和崇高的本性——着眼于"类"考察人的发展,至多能得到一种抽象的"进步"或"进化"的观念;着眼于个人考察人的发展,人的发展的曲折和坎坷、丰富性和复杂性,才能真正进入考察者的视野。

社会的发展与进步为个人自由全面发展既提出了需要,也提供了可能。"文化上的每一个进步,都是迈向自由的一步",人能够在创造历史的过程中把合规律性与合目的性统一在自己的物质实践中。马克思说:"一个种的全部特性、种的类特征就在于生命活动的性质，而人类特性恰恰就是自由自觉的活动。”“自由自觉的生命活动是人的本质特性。”对自由的追求是人的本性需要。因此，“进步这个概念决不能在通常的抽象意义上去理解”。社会进步只有以个人的自由全面发展为标尺和最终目的，才能将合规律性和合目的性统一起来，因为社会进步评价所依据的是价值关系，而人是价值的唯一主体。“社会进步”意味着：人的生存和发展条件的改善，从而使人获得较之以前更多的解放和自由；人们拥有的社会条件对个体生存、享受和发展具有实质性的意义。

个体主体性的凸现，是当今时代精神的重要体现，它昭示着人们去创造一个合情合理的人的世界。在现代社会中，“人民更多地参与创造其自身性格，这构成了个人自由进程的一个组成部分”。随着市场经济的发展和完善与政治民主化程度的提高，个人自由全面发展将日益成为现实——社会不再是压迫、束缚人的力量，而成为一种与人的个性相吻合的自觉力量；劳动真正成为人的自主性创造活动的源泉；人与人之间的交往关系发生着根本性的变化，“被迫交往转化为所有人作为真正个人参加的交往”，“个人向完整的个人的发展及一切自发性的消除”，每个个人都可以在社会中通过主体间的平等交往，获得满足自己物质和精神需求的条件，获得个人自由全面发展的条件。

个人的自由全面的发展，这将是一个永恒开放的历史进程。这个问题不仅是永恒的，也是常新的，因为社会生活条件和人自身都是不断发展变化的。处于这一历史进程中的每一代人，都有着自己的时代主题。当今中国“处于一个伟大的变革时代，同历史上任何一次伟大的变革必然要突出人的问题一样，人的问题一直伴随着我们改革的进程……人和人的主体性问题再次成为当今时代精神的精华——真正的哲学主题”。所有个人的独特主体性的正常健康发展或自由发展，会给人类各种集体的发展与人类整体的发展，提供最丰富生动的动力和源泉，在每个人的这种发展的交互作用中，每个人的人生将会获得其应有的意义和价值。自由的权力只有是每个个体的实际权力（特别是思想的自由），自由才不会成为空洞的概念。一个社会只有以个人为本位、为目的，为每个个体的自由全面的发展尽可能地提供最佳条件，这个社会才能在整体上大踏步地前进。如果说，在当代西方社会，人的发展趋势主要是有独立的个人走向具有类意识的健全的个人，那么，在当代中国，人的发展趋势主要是由依附性的个人走向具有独立人格的个人。

历史上个人自由发展的要求，始终是推动教育（乃至整个人类文明）发展的强大动力。人的发展史，实质就是一部个性追求自我独立和发展的历史。在世界范围内，自工业革命以来，个人的自由全面的发展日益成为教育的基本主题，在不同的社会文化背景下、在不同的场合、以不同的方式不断地被突出和强调。主体性教育的深化和具体化，成为个人自由全面发展在当今中国文化境遇的重要主题。

个体与整体（群体、集体等）之间的矛盾和冲突是历来就有的，只是到了现当代，由于人与自然的矛盾逐渐退居于次要，也即为生存而斗争不再是人们的主要任务后，个体与整体（即个人与社会）的矛盾在这一背景上凸现为主要矛盾。教育作为最深切地牵涉于个人与社会两者关系的文化过程，在今天就愈益紧迫地肩负着缓和、化解个人与社会矛盾和冲突的使命，而完成这一使命的有效途径之一便是培养学生的主体性道德人格，以便他们在人们有了更多的需要也有了更多的满足需要手段的现时代，能更多地自主地选择自己的生活，赋予生命以尊严、意义、价值与厚重感，从而提高生命境界和生命质量。

人类的文明越是进化，人的个体的主体性便越是得到充分的尊重。肇始于西方的文艺复兴，经过以卢梭为精神领袖的启蒙运动和以康德为代表的哲学革命，一直延续到西方的现当代，有一个重要的思想主题，那就是个人自由与独立意识的觉醒，其核心内容是强调个体与群体的区别，强调个人对社会的本位地位和个体的独立、自由：人类自觉地意识到了每个个体的人作为人类整体（类存在、社会）中的一个特殊的存在而有别于其他同类，每个人都是一个特殊的世界，人类要想充分地发展自身，必须首先发展每个个体的独特性，让个体在社会中保持其独立性，给个体以自由。

一个人的个体主体性高扬的社会必定是一个充满活力的社会。自由的程度就是人类发展的尺度，人的实现就是人的自由，因为自由是人的先天权利。马克思就曾指出："首先应当避免把'社会'当作抽象的东西同个人对立起来。"在《德意志意识形态》中，一再揭示了以往历史上的那些所谓国家、社会和"共同利益"的虚假性，称之为"虚幻的共同体的形式"。加强人的个体主体性建设，"在最无愧于和适合于他们的人类本性的条件下"，追求个人自由全面发展，就成为人们向往的理想境界。

在未来的社会中，人们有可能真正作为个人而不是"作为阶级的成员，同新型生产劳动发生有意义的联系；人们得以利用自己在劳动中所创造的一切，形成自己丰富的个性。到那时，自主的劳动成为人的主体的内在冲动的现实化：人们在这种劳动中不会再感受到劳动的辛劳艰难，而是创造的乐趣。这种劳动将是对人的全面性，丰富性的卓越证实。它将使个性的这种自主劳动也不再表现为劳动，而表现为活动本身的充分发展"。与这一历史进程相一致的教育必然是人道的、人性的和多样的。

教育与国民性的改造

作为世代交替中的每一代人，首先是作为文化的承继者而存在的，然后才有可能成为文化的创造者。教育作为文化系统中的一个能动要素，其功能便是使每一个个体从“自然人”逐渐成为“文化人”。一方面，它使得文化的延续和发展成为可能有；另一方面，它使得个体的生存与实现自身的潜能成为具有某些共同的人格特征。这种共同的人格特征，有的学者称之为“基本人格类型”(basic personality type)或“众数人格”(modal personality)，也就是我们常说的“国民性”(national Character)。所谓“国民性”，即是一个民族在长期的历史发展过程中形成的表现于民族共同文化特点上的习惯、态度、情感等比较稳定持久的精神状态及心理特征。它为一民族所独有，对于同一民族而言为共相，对外民族而言，则为特质。

国民性是如何形成以及如何存在于一定的文化中的呢?拉尔夫·夫顿提出了三个原则:(1)早期经验对人格有延续的影响。(2)子女教养方式是由文化塑造而成的，因此同一民族文化中的孩子，其早期经验虽不尽相同，但至少是相似的。所有文化共同体在养育小孩方面都面临着类似的问题，然而解决问题的方式却随文化不同而异，但在同一文化层次中却是相当一致的。(3)同一社会中儿童类似的早期经验，导致类似的人格形态的产生，而不同文化共同体中的儿童，由于不同的早期经验，则导致不同的人格形态。在每一个社会文化共同体中，都构成着这样一种循环——基本的风俗习惯导致制度化的子女训练方式，由此导致类似的人格形态；与此同时，人格形态又反过来影响制度化的风俗习惯、信仰和传统。因此，每一种文化中的人不仅在小时候受类似的教养方式的影响，而且长大以后仍然受到类似的风俗习惯和传统的影响。当这些人长大成为父母时，他们的习俗风尚和传统又影响他们自己教育子女的方式（普汶著，郑慧玲编译《人格心理学》，台湾桂冠心理学丛书，第22页）。

美国人类学家克莱德·克鲁克洪对何以能够形成一定的国民性亦作了自己的回答。他指出："为什么大多数人，在大多数时候，都遵从一定的文化模式？我们无法对这个问题作充分的讨论，但是有两个原因是很显然的。首先，由于习俗相袭，一个人对自己和群体的关系是抱着肯定态度的，这样他才能避免产生孤独之感。其次，因为社会生活有随之而来的分工，那么就很自然的形成了一定的文化模式。这可想象为人们生活在同一个家庭里，在不同的时间和不同的房间，作同样的烹饪，进同样的饮食。"（〔美〕克莱德·克鲁克洪等著《文化与个人》，浙江人民出版社，1986年，第8页）

上述两位学者的观点，无疑是值得我们重视的，也是有说服力的。但在西方，也有一些人类文化学和社会学的研究者提出了所谓的"民族心理""集体表象"或"集体无意识"等，都把文化看作一种在个体出生之前业已存在、每个个体不能不按其行事的"列维坦"式的东西，这就不可避免地导致把"国民性"视为一个民族先天的生理遗传，而不是后天的文化及其教育的产物。笔者认为，从一个民族的国民性的形成来看，即是一个民族文化心理结构的历史积淀，也是一定社会文化共同体内的人类在漫长的集体实践基础上发生的。积淀本身包含着内化（心理）与外化（文化的历史遗存）两个方面，二者又共同以人类文化活动（自然包括教育）为中介相互转换生成。传统的文化及其内在的惯性——文化的传统，是人类文化心理结构的外在方面。与这个外在方面相对应，在共同的历史文化背景上，形成和发展了一定社会文化共同体中的人类共同的心理结构，形成和发展了某些内在的心理模式、构架和范式。

国民性是某一民族文化中，绝大多数的个体文化或多或少所具有的一些共同性特征。在这一民族文化中，还有一部分个体文化不具有这一共同性的特征，甚至可能是截然相反的。这仍然是文化及其教育所致。一般说来，在“民族文化—地域文化—社区文化—家庭文化—个体文化”这一文化序列中，处于较低层次的文化，在一定程度上都是由所有高于它的层次的文化决定的。同一民族文化中的个体文化，由于地域文化、社区文化和家庭文化的千差万别，更由于形成个体文化的自然基础——遗传素质及与个体直接和间接交往的人和事千差万别，就有可能奇迹般地组合成一种与众不同的个体文化。另外，国民性本身也不是凝固不变的，而是发展变化的。

“五四”启蒙运动开展了对国民性的批判，目的是由“立人”而“立国”。这既是对传统人格的颠覆，也是对现代人格的建构。林语堂先生认为中国传统文化精神有“太正经与太不正经”的两个极端，太正经滑向理性化的极端，最终演变为“吃人”；太不正经滑向感性化的极端，而趋向于“堕落”。他主张避免走这两个极端，而通过幽默达到中和，以培育一个“新人种”。这个新人种应当是“一个浸染着丰富的合理的精神，丰富的健全的知识，简朴的思想，宽和的性情，及有骄阳的人种”（林语堂《人生的归宿》，海南出版社，1993年，第525页）。而蔡元培先生则强调：“要培养爱自由、好平等、尚博爱的人，在教育上不可不注重发展个性和涵养同情心两点。”（张汝伦编选《文化融合与道德教化——蔡元培文选》，上海远东出版社，1994年，第343页）

国民性既是文化及其教育的产物和文化的负荷者，又反过来决定着文化及其教育的特性和发展方向。这里存在一种决定论的关系,但不是简单的因果决定性。也就是说不是线性的决定论,而是协同、相互作用、互为因果的有概率的测不准特性的决定论。

教育需要无为而治

“无为而治”本言自孔子“无为而治者，其舜也与”（《论语·卫灵公十五》），但在老子哲学里，“无为而治”的思想成为了一个体系。“无为”是老子哲学的一个专有名词，不能照字面直译作“没有作为”，或误解为“无所谓”。老子说：“我无为而民自化，我好静而民自正，我无事而民自富，我无欲而民自朴。”（《老子·五十七章》）老子主张行道，不能违背规律，否则就是“有为”——乱为、妄为。“无为”是讲从“无为”的态度去“有为”。可见老子并不反对人类的努力，老子说：“万物作而弗始，生而弗有，为而弗恃，功成而弗居。”（《老子·二章》）因此，“无为”不是消极的，而是有其积极意义的。老子以“无为”来反对一切违反自然的事，反对强作妄为、贪求无厌。

教育的确是关涉千家万户，关涉民族的昌盛、国家富强的大业。社会各界给予教育真诚的关注是一件值得庆幸的事情，因为社会对于教育的合理期待也是教育的重要资源。但眼下人们对于教育过高的期望，赋予教育过于沉重的职责，甚至是过于苛严的要求，就有些过犹不及了。它使得广大的校长和教师心理压力太大，使得老师们整天疲于奔命，也使得中小学生没有喘息的机会，没有自主发展的空间，这也是诸多有识之士共同忧虑的事情。

社会的方方面面出了问题，总习惯于拿教育说事，好像教育是万能的。

在我看来，过分夸大教育的作用，与人治传统有千丝万缕的联系。动不动就“从娃娃抓起”，动不动就“进中小学课堂”，已经成了某些部门和个人的行事风格。比如“廉政建设”进课堂就非常的滑稽可笑，请问哪一个贪官不知道贪污可耻、贪污犯法？更有一些部门不是真诚地为学校服务，为教师和学生服务，而是大搞各种各样的形式主义的检查、评比，使得中小学应接不暇，无异于把中小学变成他们滥施淫威的场所。

成长是儿童生命的主题。成长当然离不开学习，但除了学习，还需要有积极充分的休息、充足的睡眠，需要追逐、嬉戏、打闹，需要无所事事、做白日梦，需要有“面对着天空发呆”的自我调适。可家长们对于孩子的要求，除了学习，还是学习，错误地认为娱乐和玩耍是浪费时间、耽误学习。殊不知，“学习能力只是儿童发展的一个方面，我们必须承认儿童各方面的发展不是孤立的，而是不可分割的。例如，一个刚进入学校的儿童，其社会性发展，情感发展水平，身体发育的迟缓或损伤都将影响其学习能力”（珍妮特·凯著，曲文洁译《爱与责任——教学助理指南》，北京师范大学出版社，2006年，第15页）。

学校最应该是优哉游哉、藏焉息焉的地方，最应该非常的从容，非常的宽松、宽容与宽厚，非常的闲适与祥和。学生的成长需要有足够的智力负荷、理智的挑战的同时，也需要有心身的舒展、愉悦和惬意。学校就应该是书声、笑声、歌声琅琅。

教育的无为而治，首先是有关部门完善对学校、教师和学生的评价标准，改变片面以“升学率”论英雄的观念和做法。我们整个社会，特别是家长也需要调整对教育的期望，给学校、给教师、给孩子减压减负。试想，当众多的父母致力于炮制一个个“清华男孩”或“哈佛女孩”时，会是一种什么样的情形？孩子们整天读英语、进奥校，没有休息日，没有自由的空间，像一个陀螺一样永不停止地旋转，而父母则是抽打他们的鞭子。社会的进步不是一朝一夕的事情，不可急功近利。孩子的成长也不是学校一家的事情，在很大程度上取决于社会的文明水准。

实现教育的无为而治，我们广大的校长、教师也需要调整心态。任何时候我们都只能做到“不能尽如人意，但求无愧吾心”，很多时候我们尽了努力就问心无愧了。教育就是对于学生成长的守望，在必要的时候，在学生自由地行走和奔跑时，提醒他们哪儿有陷阱，哪儿是悬崖，哪儿可能被绊倒，哪儿有荆棘可能刺伤肌肤。教育不可能无所不能，不可能包打天下，不可能在短时间内使一个弱国变为世界强国，永远也不可能使一个弱智变为天才。

教育与灌输

在教育中，灌输一直是有争议的问题，反对者有之，赞成者有之，部分反对部分赞成者亦有之；究竟何谓“灌输”？它有什么危害？如何改造和克服？怎样实现对灌输的拒斥和否弃？这都需要在理论上予以阐释。

灌输按其字面意义是浇灌、注入、输送。按通常的理解，灌输含有灌输者的强制性，被灌输者的被动性。往往与教学法中常说的“注入式”、“填鸭式”混同。据有的学者考证，“灌输”一词源于拉丁文，意为“注入”、“插入”、“用脚跟踩进”，引申为通过反复持续的说教使某人无条件地接受某种思想或学说，它多少包含了借助一定的物质力量达到某种目的或结果的意思。

对于“灌输”许多学者都提出了批评，有学者指出，灌输作为一种教育方法，是同启发、引导相对立的一种传统教育方法，它把教育内容当作了目的，而不是把教育人、培养人当作目的。灌输作为教学法不考虑儿童的心理发展特点和接收能力，单方面强迫性地向儿童灌输道德概念，提出道德要求的教育方法。该方法对帮助儿童了解道德知识，形成道德概念有一定作用。但其弊病更多，例如，教育的效率低；容易使儿童形成他律的道德并难于向自律的道德转变；导致顺从、依附、易受暗示、自卑等消极特征；使儿童的道德行为只是被迫的行为，而非出于内部需要。

全面地理解灌输，应该从目的、内容和方法三个层次来理解。国内学者中陆有铨教授、戚万学教授是较早地做这样全面的理解的。他们指出:概括起来讲,灌输就是教育者借助一定的权威或外部力量迫使受教育者不加批评或接受某种固定的道德规则系统和方法。灌输的这一本质特点既可表现在教育目的上,也可表现在一定的教育内容和方法上。从教育的目的上讲,灌输主要指教育者的目的、意图或指导思想,是要通过诸如说服、规劝、奖惩等方式使学生接受所讲授的内容。从教育的内容上讲,灌输是指教育者把某种具体的信念、教条和价值当成"真理"来教授而排斥其他一切与之相悖的价值,而这些具体的道德规则和特殊的行为准则都无法证明其在道德上的合理性;从教育的方法上讲,灌输就是教育者为达到一个固定的目的而采用强制的非理性的甚至是"权力主义"的手段和措施,而不管受教育者是否愿意或是否有能力接受(陆有铨、戚万学《关于我国道德教育的几点思考》,《华东师范大学学报》,1990年第2期)。

美国学者麦克莱伦对"灌输"作了非常详尽的分析,他指出:灌输和迷惑、欺骗、"洗脑子"、吓唬人以及使学生不经充分的理性反思就轻易地相信某规范有着一些共同的特征:(1)从内容上看,对灌输的分析必须始于教义的概念,而所谓教义,按安东尼·福禄的说法,是"这样一种信念,若不是假的,至少也不知道它是真的"。(2)从目的上看,灌输者的意图就是让他的学生对这样一个世界有所准备,在其中他的信仰总是受到威胁,相反的信仰不是被看作扩大和丰富生活的可能的真理,而是被当作应去战胜的危险。(3)从方法上看,以控制作为主要的手段,"教就是在学习者的头脑中种植信仰"。"如果一个文化,不承认在其文化之外有着相反的信念体系的话,那么它既不会有灌输的概念,也不会有灌输的实践。十有八九,也不会有一个显著的教的概念。"(麦克莱伦《教育哲学》,三联书店,1988年,第284~290页)

学校道德教育为什么要否弃、拒斥灌输呢?原因就在于,灌输是与道德的真义相背离的,因而是对人的自由、尊严、个体主体性以及理智能力的蔑视甚至践踏。也正因为如此,灌输不可能取得理想的教育效果。

“人们大多反对灌输是因为被灌输的人失去了独立思考的机会，他不可能抛弃别人灌输给他的思想或者他已有的思想。”([英]约翰·怀特《再论教育目的》,教育科学出版社,1992年,第138页)在灌输者看来,道德可以像知识一样,通过灌输可以让学生获得,从而成为有道德的人。“灌输的主要方式之一就是要教授在某些方面靠不住的信仰和价值观。威尔逊尤其重视这种灌输——把谬误当作真理，把不确定的东西当作无疑的东西来教授。”(克里夫·贝克著,戚万学等译《优化学校教育》,华东师范大学出版社,2003年,第79页)在当时学生不可能掌握或较为精当的领会所有这些东西的内涵。灌输包含不恰当的内容和方法,这种内容和方法很可能带来不好的结局(尽管它也可能有幸不会带来这样的结局)。“灌输”是一个带有贬损含义的价值术语。

灌输的错误在于它曲解了道德的主体性本质,从而也就忽视了学生的主体性,而真正的教育,正是对人的主体性的弘扬和塑造。合理的道德教育必须以“表现个性、培养个性,反对从上面的灌输;以自由活动反对外部纪律”为基本原则。

在道德教育方法上把学生单纯地视为道德规范的被动的接收者而普遍采用灌输,对此人们有着许多的抨击。而“灌输既不是一种教授道德的方法,也不是一种道德的教育方法。之所以说它不是一种教授道德的方法,是因为真正的道德包括对于那些有可能处于冲突之中的价值作出审慎的决定;之所以说它不是一种道德的教育方法,是因为合乎道德的教育意味着尊重儿童正在发展着的推理能力和对他们所学的内容的评价能力”(Lawrence Kohlberg:*Using a Hidden Curriculum for Moral Education Digest*, May,1987,P12)。科尔伯格认为把学生看成是什么都能容纳的“美德袋”(a bag of virtues)的道德价值教育方法既不合理,又无效果。杜威有一个非常形象的比喻:“虽然我们可以把马引到水边,却不能迫使它饮水。”(杜威《民主主义与教育》,人民教育出版社,1980年,第29页)“普遍的即外部的灌输,不仅不能促进反而限制了儿童的智慧和道德的发展。”(《杜威教育论著选》,华东师范大学出版社,1981年,第349页)“无论从教育概念本身还是一个充分发展的道德主体来看,都要求一个人能够独立思考,灌输,由于试图封闭人的思想而与这种要求格格不入。”(Hare,W,“Open-mindedness in Moral Education: *Three Contemporary Approaches*”, *Journal of Moral Education*, Vol.16, No.2, May, 1987, P99)灌输的弊端就在于无视人的价值内涵和精神品性,漠视了发展中的个体作为潜在的或显在的道德活动的主体所应有的人格尊严。涂尔干认为:“教授道德,既不是去说教也不是灌输,而是解释。我们必需帮助孩子们理解他们所要遵守的法则,否则的话,我们就是在遣使孩子们接受不完整和低级的道德。”(克里夫·贝克著,戚万学等译《优化学校教育》,华东师范大学出版社,2003年,第84页)

有一个世界性的有关道德教育的难题,那就是在教育中如何保证既坚持价值引导又拒斥灌输呢?教育是一种价值引导。这种“引导”通过何种方式才是合适的呢?以威尔逊(John Wilson)为代表的道德教育理论家反对把任何特定的道德规则灌输给学生,“我们主要的不是力图传授任何特定的内容,而是教他们一种熟练的方法”,亦即道德教育的目的不是让学生遵从某种具体的道德准则,而是让学生掌握一种理性的方法并依此作出自己的道德决定和道德选择。但问题是不仅脱离开具体内容的所谓纯粹的方法并不存在,而且道德相对主义也容易导致放任自流或是无所执著、无所依傍、无所敬畏的精神空虚。霍尔就曾指出:“在我们这个多元社会里,尽管这种直接的灌输方法是无效的,然而,任何道德上放任的企图也没有取得更好的结果。”“道德教育所面临的问题和挑战是要寻找一条中间路线。它既不强迫年轻人接受一套道德规则,也不给他们这样一种印象,即作出决定完全是一件个人主张或想入非非的事情。”(戚万学、杜时忠编著《现代德育论》,山东教育出版社,1997年,第323、292页)

坚持价值引导而同时拒斥灌输,这除了在教育过程之中始终坚持尊重学生的内在需要和自主建构外,就是要求我们的教育对诸如终极价值、绝对真理之类的东西保持审慎的态度,留下一个开放的价值空间,向学生提供多种多样的、可供选择的价值系统和信仰体系,并让他们明了这些价值系统和信仰体系在他们生活世界中的作用与意义;培养他们对多样化的尊重和开放与宽容的心态,培养他们自主判断与自主选择的能力。

灌输的核心是强制和服从而不是创造和自主,是一种无视学生的主体性、无视人的自由与尊严的教育。一个开放的社会,一个尊重多元化的社会,在道德教育中必然是拒斥灌输的,因为灌输试图封闭人们的思想,将一元化的东西定于一尊。正如弗莱雷所说的那样:“这种对话不能被简化为一个人向另一个人‘灌输’思想的行为,也不能变成有待对话者‘消费’的简单的思想交流……对话不能出现一些人代表另一些人命名世界的情况。”(〔巴西〕弗莱雷·保罗《被压迫者教育学》,华东师范大学出版社,2002年,第97页)灌输事实上反映着社会本位和教师中心,表现为对独特性和差异性的漠视。任何意义上的灌输都有漠视学生需要和尊严的共同特点。真正的教育正是建基于对个体的自主、独立和人格尊严的尊重,建基于对学生的需要、自主的道德判断和道德选择能力的高度珍视,建基于民主、平等的师生关系,这就决定了对灌输的彻底否弃与拒斥。

学校,用什么来吸引学生

随着社会文明的进步,享受优质教育越来越成为人们的需求。“人人享有受教育的权利”已不再是难以企及的梦想。究竟什么是优质教育,也许人们一时还难以提出完备的评判标准,但在“优质教育一定是学校对学生来说具有吸引力”这点上人们完全可以达成共识。因此,探索“一所学校对学生的吸引力究竟受哪些因素的影响”就有着重要的意义,它能够帮助我们找到办好学校的一些抓手、一些着力点,使学校真正成为学生健康成长的乐园。基于我对学校生活的体验,我敢肯定如下因素都会或多或少地影响到学校对学生的吸引力:

1. 师生关系。教师是学生的“重要的人”,师生关系是否和谐与融洽,作为学生能否受到老师的关注、欣赏和鼓励,这对学生心情和成长有着至关重要的影响。而师生关系的质量如何,决定权在教师手中。如果一个老师和大多数学生的关系不和谐,而这个老师却怪罪学生如何不好,那是老师不成熟的重要表现。良好的师生关系是教育大厦建立的基石,学生正是从良好的师生关系建立的过程中学会与人交往,学会建立起人与人之间信任、友善与合作的关系。研究证明,如果学生认为教师眼中的自己是有能力、负责任、有价值的,就会很容易形成积极的态度。教师给予学生的关心和接纳越多,就越能帮助学生去关心和接纳他人。他们获得的越多,他们能够给予的也就越多。反之亦然,他们获得的越少,给予的也就越少。

2. 课堂教学质量。我们不难想象，如果课堂教学经常能带给学生智慧的启迪、成功的体验、自尊的满足，让学生感受到智力劳动的快乐，学习过程的美好，那学生一定会觉得上课是多么有意思的事情，学校是多么有吸引力的地方。相反，如果学生经常不能感到学有所获，经常听不懂老师在讲什么，或者怀疑所学“知识”的价值，经常遭到忽视，遭遇挫折与打击，那他就会感到焦虑，厌学进而辍学，久而久之，就会自暴自弃，甚至敌视他人，仇视社会。课堂教学质量受很多因素的影响，包括学生的资质，学习内容的性质，教学设备，但最主要的因素还是教师的专业素养。

3. 同伴关系。学生能否感受到同学之间的同窗情谊，校园里是否存在诸如敲诈勒索、以强凌弱、以大欺小这样的校园暴力，以及捉弄、讥讽、孤立、取绰号等校园软暴力的现象，无疑会影响到学校对学生的吸引力。如果一个学生没有玩伴、经常受同学欺侮，学校是令他感到伤心和恐惧的地方，学校当然不会对他有吸引力。因此，所有老师，尤其是班主任，应该细心地关注学生之间的关系，并且和家长密切合作，引导并帮助学生形成相互帮助、团结友爱的同学关系。

4. 课外活动。一所学校的课外活动是否丰富，是否达到了一定的水准，是否能够满足学生多样化的兴趣和爱好，当然会影响学校对学生的吸引力。丰富多彩的课外活动是课堂教学的有益补充：它不仅能够拓展和深化课堂教学，更重要的是，它能够很好地对学生实施个性化的教育，是因材施教的重要途径，对于培养学生的自主意识和选择能力有着重要价值。

5. 课业负担。具体到一个学生来说，课业负担的轻重取决于多重因素，包括天赋（学习能力）、智力类型、学习偏好、家庭文化背景（特别是家长能否有能力和愿意辅导孩子的学业）、课程设置（特别是内容分量和难易程度）、教师的教学质量、学校的教育要求等。今天我国中小学普遍存在学生课业负担过重的现象，学生的呐喊“黑夜给了我黑色的眼圈”虽然不足为证，但也绝非恶搞，中小学生睡眠严重不足，以至于在我们的社会中最苦最累的是孩子成为不争的事实。学生课业负担过重的主要原因是课堂教学质量不够高、家长的文化素养不够高，而对学生的期望过高导致的。

6. 学校的办学条件。学校的办学条件体现在包括学校环境、硬件设施、班级规模等因素上。学校环境又包括学校周边环境和校内环境。学校周边的治安状况是否存在着“脏、乱、差”的现象，学校周边社区的居住人群的文明素养如何，校园内是否整洁、干净、亮丽、宁静、舒适，都会影响到学校对学生的吸引力。

7. 校规校纪。这方面对学生的影响主要看学校在校规校纪中体现出的对学生的要求是否合理？要求是否明确？要求是否能够公正地兑现？您不妨比较一下中国和美国的《小学生守则》，相信您很快就会发现美国的《小学生守则》对学生的要求具体、清晰、合理，对学生的现实生活有明确的指引，如：“当老师提问且没有指定某一学生回答时，知道答案的都应该举手。”而中国的《小学生守则》存在着要求过高、笼统、空洞、缺乏可操作性等弊端。建立健全校规校纪，使其体现出教育对学生的尊重、温暖的关怀和美好的期待，这对于提升学校的吸引力无疑是十分必要的。因为，学生渴望着被允许走出死气沉沉的教室，渴望着从单一狭窄的学习环境获得自由，脱离那个由教师、教科书、规定他们课程内容以及学习方法的课程标准组成的学习环境。对于学生的这一需要，我们的教育尽管不应该简单地迎合，但也绝不能无视。事实上，只有当学习是一个自主的过程时，学习才能促进学生的和谐发展与全面成长。在学校自由的氛围中让学生从小学会自主、自制、自律和自治，这是民主社会的基础。

8. 学校的社会声望。如果一个学生能去一所升学率很高、社会声望很好的学校，他就会感到自豪和庆幸，就会有比较积极的心理暗示和比较高的成就动机。相反，如果去的是一所薄弱学校，学生就会感到自卑、沮丧、心灰意冷，自尊心和自信心都会受到严重的伤害。的确，在目前，“薄弱学校”的办学条件、师资水平、生源素质等方面都与名优学校有比较大的差距。我们不妨替“薄弱学校”的学生想一想，在这种情况下如何去与名优学校的学生公平竞争？因此，切实推进区域内教育的均衡发展，对学生健康人格的成长、和谐社会的建设都有着重要的意义。全国许多地方都在积极探索如何改造“薄弱学校”，缩小同类学校之间的发展距离，积累了一些宝贵的经验，这是非常可喜的，像大连中山区的经验就值得我们认真研究和借鉴。

9. 对学生的评价。在教育中，评价有诊断甄别、反馈调节、激励导向等功能。对学生的评价就意味着什么样的学生是好学生？在何种情况下学生就有可能受到奖励或惩罚？这就涉及评价标准是否合理？评价过程是否公平？评价究竟是导致学生之间的恶性竞争还是导向一个更好的生命状态？积极推行发展性评价，让评价成为促进学生发展的有力杠杆，是办好学校的重要策略。

10. 学校风气。学校风气包括班级氛围、学校传统、学风、教风等。学校风气与师生关系、同伴关系相关联，也直接影响着学校的社会声望。良好的学校风气是重要的教育力量的源泉，也是学校对学生的吸引力产生的沃土。

以上这些因素都会影响到学校对于学生的吸引力，尽管具体到每一个学生这些因素的重要性会有所不同。如果做一个统计学分析的话，我估计学校的社会声望、课堂教学质量、师生关系、同伴关系等的重要性会大一些，但并不是说其他因素就不重要。也许，在统计学上的次要因素，对一些学生来说却可能是非常主要的因素。

特别值得注意的是，这些因素之间存在着错综复杂、相互纠结的关系。学校教育本身是一个生态系统，各种因素之间本身是互为条件、互为因果、相互生成的。比如，课堂教学质量就会受到学校办学条件的影响，也受到师生关系、同伴关系的影响，而课堂教学质量又影响到学生的课业负担的轻重，课业负担又可能直接或间接影响师生关系。还比如，学校的社会声望既受办学条件的影响，又与课堂教学质量、学校风气密切相关。

为了使学校变得对学生更有吸引力，除了需要政府加大对教育的投入，切实改进学校办学条件，推进教育的均衡发展，提高教师教育的质量，采取措施吸引更多的优秀人才从事教育工作外，学校本身也还有巨大的努力的空间。作为校长，首先要提出富有感召力的学校愿景，创建学习型组织，促进教师的专业成长，着力提高课堂教学的有效性，提升学校的社会形象。这也是学校工作的一条主线。这就需要校长能够系统分析学校的现状，明了学校的优势和不足，知晓学校需要而又可能解决的问题，充分发掘和利用学校的资源，从而对症下药、有的放矢地开展工作。我相信，事在人为，即使一切都不改变，我们仍然有努力的空间。

领导者和教育者

领导，作为影响力施加的行为和过程，它包括观点的分享、意见的达成和责任的分担。而教育，作为价值引导的工作，同样是教育者施加其影响力的行为和过程，这就包括视界的融合、知识的建构和任务（作业）的完成。师生之间正是由于视界的融合而彼此获得成就感，师生从对方那里获得思想的资源、获得“知”并形成“识”，实现着知识的建构，通过作业的完成而形成种种技能，包括解决问题的技能，巩固所建构起来的知识，并对接下来的教学提供反馈信息。

教育和领导都包括沟通、分享、指引、示范，并形成共识、统一意志，都需要权威和秩序，都不可缺少尊重和信任。二者有一个共同之处，即给人以积极的影响。所谓积极的影响，包括引领、鼓舞、激励、鞭策、感召、启迪、推动等。

戴维斯在对各方面的研究之后，于1972年指出领导者的特征：“领导者的智力应比其他部属的智力要高；领导者应具有稳定的社会成熟度、广泛的社会兴趣和健全的自我观念；优秀的领导者的活动应以调动组织成员的内在动机为主，应重视部属的价值和尊严。”（瞿葆奎主编《教育学文集·学校管理卷》，人民教育出版社，1988年，第55页）

菲德勒经过15年的调查研究认为：“领导效果的好坏取决于三个条件：一是领导者与被领导者的关系，二是工作任务是否明确，三是领导人所处的地位、权力以及取得各方面支持的程度。三个条件齐备是领导者最有利的环境，三者都缺是最不利的环境。”（吴志宏《教育行政学》，人民教育出版社，2000年，第128页）哪里不存在相互信任，哪里的人们就谨小慎微，不够坦率，人与人的关系就格外疏远冷淡。最好的领导者都十分渴望听到人们要说的真话实话。别人的意见是一种非常宝贵的资源。当你的注意力集中在“我们能从错误中学到什么”，而不是“谁应该受到责备”时，你就确保了这个教训对将来会起作用。

每个人都需要一个重视和支持他们努力工作、接受挑战性任务、敢于冒险、有利于个人发展的环境。“彼此的尊重和理解是这种工作场景文化的最基本要求。这种文化孕育了一种环境。在那里，作为一个温暖的、职业关系发展的结果，人们能找到帮助，并支持和信任他们的同事。大家争辩、讨论，发表不同意见，分享成功和失败。如果一个领导者没有激发起他的团队成员对于集体的渴望，他就不是一个成功的领导者。领导要努力创造让团队成员敞开心扉、心灵彼此亲近的机会。”（〔美〕Jane Bumpers Huffman &Kristine Kiefer Hip著，贺凤美等译《学习型学校的文化重构》，中国轻工业出版社，2006年，第180页）人与人之间的隔膜、冲突并非全由于利益，很多时候由于缺乏有效的沟通。

一个好的领导者一定是一个好的教育者；反之亦然，一个好的教育者也一定是个好的领导者。有人说，教育就是一棵树摇动另一棵树，一片云推动另一片云，一颗心撼动另一颗心。一个领导者就是为自己的行为和他人的福祉承担完全的责任的人。“领导者”只有能够赢得追随者的认同才能发挥领导者的作用，领导存在于团体寻求自身意义的奋斗中。孔子说：“其身正，不令而行；其身不正，虽令不从”，这对教育者和领导者都是成立的。在美国，连续6年以上的调查表明，人们钦佩的领导者是这样的人：正直诚实，具有远见卓识，富有感召力并能胜任本职工作。

一个好的领导者和一个好的教育者一样，一定是一个强有力的人。有道是："一头绵羊带领一群狮子，敌不过一头狮子带领的一群绵羊"，激情、承诺或是坚信，不管叫它什么名称，强有力的领导者大多拥有它。强有力，包括有坚定的信念，明确的追求，充分的准备，当然也包括激情、承诺和旺盛的精力。领导者的强有力并不是要显示出一副盛气凌人、专横跋扈、咄咄逼人的姿态。相反，对人充满体恤、谦和平易、从善如流，这样的领导者才能真正赢得人心。真正的强者不是压倒一切，而是不被一切压倒。一个有气无力、心灰意冷、优柔寡断、平庸猥琐的人既不可能是一个好的领导者，也不可能是一个好的教育者。

管理学认为，正直被视做是领导者最重要的根本品性。就是说，优秀的领导者是诚实的、值得信任的、有个性的和坚信不移的人。领导者就是典范，就是楷模，就是能够率先垂范的人，通过你自己的行为来展示你所期望的东西，是一种对别人进行指导的形式。这比用规劝的方式来达到你所想达到的目的更具说服力。它给予你一种强大有效的工具。你不能在后边指手画脚，那样只能招致人们对你的领导采取一种冷嘲热讽的态度。

人们很容易被他人的热情所感染，很难向对某一事情有强烈兴趣的人说"不"，很难不被他们的构想所吸引并投身其中。活力同样来自于人们期望自己学习和成长的愿望。充分认识你作为领导者的全部潜能，意味着尽可能地发现你自己，发现你的力量和你发展自己的需要。

领导者的才能在于与利益相关者建立一种工作伙伴关系。你所追求的图景越清晰越有力，就越可能吸引利益相关者参与支持你的事业。如果你鼓励人们成为你构想的一部分，动员他们参与和作出承诺，他们也可能向你提出分享权力的要求。否则，他们又何必卷入呢？真正的领导者可以使普通平凡的人创造出不平凡的业绩。你几乎必然要去克服人们固有的惰性或冷漠，以及他们的玩世不恭、不信任或抵制。然而，这都是你的领导工作的一部分。你不被这些消极因素拖垮，坚定而乐观地面对困难局面，是你区别于别人的一个宝贵的品质。

打造教育的亲和力

教育的亲和力，就是学校对于教师和学生的吸引力，更多地体现在能够带给教师和学生安全感、成就感和幸福感的校园生活之中。从对学生的教育过程而言，就是春风化雨，就是浸润心田，就是循循善诱，就是用充满真挚情感的语言描述、解释和预言我们生活于其中的世界；就是耐心地等待，对学生毫不吝啬我们充满鼓励的语言和信任的目光，永远不表现出失望和嫌恶。

教育的亲和力，对学校而言，首先是课堂生活的高品质。课堂生活不同于日常生活的地方就在于它主要是领悟、分享人类精神成就，培养和激发学生精神生活的需要，并进而建构起自己的精神世界的过程。

教师要立足于学生真实的生活情境和生活体验，并借助学生的生活背景，选择真实的生活素材，在学生与文本知识、个体经验与种族经验之间搭建一座"桥梁"、一个可以嫁接并进而引发生长的"枝头"。

儿童学习人类世代积累的种族经验常常需要付出意志努力，需要集中注意力，需要抗拒玩耍和游戏可以马上能够带来的愉悦的诱惑。但儿童的学习，在更多的时候是充满快乐的，就像鸟儿在无垠的天空自由飞翔的愉悦，骏马在辽阔的草原尽情奔跑的惬意，就像鱼儿在浩瀚的海洋舒展游弋的怡然，鲜花在土壤温暖的怀抱恣意绽放的快乐。

在教学过程中，应注意活动与活动之间的内在逻辑联系，要让学生明白自己在做什么，要做什么，为了什么而做，从中又能获得什么。

在课堂上安排一些令人兴奋的、与以往不同的活动，一些充满理智挑战的活动，能帮助学生更好地掌握学习材料。他们会对学习过程更加感兴趣，并在今后的日子里记住并能够灵活地运用所学到的知识。为了真正地面向所有学生，我们必须以适当的方式激发和鼓舞他们的学习热情，其中重要的一点是帮助学生发现所学知识的个人意义。

善于利用教学时机是所有优秀教师应该具备的一种素质。当学生们表现出学习兴趣、闪现出一个灵感或者是课堂上出现了一个大家共同关注的问题时，没有什么比调整教学进度、利用这可贵的教学时机更值得做的事情了。只要有可能，把新话题与你正在讲的问题联系起来，效果往往非常好。在课堂上，教师的语言不必字字珠玑，但应该准确、简洁、明晰；活动不必很多，但要做实，以便让学生获得真切的生命体验，而不是蜻蜓点水，浅尝辄止。

教育的亲和力，归根到底是教育者的亲和力。教师身上最宝贵、最值得赞美的品质就是理解学生。一个人成年后回想过去的学生时代，会欣赏那些善于管理自己的情绪、善于对学生给予移情性理解的优秀教师，更会对那些触动过他们心灵的教师心怀感激。富有亲和力的人会更多地表现出热情、活力、谦和、真诚、关怀、温暖和移情的能力。一个富有亲和力的人一定会更加受人欢迎。

当我们对自己的生活和工作满怀热情时，我们常常能感受到更多的幸福和愉悦。当人们不喜欢他们的工作，或者不喜欢他们生活的一些方面时，他们会显得萎靡不振、得过且过。而当人们投身到他们喜欢的事情中，并且有美好的愿景召唤时，他们的自我感觉会更好，自尊自重的意识会更强，被唤醒的潜能就会更大，充满欢笑的时光就会更多，生命的历程也就会更长久。诺曼·文森特·佩尔(Norman Vincent Pale,1898—1993)以他丰富的阅历告诉我们:“你的热情将会感染、激励和吸引他人。他们将为此而爱戴你,他们将为此愿意伴随你前行。”

分析心理学的创始人、瑞士著名心理学家卡尔·容格(Carl Jung 1875—1961)指出:“课程必须由一个个知识点构成;但对于成长中的植物和孩子的心灵来说,温暖才是最重要的。”人际关系的温馨是构建在个体之间有效的沟通和有意义的交流之上的。“不是槌的打击,乃是水的载歌载舞,使鹅卵石臻于完美。”(泰戈尔)教师可以通过对自己童年的回忆去了解和走进儿童的心灵,通过自己的努力为儿童创建有助于他们整体、和谐、充分发展的环境,特别是充满友善、相互欣赏的良好的课堂氛围。

作为有亲和力的教师,应该真诚地认可学生的每一点进步,对学生的失误和不佳表现能够宽容和同情,并给予明确的指引,告诉他怎样就能做得更好。优秀的教师会帮助孩子们从他人的角度考虑问题,学会换位思考。孩子们一旦明白和理解了他人的内心感受,就会更尊重那些与他们不同的人,并进而喜欢宽容。

作为教育者,我们有责任找到一种方法,让这些孩子感受到生活的乐趣并以一种积极的方式生活。我们必须激起他们心中的火花,让他们有所期盼,有所憧憬,有所向往。通过给孩子们创造探险经历,我们不仅能够给他们知识,而且能够增强他们的自信心;我们还可以增强彼此间的信任,鼓励他们成为更好的学生。快乐的学习体验着的是生活的美好、心智活动的乐趣,造就着健康、阳光的性格。

充满亲和力的教育并不是没有惩罚的教育,而是能够让学生有申辩的机会、心悦诚服地接受惩罚的教育;也并不是不强调、不看重学生学业成绩的教育,相反要让学生切实地对自己的学业成败负起责任,积极探寻改进学业不良状况的途径,并勇敢地直面现实。

当然,校园的建筑和装饰是否大气和富有美感,校园是否干净、整洁、宁静和舒适,是否在每一个细节都充满温暖的关怀,也都会影响学校教育的亲和力。学校建筑不一定要豪华气派,但一定要和谐、肃穆。学校的装饰不一定要新潮时尚,但一定要令人温暖和充满生机,正如教师的穿着不必华丽名贵,但一定要赏心悦目。

生命教育在学校中的落实

我们的教育究竟是为了什么?我想我们的教育的真正目的应该是深切地关心学生的健康成长,为了学生的幸福人生奠基。这是一个教育方向问题。我们不停地跑,争取领先,但是如果这个方向本身是有问题的话,我们就很难说,我们不停地往前跑,究竟是通向理想,还是通向深渊? 我们的教育的真正目的应该是使每一个学生成为幸福人生的创造者, 并进而成为自由社会的建设者。因为一个能够创造幸福生活的人, 他一定会更多地珍惜生活,善待自我,友爱他人,奉献社会。当我们的社会上有更多的能够创造幸福生活的人时,我们的社会将会变得更安全、更和谐、更有前途和更有活力。

我们现在很多学校都在开展生命教育的探索。我想学校中开展教育实验的真正的意义是,能够用一个先进的教育理念武装教师,提升教育者的教育素养,并用高贵的思想和情怀引领学生的成长。学校中开展教育实验的真正目的,并不是要去发现什么真理、什么规律,重要的是能够用先进的教育思想武装教师,使学校有明确的教育追求。这是学校开展生命教育实验最重要的目的——提升教师的教育素养。

作为生命教育的实验学校,无论是开设地方课程还是校本课程,我认为非常重要的是应该让学生了解今天的社会,更好地认识人生,发现生命的意义和价值。在生命教育的实验过程中,我提倡能够用《生命教育》教材去改造和提升主题班会。这样会使班会更有序，有更明确的追求，学生能更多地发挥他们自己的自主性、主动性，真正体现出学生作为学习的主体。

我认为，我们国家之所以落后主要是因为人文的落后，而不是因为科学的落后。科学技术是可以移植、借鉴的，但是人的素养，特别是良好的人与人的关系，个人作为合格公民的素养却需要长期的培养。

现代社会越来越复杂，怎样调整好利益关系，让社会中充满公平与正义，怎样使每一个人都能受到公平、公正的对待，怎样使每一个国民都有作为一个国家公民的自豪感和主人翁的意识，怎样使每一个人都能爱岗敬业，每一个人都能充分发挥创造的潜能，最重要的要靠制度建设，这是改变我国落后面貌的一个非常重要的方面。所以，学校里开设校本课程或地方课程，我提倡更多的是人文类的课程。我们的《生命教育》教材中的内容，比如生命从哪里来，到哪里去，都是围绕"人与社会，特别是我们怎样张扬人的主体性，怎样培养具有独特个性的人，怎样培养一个积极的生活者"这样一些主题展开。我想一个积极的生活者能够乐观、自信、开朗、待人友善和自觉奉献社会。我们的《生命教育》教材可以作为主题班会的蓝本。

开展生命教育实验的第二个重要的方面就是建设充满生命情怀的校园文化。我们怎样能够创造生命化的课堂、生命化的校园，我们怎样带给学生更多的感动，更多温暖的关怀，让学生形成一个积极的、光明的内心世界？这是生命教育要着力探索的问题。

大家知道影响学生学业成绩特别是人格品质发展的非常重要的一个因素是师生关系。如果我们的教师厌教，我们的教师生命状态本身不乐观的话，良好的师生关系的建立是勉为其难的。所以，怎样培养我们的教师对生命有一种高度的尊重，对学生学习中的需要、学习过程中的感受和已有的知识基础有更多的关注，这是我们提高课堂教学质量应该特别强调的。

我们怎样来切实提高课堂教学质量，是一个非常复杂的问题。但可以肯定的是，提高课堂教学质量，首先不是教学策略或教育方法的问题，而是教师的教学热情、教育心态和专业精神的问题。

如果一个教师是厌教的，那么任何方法和策略都不管用，大量的实证研究一再表明，作为一个好教师的重要品质是热情和温暖。所以，生命教育不仅是针对学生的，也是针对教师的。怎样使我们的教师更有生命的热情，更有活力？这首先需要从学校的制度建设，特别是评价机制上作出努力。如果我们的教师死气沉沉，有气无力，充满抱怨，我们就很难创造一个真正的学习情境。

所谓真正的学习情境，重要的一点是要有一个和谐融洽的人际关系，能够创造一个带给学生情绪上安全感、充满鼓励和温暖的课堂。我们大家知道，课堂教学质量会非常深刻地影响学生的一些品质的养成。假如我们的学生总是能从课堂中学有所获，感受到那种茅塞顿开、豁然开朗，总是能感到怦然心动，感受到学习过程的美好，感受到思考的乐趣，并能深深地卷入到教学过程中去，那我们就有可能培养出学生那种高度投入的、专注的、有生命尊严存在的状态。相反，在一个课堂中学生总是遭到忽视，总是不能享受到学习过程的快乐，甚至听不懂，那学生就会表现出对自己不负责任、懒散、无所事事，甚至是反社会的人格。学校必须肩负的一个重要的职责，即："学校之事务在于营造一种使学生潜心学习的氛围。那是一种充满诱惑力，以致学生虽深陷困难却不愿放弃的氛围；一种有着极强挑战性，能使学生产生成就感和满足感的氛围，特别是一种能使学生享有完成学习任务后的快乐的氛围。"

我们的教师也只是普通的生活者，怎样能够让我们的教师感受到教学的乐趣，感受到校园生活的美好，这应该是我们开展生命教育，创造有活力的课堂所首先应该关注的。所以，生命教育应该成为学校的一个灵魂,一个办学思想,我们要切实关注教师和学生校园生活的质量,真正从方方面面着眼,切实使我们的学校变得更有吸引力。

开展生命教育实验非常重要的一点是要鼓励教师写作。我个人认为促进教师的专业成长,写作是一个非常重要的方式。鼓励我们的教师写作,写有真情实感的文章,促进教师作为积极的生活者和教育者的成长,用生命的情怀来对待工作和生活,是非常有意义的。

我们的学校应该鼓励教师更多地写一些教育随笔。教育随笔区别于教育论文,所谓教育随笔就是教师对教学中发生的事,包括课堂的教学,包括一些特殊的学生应该怎样对待,并且把这些美好的感受、经典的案例能够总结概括出来,这也是我们生命教育探索的一个非常重要的形式。假如我们通过几年的探索,一所学校的教师能够创造出几十篇、几百篇教育随笔,总结出一批教学案例,将是一个非常了不起的成就。

经常有一些学校的教师问我,我们的实验效果怎样来检验。我想我们开展这项实验很难用一些量化的指标来衡量我们究竟取得了什么样的成果。成果的表现形式,可以是一些好的教育案例。比如说,学校总结了很多生命教育的经典案例,包括师生关系的,包括对待特殊学生的,包括怎样创造温暖的课堂,怎样处理一些突发事件,怎样表现教育的机智等。但是我觉得更重要的还是我们心态的改变,我们教育素养的提高。但是如果能够通过几年的实验使我们的教师有更积极的生活态度,有更高的专业精神,学校变得对我们的教师和学生更有吸引力了,学校中有了更多的充满人性的关怀,我想我们的生命教育实验就取得了成功。正如泰戈尔在散文诗《萤火虫》中说的"天空没有留下翅膀的痕迹,但我知道鸟已飞过"。

我想我们的生命教育实验不是做给别人看的,是要真正去服务于师生的共同的既善又好的生活的。只有目标，没有终点，有起点就一定会有抵达。通过我们的探索，我们的每一个教师和学生心中都有更丰厚的、更美好的生命的情怀，对生命有更多的眷恋，学会了过精神生活，我们有了更和谐、更美好的人际关系，我们的校园更生动了，我们的幸福指数提高了，我想这就是我们生命教育最大的成功。我们取得的最重要的丰硕成果将会凝聚在我们每一个人的生命成长之中。

质疑"三好学生"的评选

在我们学校中的"三好学生"的评选、"优秀学生干部"的评选等评优活动，所起到的作用，无非是"扶持一小撮，打击一大片"，人为地制造同学之间、师生之间的矛盾，使孩子们从小就学会趋炎附势、笼络人心，变得庸俗和势利。在我们的成人世界中，由于资源的匮乏，种种"评优""奖励"统统"名额有限"。这"有限"的名额，就可能成为培植亲信的最好诱饵，人们为了利益，不顾个人尊严，无视公平与正义，一切都可以成为交易；那些受到不公正对待的人，同样是为了个人利益，最明智的做法便是忍气吞声、逆来顺受，因为任何抗争都将被视为"个别"的、"争名夺利的不光彩行为"而无益于在以后的机会中获利。

每一个学生都是值得无比珍视的，都应该受到同等的关注和尊重。从整体上讲，他们只存在类型的差异，而不存在优劣之分。个体身心发展的不平衡性以及个体之间发展的差异可能表现在同一年龄阶段，有的学生可能更多地表现出智力发展上的优势，有的学生则可能表现出动作或处理人际关系方面的特长；即使在智力发展方面，思维品质的灵活性、新颖性、敏捷性和深刻性也往往难以兼备，有的学生可能以思维的敏捷见长，有的学生则可能以思维的深刻见长，而思维的深刻性是创新能力的最重要品质，具有深刻性的学生往往显得有些迟钝而不是机敏。

只要给予他们恰切的教育，他们都能成为独特的自我，成为能够创造幸福生活的人，成为有益于社群的人。因为，在我们这个社会文化生态中,独特性、多样性本身就有自足的价值:正如我们应该珍视生物多样性一样,人的个性的多样性,是人类文明进步的最重要的资源。

每个孩子都是独一无二的。真正民主的教育就是能够让不同的个性、不同的价值追求的人都有发展的空间。因此教育评价标准首先要尊重人的独特性,也就是这个标准不能过于窄化。而这种所谓的"三好学生"是窄化了的一个标准。比如"学习好",一个学生可能学校教授的课程很一般,但是他可能具有某一方面的天赋。智慧是多元的,我们所谓的学习好,就是课本内容考试好,或者是书本知识掌握得好,并不能够包括智慧发展的全部内涵。有很多大科学家,像爱迪生,他们小的时候并不是课业成绩很优秀的学生。

作为学校,一个非常重要的工作就是价值的导向,这主要可以通过一种甄别和选拔来实现。这也是学校重要的一个职能。问题就是我们要破除这种被窄化了的,被赋予成人色彩的,甚至是有些意识形态化的标准,代之以多元的标准。曾有人提出,每个学生都可以是第一。但问题是这个标准要多元。唯有如此,才能使每个学生都能够体验到成功的快乐,能够更多地发挥他的潜能。

我们今天的教育更重要的是要关注学生未来发展的潜力。"三好学生"的评选,这种被窄化的标准可能会使一些学生去迎合这个标准,因而牺牲自己的一些兴趣、爱好和棱角,成为扼杀学生的天赋的罪魁祸首。有时候,所谓的全面,可能会导致学生的一种平庸,反倒会不利于学生成为独特的自我。其实学生在中小学阶段应该有自己的学科优势,有自己特别擅长的领域,有特别专注和投入的一些活动领域。这样的学生才会有发展的潜力。

我们的教育过早、过多地给予孩子们社会的规范、纪律的约束和强求一律的认同,过早过多地干预了儿童自然的成长过程,结果导致他们的发展没有自己的个性。如果在取消"三好学生"的评选之前，我们不能一步到位的话，我觉得可以有一个过渡措施。如果要改进，一是要淡化它的功利色彩，比如说不与升学挂钩。如果一个学生真优秀，即使不要这个标准，他也应该是个优胜者。有的家长为了孩子评上“三好学生”，甚至去贿赂老师。如果带有功利色彩，就很难避免这种腐败，这会造成一种不公平的竞争。另一个办法就是扩大“三好学生”的评选名额，使更多的孩子有机会。学生本身是处在发展中的，价值性评价是对过程的评价，是对学生某一个具体行为的评价，这个评价是为了更好地建设性地使他成为一个更好的自我，而不是终结性的、定性的评价：你是一个什么样的学生。

教育的目的之一是培养学生的爱心和责任感，它也是造就公民社会的最基本手段，因而学校教育不能一开始就存在歧视、制造差别。我们是否应该确立这样一个理念：任何以抛弃人、排斥人为手段的教育方法，不管它的理由多么堂皇，其手段本身，都是对社会的残忍和对教育的亵渎？

道德教育的目标

近日在《中国德育》读到这样一段文字:“道德不是一套咒语,而是一首歌;不是一堵墙,而是一道台阶。如果是一块布,不是用来遮丑,而是用以显美;如果是一条绳索,不是用来束缚,而是用于攀登。如果它是目的,就让我们轻装上阵去奔向它;如果它是工具,就让我们轻松自如地去使用它。这样才是道德的。”说得真好,这是我至今为止看到的关于“道德”最富有诗意的诠释。

作为一个受过良好教育的人,道德的修养无疑是一个重要的方面。关注个体的道德成长的学校道德教育,必须着眼于个体的日常生活的行为准则的正当性和必要性。作为社会道德,完全可能本身是不道德的,所以传统中国才会有“以礼杀人”的问题。作为个体道德就是对于良善道德的个体的把握和践履,即所谓“德者得也”。对于学校德育的价值,一位学界同仁说得好:“德育不能安排人的生活,却能成就人的道德生活追求;德育不能左右生命,却能提高生命的质量;德育不能克隆美德,却能造就‘道德上成熟的人’。”

关于学校德育实效,普遍认为很不理想。之所以得出这样的结论,是因为我们的投入远远大于产出,当然还与我们过高的期望有关。我们学校德育实效低下的原因究竟是什么呢?

第一个原因就是我们的社会缺乏稳定的核心价值。什么叫核心的道德价值呢?所谓核心价值,就是每个人都能够自觉地认可,并且自觉去践履的,是其他价值的根据和理由。比如说在中国传统社会里面，就是仁义礼智信。在西方社会里面，就是自由、平等、民主、博爱、人权。我们今天说什么集体主义，爱国主义，社会主义，大家想想这个能不能作为所有国民的核心价值？在现代西方社会，自由、平等、民主、博爱、人权，那是所有人都会拥护的，因为这些东西与每一个人生命的质量，每一个人的幸福人生密切相关。谁不渴望自由，谁不渴望平等，谁不希望民主参与，谁不希望享受更多的人权，而在我们的文化中“集体”是一个被异化了的东西，所以我们现在要更多地倡导西方文化意义上的个人主义。西方意义的个人主义就是强调个人的责任，强调个人的价值。我们社会为什么落后？重要的原因是我们不尊重个人，不尊重个人的价值。

第二个原因就是我们的教育脱离学生生活实际，假大空的东西太多。在我们国人的骨子里，有一种“伪崇高”的东西。我们太容易把不是什么事的事当成一回事，太容易激动，太过敏感，太容易将平常的事往神圣上联想，这就容易导致虚情假意和伪崇高。

第三个原因就是无视我们学生道德主体性的培养。我们总是把道德更多理解成一种规则，一种要求，一种限制。其实，道德还有一个方面：它是个体和谐发展的要素，是一个人自我求取的空间，是好的生命境界的确证和表征。今天我们需要特别强调：“人不是为了体现道德而存在，道德是为了人更好的生活。”

健全的道德教育的目标应该由这样三点构成：不断提升学生的需要，培养学生理性的、自主性的道德判断和道德选择能力，帮助学生形成普遍化的道德。这三个方面分别是从情意、认知和行为来说的。

第一个目标就是不断提升学生的需要。我们所有自觉自愿的行为都是由需要所推动的，你找不出哪一个行为不是由自觉自愿所推动的。人们都有需要，但需要是有层次的，有高级需要，也有低级需要。

但这些不同层次需要的关系是怎样的?高级需要的出现是以低级需要的满足为条件的。为什么那些犯罪的人往往是那些处境不利的呢,就因为他们连生存的问题都没有解决,他们自尊的、道德的需要就不会出现。高级需要出现后就可以改造或者超越低级需要。什么叫改造呢?比如吃食物是所有人的正常需要。但对于不同的人来说这个需要在整个生命的系统里意义是不一样的。有的人活着就是为了吃,有的人吃是为了更好地活着。在人格发展的低层次利己和利他是对立的,而在人格发展的高层次利己和利他是相统一的。比如一个人需要救助的时候,你作为一个有高层次需要的人,你不去救助他,你就会感到很自责、很内疚、很不安,你去救他是你的一种真实的、主体性的需要。这里,我们特别要强调培养学生的感恩,培养学生的一种高级需要——敬畏与感恩。一个总是能够感动别人和容易被人感动的人,一定是比较善良的人。他的内心一定比较灵敏,比较丰富,比较细腻,比较纯洁。所以要培养学生的感恩。假如一个学生对什么都麻木满不在乎,我觉得这就是道德堕落的开始。

学校道德教育的第二个目标就是要培养学生理性的、自主性的道德判断和道德选择能力。道德更多存在于有价值冲突的情境之中。柯尔柏格讲:道德其实也是一种推理,道德推理的能力基于你普遍认知的能力的发展,所以我们要反对道德蒙昧主义。我们要推崇德行,怎么去实行这个目标?那就要靠个人学问的修养。《中庸》中“尊德性而道问学,致广大而尽精微,极高明而道中庸”讲的就是人格修养与学识修养、博与专、伟大与平凡的关系。如果你的学识修养、学问修养很差的话,你要说你道德很崇高,这是很难令人信服的。因此,为了更好地促进学生的道德成长,就需要发展他的整个精神力量,发展他的理智的判断力,培养他对于学习的兴趣,对于人类文明的兴趣,对于精神生活的兴趣。

在道德教育中,“具有理性的、自主性的道德判断和道德选择的能力”作为目标而提出是与对理性精神的强调相一致的。尽管唯理性主义有其偏失，但理性精神是任何时候都值得倡扬的。所谓理性精神包含着这样两层含义：一是理智的好奇心和求知欲，这意味着不断进取、不断超越、不断探索的精神；二是批判意识与怀疑精神，这意味着不唯书、不唯上、只唯实的科学态度。如果理性不是道德教育和道德行动的必要因素，那么道德教育就可以简单地解释为使儿童在特定的条件下按照特定的方式行事。“任何人都不能被灌输或施加条件来诚实地讲话或公正地判决，因为实施这些美德都要求一种自觉意识和自由选择的品质。”（麦克莱伦《教育哲学》，三联书店，1988年，第325页）

道德教育的第三个目标就是帮助学生形成普遍化的道德。什么叫普遍化的道德，我觉得有这三个层面，一个是底线伦理。也就是“人之为人”你应该做到的那些最基本的要求。这个往往以法律的形式出现，这是“人之为人”的底线。否则，你就是衣冠禽兽。我强调底线伦理，就是我们要回到起点，不要那些假大空的东西。要面对现实，因为我们很多人连起码的东西都没做到，去过早和过多地强调那些比较高的东西无异于对牛弹琴。

教育是一项价值引导的工作。它必然有超越性的追求。但这个追求的起点是什么？是不是越高越好？我们应该回到起点，回到日常生活的基本准则。现代社会中伦理的权威已经不可能再是、也不应该再是神或类神的圣贤，而应该是与健全的民主生活相一致的价值观念。所以我们有必要提出：学校德育首先是基于底线伦理的追求。

基于伦理底线的追求的道德教育首先需要拒绝伪崇高。如果哪所学校还在慢条斯理地向学生灌输“一假、二大、三空”的陈词滥调，还要大张旗鼓、煞有介事地强调自我牺牲、无私奉献，我看那不是教育，而是欺骗和奴役。

普遍化道德的另一个重要方面就是核心价值。所谓核心价值就是能够派生出其他更具体价值的那些更为根本的价值，是与我们所有人的生活息息相关的、每一个人都愿意自觉维护并付诸实践的价值。我们今天应该倡导什么样的核心价值？我觉得那就是启蒙思想家讲的——自由、民主、博爱、人权、平等这样一套东西。这是全人类的普世伦理。

普遍化的道德第三个方面就是要有终极关怀。终极关怀是什么呢？中国传统思想家讨论的问题都是人应该怎样活着，而对于一个更高的问题："人为什么活着"，却没有太多的思考。后者是比前者更为具有形上意味的问题，是一个关于灵魂，也就是关于信仰的问题。其实，我们的好多问题都可以归结到没有信仰，没有信仰人们的眼中就只有利益，所以什么都可以用来做交易，只要对我有利就不管三七二十一，所以我们过去的无神论教育是要对我们今天普遍的道德堕落负责任？现在很多人是天不怕地不怕，没有任何敬畏感。如果一个人天不怕地不怕，那这个人就很可怕。今天，我们需要强调敬畏感，同情心，感恩的心，忏悔意识。其实这都是基督教的基本精神。我经常想，如果我们的公民，我们的老师有十分之一是真诚的信徒的话，那么我们民族的素质就会大大地提高。其实我们的宪法里面就讲思想自由、信仰自由，我觉得基督教还是比较好的，对人有强大的教化和净化功能。

提升学生的需要层次，旨在强调道德教育要关注学生的道德生活和道德行为的内在动机；学生的个体道德是自主建构的，而不是通过"灌输—外铄"而成的；如果在道德教育中扼杀人的自然本性，而不是努力提升学生需要的层次，道德生活中自律精神就不能得到很好的发展，而当外界约束力鞭长莫及时，行为也就可能失去约束而表现出非道德的行为来，他律的道德是造成双重人格的根源之一。目标二：培养学生理性的、自主性的道德判断和道德选择能力，旨在强调道德教育的最基本的形式和主体性道德人格形成的根本，同时也是现实的途径；既然主体性道德人格不可能通过"灌输—外铄"而生成,那么,发展学生的道德推理、道德判断和道德选择能力,就应该是道德教育最基本的目标设定;如果说,目标一:提升学生的需要层次,所要否弃的是脱离学生生活实际和需要的教育的话,那么,目标二:培养学生理性的、自主性的道德判断和道德选择能力,则是要竭力反对道德生活和道德教育中的道德蒙昧主义。目标三:引导学生形成普遍化的道德,则力图表征道德人格的确立与达成(既是个体需要层次提升的结果,也是理性的、自主性的道德判断和道德选择能力处于高级阶段的确证)是建基于一种超越的、向上的、能致广大的道德理念的,它力图标识在道德教育内容的选择方面应有的一个基本准则。

为了发展学生的道德,首先我们要相信每个人都有做一个好人的需要。其实,孩子很小就会表现出这一点。1998年诺贝尔奖获得者罗伯特·劳克林(Robert B.Laughlin)在谈到他的教育经历时说:"从不告诉我的学生应该做什么,不应该做什么。我只对他们说,你们要想清楚什么是最重要的事情。要专注于做那些你认为是最重要的事情,因为生命的过程很短。而每个人都有责任通过自己的努力,使这个世界更美好。"相信儿童有自主判断的能力,相信人性之中潜藏着良知,这是基于伦理底线的追求的道德教育的核心信念。

我们要创造一个温馨的社会生活环境,要去唤醒人们这些美好的东西。如果一个人经常受到歧视、欺骗、蒙蔽或者压榨与盘剥,他就会在内心生出一种敌意和仇恨来。为了学生更好的道德成长,我们也要特别强调宽松、宽厚、宽容的社会生活氛围和学校生活氛围。另外要创设丰富学生道德体验的情境。有很多的案例都说明个体的道德是基于体验而成长的。

期待健康的性教育

性教育是孩子成长的重要一课，但是如何对未成年人进行科学的性教育，现在已经成为人们探讨的一大话题。性教育的核心内容应该是如何看待男人和女人的关系问题。这也不是一个简单的性道德的问题，它涉及人性和文化更为广阔的领域。

性是人类生命的源泉，是整个人生不可或缺的一部分。不管我们是否主动参与，性欲都是构成我们日常思想和情感的一部分。它植根于我们的梦想、渴望、恐惧和挫折之中。可是，"我们在性的问题上要么无知，要么世故；要么压制，要么刺激；要么矢口否认，要么任意放纵；要么是惩处到近乎残忍，要么就是利用到近乎盘剥；要么遮遮挡挡、神神秘秘，要么就是连廉耻都不顾……可以说，只要这种混乱状态一天不结束，性就必然与欺骗、下流联系在一起。什么理智的诚实，什么人类的尊严，都将无从谈起"（阿兰·格莱德）。

尽管我们不能否认人类在相互交往中，性的影响无处不在，但是这并不意味着性在每一个生命的所有时刻都有着决定性的影响。性在各种层次上限定着人，如做父母、追逐权力、为他人谋利益，等等。对于某些人来说，性是他们的指导纲领，他们在这上面消耗了大部分的时间和精力；而对于另一些人，由于机会的原因，或是出于个人的选择，性在他们的生活里没有显著作用。然而对于我们大多数人，性的吸引力取决于自己内心的需求和外界情况的变化，时强、时弱。在人生的每一个阶段，性的表现形式也各不相同。对于儿童，性是游戏；对于青春期少年，性是强烈憧憬的源泉；而对于成年人，性是爱情的黏合剂，是一种生育方式。总之，对于每一个人，性都是潜在的快乐与折磨的源泉。性是每一种文化的一个组成部分。从史前的原始石刻到印度庙宇上精心制作的色情雕像，关于人类性活动的记录，在历史上的各个时期，都能找到证据。

我们很难给性下个定义，因为它有很多层次上的含义。性可以指性别，可以指性功能，指生殖能力，指性器官，在心理学上可以指男性的阳刚和女性的阴柔。性在行为上还有很多意义。从进化论的角度来看，性的首要目的是繁殖。但它也有很多其他方面的如生物学的、心理学的以及社会学的目的。

自从亚当和夏娃偷吃了那枚禁果而被逐出伊甸园的那一天起，男人和女人就永远处在了现实之中，爱恨情仇随之成为一个共有而必须面对的主题。于是，上至达官显贵，下至凡夫俗子，没有一个不为这一主题所困惑、所烦恼。毕竟性的意向和需求是永恒的，或者说是永无穷尽的问题和节目，它永远不会从个人和社会生活中消失。

世界卫生组织在几个国家调查的结果：适当的性教育不但不会引起性行为的提前，反而会推迟性行为或使其更安全。美国著名心理学家詹姆士·杜布森《正当青春期》一书明确提出：对青春期的人在教他们生理知识的同时，一定要教给他们性道德。要他们了解人体发育的奇妙，为成人后的婚姻和育儿做好准备，同时要让他们懂得克制性欲是必须做的一件事。这样的书有助于少年对性开放的时髦保持冷静，对性冲动保持克制。

一个人如何对待“性”，也是衡量他的生活是否“健康”的重要指标。怎样才算健康的态度呢？首先，应该坦然，禁绝那些不必要的顾忌。其次，应该诚实。

人们的性观念、性行为，绝不仅仅是一种生理本能的反映，而是包括思维、语言、情感、意识观念在内的文化心理因素与生理因素相互作用的产物。性活动是行为、情欲态度和品质的综合表现，因而也是一种文化现象。两性关系的形式及其变化，表明了“自然界在何种程度上成了人并具有人的本质”，因而由此可以衡量一个民族文化发展的程度：“群婚制是与蒙昧时代相适应的，对偶婚制是与野蛮时代相适应的，以通奸和卖淫为补充的一夫一妻制是与文明时代相适应的。”(《马克思恩格斯选集》第4卷，第70～71页)在人类生活中，没有爱和尊严的性，不仅是单纯的兽欲，而且比靠自然控制力调节的野兽的性交来，在精神上、伦理上都要卑劣得多。

两性关系是“人和人之间直接的、自然的、必然的关系”，从这种关系可以“判断人的整个教养程度”，“人在何种程度上成为并把自己理解为类存在物、人”，“人的自然的行为在何种程度上成了人的行为”，“人具有的需要在何种程度上成了人的需要，也就是说，别人作为人在何种程度上对他来说成了需要，他作为个人的存在在何种程度上同时又是社会存在物”(《马克思恩格斯全集》第四十二卷，第119页)。

健康的教育在性意识的升华与净化中的作用，不仅取决于科学教育、道德教育和情操教育，而且取决于作为构成科学教育、道德教育和情操教育一个重要方面的性教育。没有性教育的教育其本身是不健全的。

性教育不仅为文化进步、民族健康和世风纯洁所必需(精神分析大师弗洛伊德就曾一再指出：文明要以人的性生活上的一些限制为代价才能进步)，而且对于提高个人生活质量，使婚姻和家庭幸福，使性功能障碍得到预防和及早治愈，纯洁个体文化，破除对于性的低级庸俗的神秘感都是必要的。这是因为，对待性的正确的观念和态度，是心理健康和人格健全的重要方面。当性意识是而且仅仅是一种自我创造的审美意识时才是健康的。也就是说，只有把性行为看作是一种审美的，一种相互创造的过程，一种相互的本质力量表征与确征的过程，健全人格的形成才有了坚实的基础。而这有赖于我们开明的、严肃的、科学的、怀着崇高目的和纯洁感情的性教育。正如汤因比博士指出："在性教育中，一个极端是过分有害的开放主义、放任主义；另一个极端是过分有害的神秘主义、压制主义。"(《展望二十一世纪——汤因比与池田大作对话录》，国际文化出版社，1985年，第5页)为了人类文化的进步，为了维持人类的尊严，人类既然不能没有性关系，也就不能没有科学的、健康的性教育。

聚焦课堂

课程知识的特征

课程知识是通过一定的程序和途径选择出来的精致编码的知识。它在学校中作为学校教育的主要载体，作为师生交流互动的媒介，是学校场域中教育活动发生发展的核心要素，本身具有其独特的特征。自从教育学作为一门专门化的学科开始，课程知识的选择和组织的问题就成为教育理论特别是课程理论的重要课题。

布尔迪厄把课程知识视为"文化资本"，阿普尔则把课程知识视为"法定知识"(legitimate knowledge)。课程知识来源于人类对自然、历史、社会及人性整体认识的思想宝库。但它又经过了一种精加工，它删除了知识原生态中那些枝节的、极其次要的东西，更是剔除了知识生产过程的背景、曲折艰难的过程。

课程知识的生成过程，实质上也就是从实践上回答关于"什么知识最有价值"的问题，选择什么样的知识以及这些知识以什么样的方式呈现和作为"文化资本"传授给学生。

概括地说，课程知识具有如下特征：

1. 制度化特征。自19世纪近代学校形成以后，开始出现了制度化的教育，它可以说是现代教育的基本形式。这种制度化的教育必然要求一种制度化知识与之相适应，学校所规定的课程知识就显示了制度化的特性。日本学者佐藤学指出了这种知识的四种性质："一是这种知识是在现有的被视为学问(科学技术与艺术)、作为真理与真实的知识中经过政府检定(或是国定)的，某种意义上说是经过过滤的知识；二是这种知识是儿童'能够理解和传递'、亦即被转换、归纳成得以传递的话语(文字)这样一种制度(约定俗成)的知识;三是这种知识在大多数场合是在当代的学问中显而易见的结论(正答)。亦即无须儿童通过学术论辩就可以学得的,而不过是通过检定教科书的学习,学习被视为'正答'的结论。即便要经过论辩的场合,也仅仅是学习有若干结论(正答)的知识;四是这种知识由于是局限于上述框架里,教师、家长和儿童也没有感到必须超越这种框架去求得知识。"(钟启泉《论"教学的创造"》,《教育发展研究》,2002年第7~8期)这种观点从课程知识的社会性及其传递过程中所呈现的特征来描述课程知识的性质,未必全面,但是却抓住了课程知识的关键性特征。这种制度化特征主要体现为课程知识的社会规定性,与国家政策有着较为紧密的联系。

实质上,课程知识的这种制度化特征,是课程的制定和实施也即课程知识的选择过程所决定的。学校课程要选择的是最基础的知识,课程知识作为实现新一代成长发展的"文化资本",具有相对稳定的标准,变动性相对较小,具有较大的社会认同,是"约定俗成"的知识,具有一定的稳定性。

2.社会性特征。课程不是简单的文化和史实的传承,课程知识也不是纯粹客观的外在于个体甚至社会的存在。课程是政治的、经济的和文化的活动的产物。课程知识选择的背后有社会权力的选择和意识形态的影响。课程主体是一定社会和文化环境中的人,处于具体的环境之中,受特定的文化背景的熏陶,因而不可避免地以所处的文化视角看待问题,这种视角会影响甚至干扰他们对社会现实的感知和理解。因此,不同的课程主体在确定和选择课程知识的时候,就不可避免地会从自己所赖以居之的人文背景出发,其选择的课程知识内容则烙上他们所秉持的社会文化价值的印痕。正如马克斯·韦伯所说:"人是悬挂在由他们自己编织的意义之网上的动物。"(克利福德·格尔兹《文化的解释》,上海人民出版社，1999年，第5页）课程知识则是人类为自己所编制的意义之网。课程知识是社会选择的结果，具有选择性传统（selective tradition）。每一个时代都有该时代所需要的价值观。课程知识的选择就是要以该时代的价值观为基础，经由特定群体立场的认定。这也就是雷蒙德·威廉姆斯（Raymond Williams）所说的选择性传统，“从过去和现在的整个可能领域里进行选择，某些意义和实践被当作重点选出，而另外某些意义和实践则被忽略和排除。更加至关重要的是，这些意义被进行了解释、淡化或改变形式，以支持有效主流文化的另外一些要素或至少与之不相冲突”（迈克尔·W.阿普尔著，黄忠敬译《意识形态与课程》，华东师范大学出版社，2001年，第5～6页）。阿普尔主要从意识形态的角度看待学校课程知识。他力图证明课程知识的价值性和意识形态特性，指出课程知识“不仅仅是一个分析的问题即什么应被看作知识，也不是一个简单的技术问题，更不是一个纯粹的心理学问题即我们怎样让学生去学习，相反，课程知识的研究是一个意识形态的研究，即在特定的历史阶段，在特殊的机构中，特殊的社会群体和阶级把学校知识看作是合法性知识”（迈克尔·W.阿普尔著，黄忠敬译《意识形态与课程》，华东师范大学出版社，2001年，第53页）。这一点历史是最好的脚注。封建专制主义下的课程需要以忠孝为重，古代中国以“忠”、“恕”为本的儒家思想为课程知识的选取标准，西方的课程则以神学为中心。到了近现代，思想开放，科技发达，科学知识成为最有价值的知识，在课程知识中独领风骚，但是作为具有重要的德育价值的中国的传统儒学和西方的神学，都在学校课程中留有地位。课程是主流阶级的权力、意志、价值观念、意识形态的体现和象征，它实际上是一种官方知识，是一种法定知识。布尔迪厄指出，学校教育是维持形式上教育平等的意识形态，实质上是再生产不平等的社会结构的重要途径，而课程作为教育的内容，作为当时社会合法化的文化，作为一种文化资本，在文化再生产过程中起到举足轻重的作用，通过课程资源的获得，建立起一种权力支配与被支配之间的关系，在造成社会不平等方面充当重要角色。“社会出身主要通过最初的导向预先决定了人们的学习前途，即由此而产生的一系列的学业选择及成功或失败的不同机会。”（〔法〕P. 布尔迪厄J.-C. 帕隆梅著，邢克超译《再生产——一种教育系统理论的要点》，商务印书馆，2002年，第93页）也就是说，文化资本少的学生要在学校取得成功非常困难，而文化资本较多的学生可能通过学校教育积累更多的文化资本，从而在社会上获得更多的成功机会。这样，课程知识变成一种象征符号性资源，变成一种文化资本，成为人们增强支配性地位和获得权威的途径。

3. 课程知识的序列特征。课程知识作为人类知识的一种表现形式，体现了人类认识的规律和逻辑。不论是以学科形式还是以活动形式存在的知识，其实都是反映着人类认识活动的不同侧面。作为学科，较多的是从抽象逻辑的角度，遵循着演绎思维的模式，体现着人类认识能力的发展，知识水平的提高。活动形式的知识则是从形象把握的角度，以归纳的方式体现着人类认识水平的发展。因此，课程知识也遵循着知识的这种内在的逻辑。

从实践的角度来看，课程知识的作用对象是学生，课程知识只是为其发展成长而设的人化的有利环境资源，是学生发展的工具而非目的。因此，课程知识要适应学生成长发展的生理和心理特征，而这也要求课程知识遵循特定的顺序，由简单到复杂，由浅显到深入，由已知到未知，由过去到未来，由单极到多维。

课程知识的生成其实只是一种知识价值赋予的过程。当我们揭去知识的放之四海而皆准的“真理性”、“客观性”的面纱之后，知识的情景性、个体性、建构性的一面使得课程不再是叙述性的对客观实体的描述，而变成了由社会群体或专业组织对人类的文化积淀剪裁、建构而成的经验之途和实践指南。对于文化的剪裁，从某种程度上就是对知识的价值的一种赋予、认可的过程。

课程知识的制度性特征表明了学校课程知识具有稳定性,是作为一种先验的客观存在,为学校课堂教学提供了稳定的知识前提,在纷繁芜杂的生活世界中不为所动。课程知识的社会性特征是学校教育目的实现的保证，是个体社会化顺利实现的物质前提。课程知识在学校场域的顺利实现则是其序列性的表现。

课程知识的这些特征影响甚至决定了课程知识建构的方式和课堂教学的组织形式和效果。课程知识的生成过程其实就是对社会文化知识的选择过程,这种选择是以认知主体的心理过程和知识的逻辑体系为基础,并根据社会的需要对已有的文化知识按照一定的标准和程序进行选择的过程。

课程与教学

课程与教学是一个很宽泛的认识领域。也许有读者会说，它完全可以作为一套丛书的主题，岂是一篇短短的随笔说得清楚的。这么说当然不无道理。但我们每个人对一个重大认识领域在广泛涉猎的同时，也可能会有一孔之见。随笔的优势就表现在要言不烦地表达作者的一点心得、一丝感怀上。

课程与教学，作为教育学中的两个核心概念，二者既相互独立，又密不可分。课程包括教什么、教学内容如何组织、如何规划学习进程。教学是基于课程的师生共同活动的。这个系列行为涉及"为什么教、教什么、教给谁和怎么教"四个基本要素。课程只有落实在教学中才具有真实的意义，而教学必须基于课程的规制和指引，才能保证它的品质。

关于如何来看待课程与教学之间的关系的问题，美国学者塞勒(J. G. Saylor)等人提出的三个隐喻可以帮助我们思考和考察这个问题的实质。隐喻一：课程是一幢建筑的设计图纸；教学则是具体的施工。隐喻二：课程是一场球赛的方案，这是赛前由教练员和球员一起制定的；教学则是球赛进行的过程。隐喻三：课程可以被认为是一个乐谱；教学则是作品的演奏（施良方《课程理论：课程的基础、原理与问题》，教育科学出版社，1996年，第139页）。

课程不仅仅是教学内容，它还包括学生学习和发展的整体的"布局谋篇"，它是教学内容及其架构。在后现代课程观的视野中，课程不再被视为固定的、先验的跑道，而成为达成个人转变的通道。这一侧重点和主体的变化将更为强调跑步的过程和许多人一起跑步所形成的模式，而较少重视跑道本身。

在不同的教育阶段，设置什么课程，其中又包括哪些学习主题，各门课程所占的分量和地位如何，它们之间是一个怎样的关系，这都不是一个简单的问题，需要精深的研究和精心的设计。

就整体的课程设置而言，它首先有一个价值导向的问题，那就是开设这些课程究竟是为了什么，要把学生培养成一个怎样的人。泰勒在1949年出版的《课程与教学的基本原理》，被公认为是现代课程理论的奠基石，是现代课程研究领域最有影响的理论构架。这个原理是围绕四个基本问题运作的：(1)学校应该达到哪些教育目标？(2)提供哪些教育经验才能实现这些目标？(3)怎样才能有效地组织这些教育经验？(4)我们怎样才能确定这些目标正在得到实现？（泰勒著，施良方译《课程与教学的基本原理》，人民教育出版社，1994年，第2页）

在中小学开设一些什么课程，世界各国并无大的差异。核心的课程无非是语文、数学、科学、艺术、历史与社会、体育与健康。当然，有分量并不大的地方课程与校本课程。差异主要在具体内容的多寡、深浅和内容的组织上，特别是内容所包含的价值观的差异。价值观的差异通常可以反映出自由社会和极权社会的区别。

课程是教学活动的设计蓝图，它规定教学的方向、范围和进程。好的课程设计一定要顾及教学的可能与需要，给教学更清晰、明确和更富有内在关联的指引。而好的教学也需要教师更真切、更确当地把握课程的意图，理解学习内容的系统与要素之间的关系，而不是“只见树木，不见森林”。

现在我们的课程编制主要是由课程专家（包括学科专家）来着手进行的，尽管也吸收了一些教学经验丰富的一线教师参与，但广大教师对于课程的意识仍然稀缺，他们更多关注的是如何“教”，而首先不是为什么要“教”，这些内容以及当下所教内容在整体的学生成长所需的精神食粮中占有一个怎样的位置。只有当教师有很高的文化素养，课程与教学在行为主体中才能得到真正的、高度的统一。这种统一对于高品质的教育是非常必要的。

课程设置确定以后就是教学的事了。课程反映着教育目的，教学目标落实课程目标。教学目标应该是具体的、可清晰描述的、可分解的任务。但这其中应该渗透着一种灵魂，一种自觉的追求。教学最高层次的追求就是洗涤精神的尘埃，点燃智慧的灵光，引导学生“做有意义的事，做有尊严的人，过有品位的生活”。教学不仅应该是有效率的，更应该是有灵魂的。赫尔巴特在19世纪提出了“教学的教育性原则”，是有其深意的。因为在他看来，“远非一切教学都是教育性的”。为此，赫尔巴特倡导“教育性教学”，这是一种能够使人“高尚而不是变坏”的教学。（《赫尔巴特文集（3）》，浙江教育出版社，2002年，第214～215页）无疑，教育性的教学是教师教育素养的重要体现。马克斯·范梅南有一句名言：“教学就是‘即席创作’。”（马克斯·范梅南著，李树英译《教育机智——教育智慧的意蕴》，教育科学出版社，2001年，第104页）这一“即席创作”的品位取决于教师的精神修养。

真正的学习情境

学习是人类的一种基本活动，也是人的一种基本生存、发展和享受的能力。“学习是人类倾向或才能的一种变化。”（〔美〕罗伯特·M.加涅著，傅统先、陆有铨译《学习的条件》，人民教育出版社，1986年，第3页）学生必须在真实的学习情境中学会建构自己的精神世界、学会自律以及对自己的学业成败负起责任。教师的“教”也只有落实在学生的“学”上，教师的劳动才是有价值的。

什么样的情境可以称之为真正的学习情境？这是一个十分重要的问题，因为只有在真正的学习情境中，有效教学才有可能。而只有有效教学才能培养我们理想中的人。正如苏霍姆林斯基所指出的：“用环境、用学生自己创造的周围情景、用丰富集体精神生活和一切东西进行教育，这是教育过程中最微妙的领域之一。”（苏霍姆林斯基《帕夫雷什中学》，教育科学出版社，1983年，第122页）真正的学习情境对于启迪学生的思想，陶冶学生的个性，激励学生的志趣，升华学生的情感的作用是巨大的，是教育过程中其他要素不可替代的。

不论是心理学家奥苏伯尔关于有意义学习的特征的揭示，还是保加利亚心理治疗家乔治·罗扎诺夫的“暗示教学”理论，还是建构主义教学理论都有助于丰富我们对于真正的学习情境的认识。他们认为有意义学习具有四个特征：(1)学习具有个人参与的性质，整个人（包括躯体的、情绪的和心智的等方面）都投入到学习活动中。(2)学习是自我发起的。即使在推动力或刺激来自外界时，学习中的要求发现、获得、掌握和领会的感觉仍是来自内部的。(3)学习是渗透性的。它会使学生的行为、态度，乃至个性都发生变化。(4)学习是由学生自我评价的。学生最清楚某种学习是否满足自己的需要，是否有助于得到他想要的东西，是否弄明白了自己原先不甚清楚的知识。

乔治·罗扎诺夫认为"能够发挥人类最大潜能的学习经验有三大特征，这也就是他的教学法或学习法的三大原则"，"第一，真正的学习是快乐的"，"第二，融合了有意识的和无意识的学习"，"第三，诱发内在的潜能"。

建构主义教学理论认为教师应该是学生学习的帮助者、支持者和合作者。教师的职责不应该是给予，而学生的职责不应该是接受。教师不应该把自己视为"掌握知识和仲裁知识正确性的唯一权威"。建构主义教学要求为学习者设计真实的任务情境，支持学习者对整个问题或任务的自主权，设计支持和激发学习者思维的学习环境，提供机会让学习者能够对所学内容和学习过程进行反思，同时强调建立学习共同体，鼓励学习者之间的相互协商。

综观世界范围内学者们的已有研究，可以概括出一个真正的学习情境至少应该具备如下四个特征：有明确且适当的学习任务；学习者有学习的意向；有和谐、融洽、相互支持和相互欣赏的心理氛围；有丰富的、高品质的学习资源。

明确且适当的学习任务意味着我们的教学是基于学生已有的知识和经验背景，在学生的头脑中有同化新知识的基础。这就需要我们教师了解学生，基于学生的已有水平来进行教学。教学是有明确的目标追求和任务驱动的。

教学究竟要达到怎样的目标？布鲁纳提出了适合于现代教学的五个基本教学目标十分值得我们深思：(1) 鼓励学生发现自己猜想的价值和可修正性，以实现试图得出假设的激活效应；(2)培养运用心智解决问题能力的信心；(3) 培养学生的自我促进；(4)

培养学生经济地运用心智；(5)培养理智的诚实(全国12所重点师范大学编《教育学基础》,教育科学出版社,2002年,第184页)。这五个基本教学目标在我们许多教师的教学目标的设定之中几乎没有得到体现。

教师在进行教学目的的设计时，罗伯特·麦格尔(Robet Mager) 提出的教学目的三要素非常值得我们借鉴：一是陈述任务；二是确定怎样完成任务；三是确定应取得的最低成就水平(如果教师希望确定最低水平)。知识迁移是教学的目标追求,也是学习成果的重要表现形式。教育心理学的研究表明:许多学习迁移失败的原因就是简化的、脱离真实情境的教学取向。所谓“真实性”指的是学习情境和迁移情境之间的密切相关性。我们在设计教学环境时,既要考虑知识学习情境的设计,也要考虑知识应用情境的设计,应该把这两种情境整合起来。

学习者有没有学习的意向是真正的学习能不能发生的必要条件。有一个精妙的比喻:我们可以将马牵到河边,却不能按住它的头强迫它饮水。真正的学习情境的创设必然包括学习者学习动机的激发。一个激励有方、组织有序的课堂有助于营造真正的学习情境;相反,一个枯燥乏味、混乱无序的课堂对学生的学习将会产生消极的影响。真正的学习情境的第三个特征是由公开和乐意地承认、欣赏与尊重的互相表达方式来体现的;学生到学生、教师到学生都真诚、有礼貌地、充满友爱地彼此接受。“如果我能设法造成一种真诚、尊重和理解的气氛,就会出现一些鼓舞人心的情形。在这样的气氛中,人们和小组成员的态度会从僵化刻板转向灵活变通,他们的生活方式会从一成不变转向寻求发展,从依赖他人转向依靠自己,从墨守成规转向富于创新精神,从谨小慎微转向接受自身的现实。他们的这些行为是人们追求自我实现的要求的生动的例证。”(〔美〕马斯洛等著,林方等译《人的潜能和价值》,华夏出版社,1987年,第127页)相反,如果课堂气氛不和谐,充满着敌意、情绪的对立，那么学生就不能有灵敏的感受和流畅的思绪，就可能分心或注意力转移。

在课堂上，我们许多老师都曾与“问题”学生发生过冲突，对此，我们应该正视这一现实。如果老师对学生要求过于苛刻，如果老师表现出对学生的轻蔑和嫌恶，如果与学生眼神对视的时间太久，就有可能会导致双方的对抗，而且通常还会衍生出令人难以接受的行为。

真正的学习情境充满着对亲密的和真实的人际关系的渴求，是热情洋溢的，能够给学生以积极的情感体验。格式塔学习理论强调“一个人学到些什么，直接取决于他是如何知觉问题情境的”。人本主义心理学家卡尔·罗杰斯揭示出：“在这种关系中，情感和情绪能够自发地表现出来，它们并没有得到详尽的审查或者受到各种各样的胁迫；在这种关系中，深刻的体验——沮丧的和欢欣的——能被分享；在这种关系中，能冒险地采取新的行为方式，并且不断地加以提高。总而言之，在这种关系中，他能接近于被充分理解和充分接受的状态。”无数的经验证明，学生只有在充满真诚、安全愉悦的学习情境下，才会获得更好的发展。“真诚”是一种真实、纯正、信任的态度，是一种彼此的接纳和完全的敞开，它是学习共同体可靠性的前提条件。这需要教师能够以一种友好的、积极的和公正的态度指导和激励学生。

最后，真正的学习情境还包括拥有丰富的、有内在逻辑联系的学习资源。学习资源既包括知识，也包括信息。知识和信息是有区别的，正如日本学者佐藤学指出的：“信息与知识并不是一回事。知识，是经验经过语言化赋予了意义的概念。它的形成包含了经验的主体、经验得以概念化的语脉和社会过程。反之，信息不过是抽去了这种主体、经验、语脉和社会过程的东西。”（〔日本〕佐藤学著，钟启泉译《学习的快乐——走向对话》，教育科学出版社，2005年，第55页）真正的理解就是思想与感受、观念与实体的连接。教师和学生都可以是优质学习资源的提供者。教师在课堂中的职责之一就是提供并帮助学生发现学习内容的内在的逻辑联系,进而内化为学生的认知结构。

帮助学生理解教学过程

有效教学是一个有着明确追求的、在教师引导下通过分享人类已有的精神财富帮助学生建构自己的内在自我的过程。教师对于教学进程应该做到精心设计,做到成竹在胸,以便能够有效地调控课堂,实现有效教学。但教学是师生互动的活动过程,因此,仅仅教师了解教学过程是不够的,应该通过一些可能的途径帮助学生理解教学过程。

帮助学生理解教学过程有多层意义:第一,使学生对教学进程有合理的心理预期和必要的心理准备。在这个学习主题的教学中,这个活动完结以后,下一个活动将是什么?为什么要有这个教学环节?教学过程是教师引导下的精神游历的过程,正如我们旅游,如果导游不明确告知我们今天要去哪里,路上要花多长时间,在某一个景点停留多久,我们就会感到焦虑,感到不踏实,就会时不时要问相关的问题。第二,有利于师生间的有效配合,并吸引学生实质性地参与教学过程。大量研究表明,学生实质性地参与教学过程对于提高教学的有效性有着重要价值。在教学中,学生为什么要参与?何时参与以及以怎样的方式参与?如果学生对于这些问题非常明确,他们参与教学过程的自觉性、积极性和有效性就会大大提高。第三,让学生理解程序的合理设计,有助于发展学生时间管理、设计活动的能力。每节课都有自己的要完成的任务。教学过程就是完成任务的一系列步骤,是一个程序。教学程序不仅是解决问题、完成教学任务所必需的,其本身也有学习的价值。

一个问题能否有效地解决，一个任务能否有效地完成，程序的合理性往往不可忽视，有时甚至起着决定性作用。培育学生的程序意识，让程序内化为学生的思考策略，应该成为教学目标的一个元素，成为教学过程中时常关照的一个方面。

一节课的教学进度应该是怎样的，当然要根据教学目标、学习内容的性质、学生已有的知识与经验背景以及认知发展水平、教师自身的综合素养与特长等来决定，但作为最经常的学习新的知识的课（区别于练习课，复习课）还是可以概括出一些必经的教学环节的，如通过教师的讲述、提问、讨论，学生的复述、练习等方式复习旧知识。为什么需要这个环节呢?那是因为，任何学习都是促使新旧知识之间“联通”的过程，只有当学习者有同化新知识适当的知识基础时，学习才会有效。正如只有当有适当的土壤和水分，种子才能发芽和生长一样。因此，激活学生已有的知识积淀，以做到“温故知新”、“推陈出新”，为学习新知识营造心理氛围，准备必要的“认知接头”，就成为一个必要的环节。

练习也是一个必要的教学环节。在通过质疑、修正、多元化地理解了学习内容后，有一些智力技能或动作技能需要及时得到巩固，这就需要练习，甚至是足够的训练。比如说，在学习一篇课文后，学生能否详略得当地复述课文内容，这就需要训练。可以训练通过概括出一些“关键词”作为复述的“索引”，通过训练，提高学生概括、提炼和总结的能力，学会以简驭繁、由博返约。还比如，学生需要进行推理的训练，确保自己是在根据一套逻辑步骤来进行思考的。我们的课堂教学就是要努力为他们提供这样的机会。

时下正在进行的基础教育新课程改革所提出的三维教学目标——知识与能力，过程与方法，情感、态度与价值观，许多中小学教师耳熟能详，“过程和结果同样重要” 的理念也正在深入人心。三维教学目标提出的依据究竟是什么？“过程和结果同样重要”究竟道理何在？对此恐怕就不是人人都清楚的。教学的结果

（包括知识的建构、技能的掌握、心灵的净化等）之所以重要就在于没有这些，学生的精神世界就不可能充实起来，学生就不能越来越自信地面对世界。而“过程”之所以同样重要，就在于一个人的思考问题的方式、价值观、处世风格等个性品质是在过程中形成的。学生的学习方式就是其发展的方式，而这个“方式”是在其过程中得到体现的。“过程”的重要性我们也可以通过这样一个事实来获得确认：当你以适当的速度跑完两三千米后，你可能觉得什么也没得到，但如果你经常这样运动，你就会发现你变得更有活力了，你的免疫力提高了，这就是过程的价值。其实，任何事情，离开了过程我们就一无所成。正如体育运动可以健身，作为脑力劳动过程的学习可以益智、怡情、正心、诚意。因此，使教学过程的设计更加合理、使学生对教学过程更好地理解并能更自觉地参与，对学生的自主发展都有着重要意义。

学习策略与知识的自主建构

学业成绩优异的学生与学业平平的学生之间差异形成的原因是多方面的，其中包括天赋（智商）、智力类型、学习偏好、家庭文化背景、学习动机、个性品质和学习策略。而天赋、智力类型是难以改变的，学习偏好、家庭文化背景也不易改变，发展学生的学习策略，就成了我们提高学生的学业成绩，并进而形成良好的个性品质（如坚持性、注意力集中、自我激励、勇敢地面对挫折等）的切入点和着力点。

所谓学习策略，就是诸多学习方法的整合化，就是对学习过程的高度自觉，就是在学习的过程中有意识地超越所给定的信息，自主地、能动地建构知识，而不是盲目、被动、机械、简单重复的抄写、背诵或者做习题。从某种意义上说，自主学习其实就是有效的、良好的学习策略的代名词。

自主学习，也称之为自我调控学习（self-regulated learning）。所谓自我调控学习是指学习者为了保证学习的成功、提高学习的效果、达到学习的目标，主动运用元认知控制策略、动机控制策略和情感控制策略，有效地控制学习的进程和学习任务的实施。其实质就是要求学习者对自己的学习过程进行自我监督、自我调节、自我激励和自我控制。

建构主义学习理论认为：任何知识的学习都是一个积极主动的建构过程，学习者不是被动地接受外在信息，不是简单地复制和印入信息，而是主动地根据先前知识结构和经验，注意和有选择性地知觉外在信息,解释信息,并生成新的信息,建构当前事物的意义,这个建构过程是双向的:一方面,通过使用先前的知识,学习者建构当前信息的定义,因而可以超越所给的信息,在对信息的加工与处理的过程中,生成新的信息;另一方面,被利用的先前知识不是从记忆中原封不动地提取出来的,而是本身要根据具体实例的变异性而重新建构。由于要进行这种双向建构,学习者必须积极地参与学习,必须经常调整思路,保持认知的灵活性。

人们是按照逻辑(推理的"有效"法则)和个人经验去理解语言所表达的意念的。当然,个人的心理建构过程和水平是不断变化、发展和完善的,可以温故知新、知新温故,可以推陈出新,不断提高;由于事物存在的复杂多样性、学习情况存在一定的特殊性以及个人先前经验的独特性,所以每个学习者对事物意义的建构将是不同的。

与"学习"密切相关的是知识,对于个体而言,知识包括"知道"和"洞见"(或"见识")两个层面。"知道",其实只是信息的获得,而"洞见"才是建构知识的过程,真正的学习不是认知结果的堆积,而是在外在信息的刺激下的重新解释和重新组织,以生发出新的意义。这个过程的品质取决于诸多因素,其中主要的是学习策略。比如一个单元学习后的总结,就十分重要。总结往往伴随着提炼和概括,删除掉某些信息,保留某些信息并对某些信息进行加工,有利于理解的深刻和记忆的巩固。因此,教学中一定要包括课堂小结和阶段性小结。前者意味着课堂结束后扼要重述主要观点,从而帮助学生将新信息融入到连贯的、可理解的整体中。后者意味着帮助学生查验、思考刚刚介绍的知识与整个单元学习要点之间的关系。

一味地强调题海战术、重复练习,是与忽视发展学生的学习策略和促进学生知识的自主建构相关联的。其危害就在于:它加重了学生的学业负担,导致学生思维定式和头脑的僵化,导致内心的麻木和个性的呆板，压抑以致泯灭学生的内在的学习天赋和探索精神，不利于具有主动性、创造性、健康开朗个性的形成和发展。

可是我们许多的教师，更不用说绝大多数家长，关注的仅仅是学生对于学科知识的“掌握”程度——复现已成结论和熟悉解题套路，而很少关注学生的学习品质和学习策略的形成与发展，从而使得广大的学生的学习是低效的，有时甚至是无效和负效的。许多学生抓不住关键信息，信息组织能力差，不能从已有信息中生发出新的信息，建构知识也就无从谈起。

学生的生命主题是成长，而成长离不开有效的学习。因此，对于学生而言，切实地对自己的学业成败肩负起责任，理解学习过程，对自己的认知过程能作出自我监控，都有助于取得良好的学习效果。一个成功的人，一定是一个开朗的人，一个注重总结自己的经验和教训，一个善于向他人学习并不断完善自我的人。为此，教师的教学应该是一种有意识的、深思熟虑的行为，这种行为是在对于教什么、学生怎样才能学得最好做出深思熟虑的决定后产生的。另一方面，教师还要努力使课堂教学多样化。多样化并不能直接促进学习，可它对学生的注意力和参与精神有积极影响，从而使学生对学习有更强的接受能力。教师运用多样化不仅可以防止学生对学习感到厌烦，还可以使他们长时间地保持兴趣并积极参与教学过程。这对于学生发展学习策略、自主建构知识都有重要意义。

洋溢着生命温暖的课堂

有愈来愈多的教育学者把自己的研究视角锁定在课堂,这不仅是教育研究范式的一种改变，也是学者生存形态的一种改变。关注教育世界中真实的问题,和广大教师一道研究课堂,研究教学,研究学生,才真正有可能改变教师的教学行为,改变师生交往的方式和学生成长与发展的方式,从而使教育影响的生成、聚合和最大化成为可能。

课堂是学生生活与学习的场景。教室是有限的空间,而课堂可以不局限于教室,它可以是学生在更广阔的时空中,更为个性化的学习与生活的方式。因此,只要是以个体的成长与发展为主要目的的存在方式的场景都可以是课堂。

我们人性中的神性使我们对理想情有独钟。理想的课堂是师生之间心灵相遇的场所，是观照意义世界和感悟生命之美的场所。让课堂拥有“炉边谈话”般的温馨和真诚,让课堂播撒幸福的阳光,释放生命的灿烂,洋溢着生命的温暖。这就是我们对于课堂的理想。

洋溢着生命温暖的课堂,是让快乐主宰的课堂。每个课堂中都应该有笑声;如果在整节课过程中学生没有任何笑容,这样的课堂气氛就一定有些沉闷。教师应该努力用自己的人格魅力把幽默、欢笑和积极的力量带入课堂,使学生充满活力,快乐地卷入到学习之中。

教师生命意识的淡薄甚至阙如,是我们的课堂快乐稀缺的主要原因。只有从根本上把传统课堂教学沉闷的“呈现—接受”模式变为生动的“引导—发现”模式,“在引导下的发现”和“在发现中的引导”,才能充分展现课堂教学动态生成性的格局,使课堂焕发出蓬蓬勃勃、生生不息的生命活力。

洋溢着生命温暖的课堂,是充满理智挑战的课堂。由于受以“传授知识”为主导的思想的影响,教学中“质疑与探究”形同虚设,成为了走过场。更主要的原因就在于一些教师驾驭课堂的能力不强,一怕教学任务完不成,二怕学生乱了套,不敢鼓励学生大胆质疑,提出具有深度和开放性的问题。再加上课堂上教师的随机点拨欠缺或者不到位,不能有效引导学生的思维方向,不能自觉地发展学生的思考策略,这样的课堂就只能让人感觉“空洞的热闹”,而不能让学生感受到智力劳动的愉悦,感受到智慧之花的尽情绽放。

洋溢着生命温暖的课堂,是学生可以实质性地参与教学过程的课堂。只有当学习是学生全身心投入的整个生命存在的方式,学习才能促进整个人的成长。教师在课堂中的职责之一就是为学生创造一个尽可能开阔的思想平台,让他们独立地思考、自主地选择;而不是将我们自己的思考结论灌输给学生,更不是把我们自己的选择强加给学生。

若想使学生参与到课堂教学中,教师的表达不仅要有条理和清晰,而且要善于运用肢体语言、眼神交流、语调变换等。一位好的教师的声音应该是富于变化的,如高亢有力、充满激情、令人愉悦的。为了保证全体学生参与课堂,既不要忽视那些沉默寡言的学生,也不要总叫个别学生回答问题。好教师上课的方式不但轻松,而且富有激情。教学就是和学生一道分享对于学习的激情,分享发现的惊喜。好教师应注视每个学生的眼睛,穿梭于课桌和学生之间,提醒所有的学生从事当下的学习,以便使每一个学生都参与到课堂教学中来。让学生在课堂上“感悟”与“对话”共舞,“激情"与"理性"齐飞。

洋溢着生命温暖的课堂，是开放的课堂。教室作为有限的空间，无法满足学生展示丰富独特的生命表现形式的更多的需要，它难以避免地使生活过程变得死板、呆滞、程式化和模式化。而学生在学校中的绝大多时间是在教室中度过的。孤立与隔绝的生活，虚假与苍白的生活，畸形与单调的生活，很容易造成学生"八小时痴呆"。让学生带着问题走进教室，带着问题走出教室，走出校园，走向社会，走入丰富多彩的生活，走向更为广阔的世界，就能实现学习与生活的联姻，而不是将课堂与课外生活人为地割裂。

一句话，洋溢着生命温暖的课堂，是飘扬着"人"的旗帜的课堂。对生命的遗忘是教育最大的悲哀，对生命的漠视是教育最大的失职与不幸。生命教育尽管不能解决教育的所有问题，但它能大踏步地提升教育的品质。它力图带给人们的是阳光般的心态，从而让整个教育世界充满温情和仁爱，充满信任和希望。理想中的教育总沐浴着神圣的灵光。我们坚信教育因美好的人性期待而在我们的手中变得更美好。

为了让生命教育的旗帜高高飘扬在学校的上空，我恳请所有的教师努力做到：

1.不用尖酸刻薄的语言羞辱学生，即使学生的确令人恼怒。

2.不用轻蔑的眼光打量学生，即使学生的确令人失望。

3.不体罚和变相体罚学生，即使学生犯了严重的错误；你一定要找到更好的办法惩戒学生，但不是简单粗暴的体罚。

4.不在学生面前抱怨生活，即使你的确受到了不公正的对待，遭遇了不应有的挫折。

5.当学生无礼地顶撞你，令你气恼时，你仍能心平气和，从容淡定，理智地对待学生。

6.当你出现在学生面前时，总是情绪饱满、信心十足，即使你非常疲惫、非常沮丧。

这些要求也许有点强人所难，但的确是优质教育所需要的。如果一个教师能够“把悲伤留给自己”,将阳光洒满课堂,那就是高尚和高贵。

语文的视界

我们的语文教学效率低下,恐怕是不争的事实。在我们的国度里能够把话说得精彩,能够把文章写得漂亮的人实在是太少太少了,尽管这也是由很多原因造成的。

语文教学究竟应该关注些什么?这是一个值得深入探讨的问题。语文教科书是通过范文的选编而辑成的,通常是难度相当、主题相同的一组文章组成一个教学单元。比如,北师大版小学五年级下册语文教材第三单元的主题就是《劳动与幸福》。《语文教师教学用书》上是这样写的:“学习本单元,应教育学生树立正确的劳动观念,感悟劳动的真正含义,培养学生的劳动意识。”“教学本单元时,要紧紧围绕着劳动这个主题,通过本单元四篇课文的学习,学生应当能理解劳动的含义,再以综合活动教学为契机,进一步加深学生对劳动含义的理解。根据学生的生活实际,教学时可布置一些有关劳动的实践活动。”(马新国、郑国民主编《语文教师教学用书》,北京师范大学出版社,2006年,第76页)这一单元中有篇文章就是《幸福在哪里》。那这篇课文的教学关注点应放在什么地方呢?是让学生理解劳动与幸福的关系吗?非也。关注点应该放在作者是怎样来写作这篇童话故事的。这并不是说,语文教学不要关注学生的情感体验和态度、价值观的形成、改变或完善,而是说这些应该是自然生成而不是刻意为之,是在教学过程中通过潜移默化、润物无声的影响来实现的。

把语文课变成主题班会或思想品德课、科学课,这在当今中小学的课堂,包括一些公开课上是很常见的。语文课需要回归到“语”和“文”上,“语”即规范的、高级的、精致的、优雅的口语表达。“文”即书面表达,而书面表达的最高级的形态就是独立成篇的、有主题、有构思、有剪裁选材,讲究语言风格的“文章”。语文教学的目标当然要包括丰富学生的语言词汇,培养学生良好的语感,形成个性化的语言表达风格。

“文以载道”,这是普遍现象。当然,这个“道”可以做很宽泛的理解。任何文章,都必然要表达作者的思想和情怀。语文教学当然要帮助学生去“悟”道、并将“道”内化到自己的精神世界中去,但语文教学更重要的目标是让学生了解、理解作者是如何通过文章来向我们阐发这个“道”的,文章是如何布局谋篇、剪裁选材、起承转合的,文章运用了哪些写作技法?假如一篇文章直截了当地告诉你一个道理,至少这篇文章的艺术水准不够高,不够有美感,显得生硬,缺乏感染力,从而影响文章的生命力。

一篇文章就像是一座建筑物,结构要服务于功能。一篇文章的结构也需要服务于它所表达的主题。我们没有受到过建筑设计的训练,尽管我们天天和建筑物打交道,可我们画不出建筑设计图。假如语文课堂上不能有意识地让学生了解并理解作者是如何来构思这篇文章的,并打通阅读教学与作文教学之间的关联,那学生作文能力就不能得到很好的培养。为什么会写文章的人很少?原因之一就在于很少有人会知道从哪里下笔,如何铺陈,如何前后呼应等写作的技法和构思篇章。而不会写文章也就不会善于去进行生活的积累、学识的积累以及思想的丰富和提升。

一篇好文章必然会从某一个角度反映人情物理。语文教学就是要从学生已有的生命体验出发去理解作者是如何来阐发这个“道”的用心,并学会用口头语言和书面语言去表达自己对世界的感受、理解和认识。

语言的背后是思维。想不清楚就说不明白,这对所有的人都是如此。语文教学应该特别重视学生思维能力的培养。学生的思维训练也可以通过口语表达的“听”和“说”来实现。表达的训练归根到底是思维的训练,在思维的流畅性、全面性、深刻性、原创性、敏捷性、精进性(即思维自我监控的品质)等方面进行有计划的训练。所谓训练就是按照合理的行为模式进行必要的反馈和强化。思维是一种内隐的行为,高品质的思维首先是合理的思维程序问题。对一个“概念”下定义,对一个事物的特征进行概括,对事物进行分类(比如人生境界的几个层次)都可以起到训练思维的作用。

比如:童话有什么特点?童话首先是一个故事,这是童话的第一个特征。它是一个怎样的故事呢?童话是充满了幻想、夸张的、虚构出来的一个故事。这是童话的第二个特征。具有这两个特征是不是就一定是童话呢?不一定,像神话也有这两个特征。童话还必须是写给儿童读或讲给儿童听的,是充满童心、童趣、童真的。童话的特征我们概括出来了,那如何给“童话”下定义呢?所谓定义就是要揭示出事物特征,揭示出此事物不同于彼事物的特征。对于“童话”的定义中就要包含上述三个特征,这对小学高年级的学生就是很好的思维训练的话题。

怎样的文章就是好文章?对小学生来说,“学会对文章进行鉴赏”的要求也许有些偏高,但培养学生对整篇文章有意识地整体感悟,感悟作者的写作思路,却是可能的,更是必要的。到了中学,特别到了高中,“学会对文章进行鉴赏”的要求就理所当然了。任何教学都要有一定的挑战性,都要有感召性的目标和任务。这对于充分发掘那些天赋较好的学生的智慧潜能尤有必要。

作文教学琐谈

作文教学在所有的课程教学中具有重要的地位。这是因为作文教学对于提高学生的阅读兴趣，培养学生对于学问的崇尚，促进学生观察能力、自我反思的能力和思维能力的发展都有着极其重要的价值。对事情能有自己的看法，看法还有一定道理，并能有层次的、措辞精当地表达出来，并不是一件很容易的事情。一般来说，如果一个学生的作文比较好，他日后发展的潜力就会比较大。

如何提高作文教学的有效性，涉及诸多问题。诸如，什么样的作文才是优秀的？怎样指导学生写出优秀的文章？如何创设作文教学的课堂氛围？首先不妨讨论一下好文章的标准。不论何种文体的作品，都由这样四个要素组成：主题，素材，结构和语言。因此，我们可以据此提出一篇文章的评价标准。第一，主题光明、高尚、美好。光明，而不是阴暗；高尚，而不是卑下；美好，而不是丑恶。好的文章总是教人求真、向善、臻美，可以化民成俗、纯净世风。第二，素材充实、可信。充实，而不是贫乏和苍白；可信，而不是虚假和荒谬。第三，结构完整，布局合理。这意味着文章构思巧妙，清新明快，既没有虎头蛇尾之弊，也没有旁逸斜出、意多文乱的芜蔓之感。第四，语言明丽、清新、雅致。明丽，而不是晦涩；清新，而不是烦琐；雅致，而不是粗俗。

当然，一篇文章的价值是多种多样的。上乘的作品当然是思想新颖、独到、深刻，构思精巧，刻画细腻，生动形象，文辞优美。如《桃花源记》、《醉翁亭记》、《岳阳楼记》。有的文章谈不上什么艺术构思，不过是层次清晰、文从句顺，但它可能提出了一个引人深思的问题，表达了对某一问题自己独到的观点，这样的文章也是有价值的。

写作总要涉及“写什么”和“怎样写”两个问题。前者属于选题，立意；后者属于写作技巧，包括剪裁选材，布局谋篇，起承转合。因此，作文教学就不仅仅是写作技巧的教学，它必然要触及学生的灵魂。那就是，你究竟要表达怎样的思想和情怀。

白居易云：“心，根也。言，苗也。”心为言之根本，立言须先立心。“文必己出”是古往今来的写作原则；崇尚个性，抒写自我，勇于创新，是作文的生命和灵魂。人格境界低下，要么理屈词穷、强词夺理，要么不能够面对真实的自我，文章必然内容空洞，矫情假意。

写作就是参与社会的改造，就是尽自己作为社会一员的责任。所以，作文要说真话、实话、心里话，不说假话、空话、套话。写作者何以能够做到这一点呢？

这首先需要写作者对生活敏锐的感受力、发现力，需要心灵的丰盈、想象的活跃、思想的深刻。“选材要严，开掘要深，不可将一点琐屑的没有意思的事故，便填成一篇，以创作丰富自乐。”（鲁迅《关于小说题材的通信》，《鲁迅全集》第4卷，人民文学出版社1981年，第294页）“最喜小中能见大，还求弦外有余音”（丰子恺）。作文的秘诀，也许就在此。

叶圣陶先生曾说过：“作文原是生活的一部分，生活就如泉源，文章犹如溪水，泉源丰盈而不枯竭，溪水自然活泼地流个不歇。”为什么我们常常感到一些学生的文章气色苍白，虚情假意？重要的原因就在于文字的背后缺少敏锐的目光、缺少鲜活的思想。因而教师要鼓励学生自己去观察、积累、感悟。“任何孩子都有强烈的创作欲望，这是一种持续的、强大的力量，不断与世界发生着关系，产生出似乎是变化无穷的活动和作品。一种广泛存在的能力：参与世界、成为创造者，这种能力在儿童早期就清晰可见。”（〔美〕卡利尼著，张华等译《让学生强壮起来——关于儿童、学校和标准的不同观点》，高等教育出版社，2005年，第17～18页）作文并不只是文字的简单堆砌，它还是作者思想的结晶、心灵的写照。鼓励学生自由表达，说真话、实话、心里话，需要帮助学生丰富和提升生活经验，“必有是实，乃有是文”。教师要引导学生作内在的人生反思，帮助学生多角度地观察生活、理解生活、表现生活。否则，学生的作文就容易平庸琐碎、无病呻吟、杯水波澜。正如曹益君先生所指出的：“作文教学也要树魂立根，只有这样，才能写出荡气回肠、令人震撼的作品。”（《作文教学断想》，《教育参考》，2006年9月，第55页）这样才能真正体现新课程所倡导的“让学生易于动笔，乐于表达，应引导学生关注现实，热爱生活，表达真情实感”。叶圣陶先生在《作文论》中说到：“既然要写出自己的东西，就会连带的要求所写的必须是美好的：假如有所表白，就当时有关人间真情的，则必须合于事理的实际，切乎生活的实况；假若有所感性，这当是不倾吐不舒快的，则必须本于内心的郁积，发乎情性的自然。”从而通过作文来促进学生的全面成长，并在学生的成长与作文之间建立起良性循环。

表达什么——表达主题和素材需要积累和提炼——解决以后，接下来需要帮助学生学会布局谋篇。这可通过对范文的仿写来实现。仿写的过程就是很好的写作训练。或许这就是《儒林外史》一书中鲁编修所说的“八股文章若作的好，随你作什么东西，要诗就诗，要赋就赋，都是一鞭一条痕，一掴一掌血；若是八股文章欠讲究，任你做出什么来，都是野狐禅，邪魔外道”。善于抓住具有典型意义的细节用简练的文字描写景物，勾勒人物形象！

打通阅读教学和作文教学的壁障，在更高的层次上实现读写结合，对于帮助学生学会布局谋篇和掌握写作技巧也十分必要。善于借鉴前人的经验，对写作是大有用处的。元朝学者陈瑞礼用生动的比喻来说明读和写的关系："读书如销铜，作文如铸器。"他断言："劳于读书，逸于作文。"在读写活动里长期坚持艺术认知的审美锻炼，会让学生的心灵晶莹剔透，灵光四现。

另外，教师要培养学生修改文章的习惯。好文章是改出来的，这也是写家们共同的经验。文章写好后，过些日子再拿出来看看，改一改。改，就是打磨，润色。文章的修改包括结构的调适，以避免虎头蛇尾，或者拖泥带水，意多文乱；也包括字斟句酌，让文章的语言表达变得珠圆玉润。把文字打理得云淡风轻，那是一种美妙的境界。

在修改文章的过程中，大声朗读也是一个好办法。凡读起来不顺畅，磕磕绊绊的地方准是需要梳理、调适的地方。鲁迅也非常重视朗读。他这样谈到自己的写作："我做完以后，总要看两遍，自己觉得拗口的，就增添几个字，一定要它读得顺口。"(《我怎么做起小说来》，《鲁迅全集》第4卷，512页)

如何创设作文教学的课堂氛围？有的优秀教师积累了许多宝贵的经验。好的作文教学如同主题学习的教学一样，需要创造一种精神振奋、生气勃勃、畅所欲言的课堂气氛，打开学生的心扉，唤起学生的表达冲动，引导学生敢于表达自己的所见、所思、所感，并逐渐在写作实践中提高感知和分析事物、捕捉灵感、提炼主题的能力。教师可以多布置一些自由命题、自主选材、自行写作的作文任务，为学生发挥其写作天赋，培养写作的兴趣、爱好与特长提供舞台。

多一点学法指导

学校教育是一种以帮助学生有效地进行学习从而获得理想的发展为己任的人道主义事业。因此，通过讲座、个别辅导或课堂教学给学生多一些学习方法的指导就十分必要。

学习方法其实是一种策略性知识（相对于陈述性知识和程序性知识），是智力技能的重要组成部分。对学生来说，“学会”比学到了什么更重要，对其终身发展更有价值。我们不难发现，学业成绩优异的学生都善于总结、提升自己的学习经验。当然，“学会学习”离不开对具体知识的学习过程，但又不是在对具体知识的学习过程中学生一定会自然而然地“学会学习”，这其中还是有一个教师自觉作出努力的空间。

由于不同学科的知识类型的差异，其学习方法也不尽相同。语文、政治（思品）、历史等学科的学习，更多的要强调感悟、诠释、语言加工，特别是强调对一些事实、命题的记诵。许多人都有一个认识误区：将牢固的记忆简单地等同于死记硬背。我想首先要强调的是，记忆力同感悟力、观摩力、想象力、思考力一样，是一种重要的认知能力，它同样需要得到发展。尽管今天电脑和信息技术高度发展，但在人脑中储存一些信息对于思想的创生仍是十分必要的。真正深刻地发现、顿悟，需要沉思冥想，需要摆脱当前刺激物的局限而能够心游万仞。对任何个人来说，思想就需要思想资源。只有在思想者的头脑中可以有效地提取必要的信息时，有价值的思想过程才能得以进行。

几乎所有学问修养深厚的人一定有过人的记忆力，也必定有一套有效的记忆方法。记忆是需要付出意志努力的，但并不一定就是死记硬背。除了努力发现学习材料内在的逻辑关联外，还有很多提高记忆效果的方法。比如经常采用“试图回忆”。所谓“试图回忆”是指在开始复习一个材料时，先试图回忆背诵而不去看材料的记忆方法。心理学实验表明：复习时背诵的时间应多于阅读的时间。一般背诵与阅读时间的比例为8：2时记忆效果最好。通过背诵可以检查出哪些地方记住了，哪些地方还没记住，哪些地方记得不准确。对于已记住的，就不必多花力气；没有记住或记得不准的，可以注意多读几遍。

外语学习中词汇和句型的积累就很重要，这也离不开熟记。我的经验是首先要区分哪些单词需要达到能用于写作，哪些只需达到可供阅读(即再认的水平)。如果所有的单词都要达到熟记，学业负担就会太重，也不利于扩大阅读量，从而不利于整体的学业进步。其次，在单词的记忆过程中多查字典。查字典的过程也就是信息编码的过程，重要的是，查字典有助于发现单词构成规律和一个词的多义，比如，“second”就有“秒”、“第二”、“赞成”、“支持”等含义。当你遇到一个生词时，你去查字典并作标识；也许过一段时间你又遇到它，但你忘了；你查字典时才发现你曾查过，可忘了，这时你会获得来自你内部的“强刺激”。这个“强刺激”有助于你获得更好的记忆效果。单词的记忆最好是根据音节、词根和拼写规律来进行，而不是机械地重复拼写。

确切而牢固地掌握概念，准确掌握公式符号中符号的指代意义，以及符号之间的关系，是学好数理化等学科的关键。不要盲目地大量做题，而要首先分析这道题究竟要检测你掌握了什么，即解题所必须依据的原理。一些设计精妙、精巧的题及其解题思路可以经常回顾一下，对于牢固掌握解题思路——实际上是解决问题的智力技能会很有帮助。

比如,在数学的学习中,排列和组合是学生容易混淆的两个概念。排列,即由m个不同的元素中取出n($n \leqslant m$)个,按一定的顺序排成一列,叫做由m中取n的排列,排列数记作An/m,公式是$An/m=m(m-1)(m-2)\cdots(m-n+1)$。而组合是由m个不同的元素中取出n个并成一组,不论次序,其中每组所含成分至少有一个不同,所得到的结果叫做由m中取n个的组合,组合数用Cn/m来表示,公式是$Cn/m=m(m-1)(m-2)\cdots(m-n+1)/1\times 2\times 3\times \cdots \times n$,为了帮助学生理解,而避免对这两个概念的混淆,可以鼓励学生用自己的话来表达:比如说,从某种意义上,排列比组合更高级更复杂,当m和n的值一定时,排列的结果大于组合的结果。

学习任何一门课程,及时复习都很重要。这就需要学生制定好学习计划,经常性的复习;刚学过的内容,复习时可能要多花点时间,但随时间的推移,仍需要经常复习,但可以越来越快速。遗忘,对任何人来说都是正常的心理现象。当遗忘发生时,不要过度焦虑,不要自怨自艾,要坦然接受,保持乐观和积极的心态。如果因为遗忘而怀疑自己并进而认定自己记性不好,记忆力在衰退,这等于在给自己消极的心理暗示,久而久之,真的会导致记忆力的衰退。愉快、乐观的心情,会使我们对事物易于感受,从而有更好的学习效率。

学习的浪费是人生最可惜、最大而又最不易为人们所觉察的一种浪费。教会学生学习,对于减少学习困难、学业失败等“教育荒废”问题有着重要的价值。因此,教会学生学习,不是教师分外的事,而应该是教学目标的重要组成部分。我们不少中小学老师自己就不太会学习,当然也就不善于指导学生掌握学习方法。我真诚地建议老师们认真地钻研一下学习方法,并在日常的教学中自觉地引导学生掌握丰富的、有效的学习方法,并养成良好的学习习惯。

让教师的讲解扮靓课堂

讲解是教师运用说明、分析、归纳(概括)、论证、阐释等手段讲授学习内容的教学方法,是课堂教学中教师作为学生知识建构的促进者的最重要的体现形式之一。在任何课程的教学之中,教师的讲解都是必不可少的。难怪人们会常说:某某老师的课“讲”得好,某某老师的课“讲”得一塌糊涂。可见,讲解在课堂教学中的重要地位。

教师的讲解可能是对一段文字的解读,可能是对一个概念的定义,可能是对一个科学原则的阐释,也可能是对一个历史事件前因后果的描述,还可能是对一个公式内涵的说明,对一个操作规程的指令,或是对一个问题的揭示。

讲解给学生通过“听”来获取信息、进行学习的机会。教师的讲解可以帮助学生释疑,可以帮助学生加深记忆,可以帮助学生形成动作图式从而促进学生技能的形成,可以促进学生发现学习材料的内在逻辑联系从而加深理解。新的课程改革,强调推行自主学习、合作学习、探究学习等新的学习方式,我认为是非常必要的。可是相当多的人,对“自主学习”等做了望文生义的理解,将“自主学习”理解为学生独自的学习,等同于学生的“自学”,将“自主学习”与“接受学习”对立起来,因而避讳甚至否弃课堂讲解。其实,自主学习是指学生在学习过程中能够“自我导向、自我激励和自我监控”的这样一种高品质。接受学习是与“探究学习”或“发现学习”相对的概念,而不是与“自主学习”相对的概念。

讲解，在教学法分类上称之为“讲授法”，其优点在于信息量大，时间的经济和表达抽象观念的便利。千百年来，人类积累了大量的知识财富，而一个人受教育的时间总是有限的。要将学生带到人类认识的前沿，教师系统的讲解就不可或缺。如果一切都要学生亲身体验、亲自探索，既不必要，也不可能。其不足是偏重教师的活动，容易导致“满堂灌”。在这里，我想特别强调：系统讲解并不等于“满堂灌”，尽管的确容易导致机械灌输。为了克服其不足，教师在讲解时要努力做到简洁、明快，并注重要求学生复述，鼓励学生用自己的话来整理、加工教师讲解的内容。

讲解，是“讲”和“解”，是推论、演绎、阐释、揭示，通过讲解要帮助学生发现超越给定的信息，生成新的信息，即能发现字里行间的“意义”，那些隐含的信息，而不是照本宣科地“念”或有口无心地“说”。

教师的讲解应该条理清晰、详略得当、要言不烦、语调和音量富于变化、措辞精当、表达流畅而舒展，应该努力避免面面俱到、不得要领，或者平铺直叙、拖泥带水，更应该避免颠三倒四、语无伦次。

只有当教师对需要讲解的内容了如指掌、烂熟于心时，讲解才可能精练、精当。只有当教师真正了解学生可能在认识上存在的误区或疑惑时，讲解才能切中肯綮，一语中的。

教师的讲解要语速适当。语速过快，学生没有思考的时间，不易理解消化，甚至反应不过来；速度过慢，则容易倦怠，导致注意力涣散。在讲解重要问题时，教师要稍作停顿，给学生思考或记笔记的时间。总之，教师的“教”要服务于学生的“学”，以学生学习的需要来决定教师讲什么、讲多少、何时讲和怎么讲。

山东省高密市曙光中学任得宝老师说得好：“文字平铺在纸上，既无色彩又无动感，可是经过老师的一读一点，文字便从纸上立了起来，学生便看到了生活的本来样子：花儿开了，人物活了，海中涌动着波涛，风里鼓荡着清香。”好的讲解，严谨而不乏机趣，庄重而不乏诙谐，让人如坐春风，如饮甘露，让人感受到“语言之妙，妙不可言”。教师的讲解不必口若悬河、滔滔不绝，但一定要表达完整，入心入耳；也不必字字珠玑、语惊四座，但一定要凝练准确，经得起推敲，真正做到“有实事求是之心，而无哗众取宠之意”。老师，您的讲解如何？！

理性的可贵

理论的元素

我们这个民族是一个缺乏理论修养的民族，这是我们在政治、经济、文化、教育诸多方面落后和不发达的重要原因。理论修养的重要性，无论是对一个有境界的人生，还是一个国家和民族的强盛，怎么强调都不为过。

在科学哲学家波普尔看来，理论是那些用以捕捉我们称之为"世界"的网，用这些网把它合理化，并解释和掌握它。我们尽力把这些网编织得越来越精细。"理论的三个基本标准是：(1)一套清晰明确的假设；(2)理论中关键术语的明确定义；(3)源于假设的具体命题的检验。"（〔美〕Margaret E. Gredler著，张奇等译《学习与教学》，中国轻工业出版社，2007年，第12页）科学家确认出理论的四个一般作用。它们分别是：(1)作为研究的框架；(2)为具体的知识项目提供组织架构；(3) 揭示出看似简单的事件的复杂性；(4)过去经验的重组。Margaret E. Gredler还提出了理论的第五个作用就是作为复杂事件的工作模型。（同上，第13页）

我们今天的社会中，各种法律法规、政策制度上的不完善，各种规划设计上的种种失误，尽管背后有非常复杂的原因，其中一个重要原因就是缺乏细密之思，缺乏必要的预见力。良好的理论修养会使得一个人思路开阔、思维严谨、思想丰富，考虑问题系统、周到和细致。因为"一个理论不是一个目的地，它只是一个可能的出发点。一个理论不是一个解决办法，它只是提供了处理问题的可能性"（〔法〕埃德加·莫兰著，陈一壮译《复杂思想：自觉的科学》，北京大学出版社，2001年，第271页）。

导致我们这个民族缺乏理论修养的原因也是多方面的，其中包括我们传统思维方式的消极影响。中国传统的思维方式是整体直观、经验感悟和实用理性。对许多问题的描述和解释更多的是比喻例证，而缺乏严密的逻辑推理和科学的实证方法，比如《论语》中说："君子和而不同，小人同而不和。"这句话是有道理的，但为什么是这样？没有论证和说明，纯粹的个人经验感悟。

现代社会是如此的复杂，单纯靠经验、靠传统是无法使社会变得公正和有效率的。因此，我们今天需要特别强调理论的学习，重视自由探索和理论的创新。对理论的兴趣其实就是对有品位的精神生活的兴趣，对智力劳动的兴趣，是人与生俱来的探究需要充分发展的结果。它不仅有助于社会的文明和进步，也有益于我们个人的完满人生。

理论通常包括描述、分类与命名、定义、推论。比如，关于学习的理论。它一定要回答学习是怎样的一种行为，学习有哪些类型，像意义学习和机械学习，自主学习和他主学习，发现学习和接受学习等都涉及分类与命名。何种学习就可以称之为"意义学习"，这就涉及定义。定义则有描述性定义、规范性定义、纲领性定义之分。学习是人的一系列复杂的心智过程，根据学习者的发展水平、任务的性质、学习发生的情境不同，学习也不同。正如已经表明的，没有哪一种理论能够涉及所有学习情况中的全部变量。

理论揭示出事物之间的关联。比如，德国研究者发现，漂亮女士在事业中更容易取得成功。这一结论一定源于运用统计分析的实证研究。在同样大的样本统计中，在女性成功者中漂亮女士比例大于不漂亮的女士；或者在漂亮女士的群体中，事业成功者的比例明显高于不漂亮的女性群体。

完整的理论还一定包括解释。这是为什么呢？可能的原因是，漂亮的女士从小就会受到她周围的人更多的欣赏、鼓励和更友善的对待。这对于她们自信心的培养、阳光般的心态和健康人格的形成起了很重要的作用,而这些正是一个人能够在事业中取得成功的心理条件和人格品质。还有一个更重要的原因,就是无论东方社会,还是西方社会,直至今天仍然是一个男权社会。在社会的各个部门,男人更多地掌控着实际权力。如果一个女人很漂亮,让人赏心悦目,当然男人会更乐于支持她,为她提供更多的机会。男人这么做,既有人性的弱点的原因,也有其合理性的一面。因为美丽是一种天赋,也是一种社会资源,它的确有其社会价值。

上述理论揭示了女性的美貌与事业成功之间的关系。当然,这只是一种概率统计优势。具体到个人身上就不一定了,因为事业的成功要取决于更多的因素。这个理论还涉及许多需要进一步讨论的问题,比如何谓事业成功?何谓漂亮?这就涉及一些评判标准的确立,而这又是一个有争议的问题。况且,究竟是因为漂亮从而在事业上更容易取得成功,还是因为事业上的成功使一个女人更加自信、优雅而显得漂亮呢?可以肯定的是,这两者之间会互相影响。我们对事业上成功女士的认知会受到晕轮效应的影响,即由于她在事业上的成功让我们更倾向于用敬佩和欣赏的眼光看待她。

成熟的理论必定建立在合理的研究的基础上,而不是主观臆测,尽管对问题的猜测是研究过程中必不可少的。研究的过程其实就是证实或证伪猜测(假说)的过程。受上述研究的启发,我可以作出这样一个猜测:出身于社会文化地位比较高的家庭的人在事业上更容易取得成功。这个猜测有许多人的个人经验的支持。尽管许多成功人士出身贫寒,但他们是从更大的群体中涌现出来的。也就是从比例上说,出身于社会文化地位比较高的家庭的人在事业上成功的比例高于出身于社会文化地位比较低的家庭的人。如何来解释呢?布尔迪厄的社会资本、文化资本的理论可以解释这一现象。

当然，这只是一个猜测，要证实这个猜测，就需要足够大的样本的统计学的分析。至于何以会产生纨绔子弟，作为理论的彻底性，也需要对此作出解释。理论中也必然包括由大前提、小前提和推论所构成的演绎，所以理论还往往包括对事物的预言。而令人信服的预言必然来源于合理的推论。

概念的提出，研究方法的使用，命题的形成，问题的解决（问题是指认识上的问题），是理论创生过程中相互作用的诸种因素。理论素养对于我们个人来说是应该也完全可以加以培养的。为此，我们的教学需要强化理论色彩和增加哲理内涵，着力培养学生的思维能力，包括推理技能的培养。

思想家与学术明星

在今天，读书人一夜成名已经不是什么神话了。现代媒体的发达在打造学术明星上显示出神通广大。当然，也不是谁都能成为学术明星的。要成为学术明星，真正做到“给我三尺讲台，我能搅动中国”，除了机缘，还需要在某一方面有很丰富的积累，需要富于才情和个性的表达，需要做到对于一些材料了如指掌、烂熟于心，需要做到娓娓道来，如数家珍，信手拈来，皆成妙谛(趣)。即使是谙熟一些稗官野史，轶闻趣事，然后用插科打诨的方式娱乐大众，那也需要机智和机趣，也需要一种卓越的天赋，一种不凡的能力。

应该承认，学术明星对于培养和激发广大民众对于学问的兴趣和对于学习的热情是功不可没的。学术的价值固然远远不仅仅在于影响大众，但学术如果不能影响大众，只是在象牙塔里供极少数的人把玩，那么它的存在价值自然要大打折扣。一个学术明星比一个单纯的娱乐明星对于学习型社会的成熟无疑更有意义。

一些书斋学者对于学术明星求全责备，甚至横加指责是不是多少有些酸葡萄的心理？至于以“责任担当和学术操守，以及浓重的文化忧患意识和文化危机意识”为口实，对学术明星进行讨伐，在我看来有“伪崇高”和“假道学”的嫌疑。在建设多元社会、开放社会的今天，即使是对于他们的作秀、煽情、媚俗和窥私猎奇，或许还多少有些沽名钓誉，我们也需要理解和宽容。

学术明星是我们今天社会中的一道风景。能够诞生学术明星也是我们社会进步的一个重要表现，多元社会才有可能是和谐社会。有一些学术明星，对于丰富广大民众的精神生活、普及学术文化是有价值的，但倘若没有卓越的思想家，一个民族的文化毕竟是缺乏灵魂和高度的。一个社会即使有成百上千个学术明星，倘若没有哪怕一两个杰出的思想家，我们精神的天空仍然是寂寥和灰暗的。

思想家是这样一类人：他们以思考人类的命运作为自己的乐趣、使命和责任，他们是人类核心价值的坚定的守护者，他们能够"面对强权说出真理"（爱德华·萨义德），"他宁愿失欢于众，获罪于邦，而决不折腰"（〔英〕阿兰·德波顿著，资中筠译《哲学的慰藉》，上海译文出版社，2004年，第7页），他们胸有丘壑，并胸无宿物。当代西方思想家柏林有言："思想家不是时代进步的动力，也不是时代进步的征兆，他们是时代进步的代言人。"

一个学术明星可以红极一时，但如果他缺乏原创性的思想养料去滋养一个民族的心灵，随着时光的流逝，还是免不了"风流总被雨打风吹去"。造就学术明星是比较容易的，只需要发达的传播媒体加上学者个人的天赋和努力，而一个社会要造就出思想家却需要充分的思想自由、言论自由和出版自由，需要彻底去除人治传统和"官本位"的思想意识，需要切实地保障公民的政治与文化权利。陈四益先生的打油诗别有风味，在不觉莞尔之余令人深思："讲话何须着意新，照搬照转有前因。言无创意官多贵，语不惊人祸远身。"在假话、空话、套话充斥的社会中，杰出的思想家是难以诞生的。

杰出的思想家当然也难以在民众文化素质低劣的国度中产生。如果说学术明星代表着普及，思想家代表着提高，水涨船才会高，所以提高整个国民的文化素质就有着十分重要的意义。但需要警惕的是"快餐文化"泛滥，可能不仅无益于普及，还可能吞没、销蚀思想之舟，起到的是"愚乐"、麻醉民众的作用。

理性的可贵

理性是人的一种本能。可这种本能并不强大,它要在后天得到发展。"理性"一词,在不同的语境中有不同的含义。通常指人类独有的属于综合、概括、判断、推理等理智活动,跟感性相对。所谓理性认识就是指人的认识的高级阶段。在感性认识的基础上,把所获得的感觉材料,经过思考、分析,加以去粗取精、去伪存真、由此及彼、由表及里的整理和改造,形成概念、判断和推理。理性认识是感性认识的飞跃,它力图把握事物的全体、内部联系和独特性。

人的理性是在人类学会如何处理自己同外部世界的关系的世代相继的活动过程中形成和发展起来的,是人正确和有效(合规律和合目的)地处理自己同外部世界的关系的一种功能特性和能力。理性是一种形式化的理智活动的过程,是人类在数以万计的历史积淀中形成的。在自然界和人类社会中,都存在着"普遍法则"和"自然秩序",当它们内化为人们头脑中的观念和运思程序时,就表现出理性。

有时"理性"一词也用来指处理问题按照事物发展的规律和自然进化原则来考虑的态度,考虑问题、处理事情不冲动,不凭感觉做事情,从理智上支配和控制行为的能力,平和、客观、冷静地看待和处理问题。法治是理性的产物,良善的制度是理性的产物。政治家需要理性,不理性的萨达姆落得个国破家亡就是最有说服力的例子。诗人是不适宜做政治领袖的,因为诗人必定是情感多于理智的人。他们有太丰富的想象力却不够冷静和客观，所以在作决策时，往往失去理性，意气用事，从而极有可能犯错误。

在国家遭受重大自然灾害时拒绝国际援助，非要“打肿脸充胖子”，是一种不理性；夸大揭露社会阴暗面的言论可能产生危害，是一种不理性；对批评性的意见过于敏感，是一种不理性；狂热的个人崇拜，是一种不理性；把一个国家的前途和命运寄托在几个人身上，是一种不理性。而当我们面对冲突时，能够尊重事实，以理服人，在司法、竞标、评审等事情上做到程序公正，是理性的表现；当我们遭受不法侵犯而诉诸法律，尊重法律的权威，是理性的表现；不低估一个愤怒的人使用暴力的可能性，以一种礼貌的、平静的态度对待强烈的情绪，是理性的表现；加强公正合理的社会制度的建设，让所有的人都感受到没有歧视和压迫，是理性的表现；勇于承认我们的失误和缺陷，是理性的表现……

可我们的社会中不理性的事却时有发生。据《东方早报》2007年1月9日报道，河南平舆县青年农民曹永凯从没去过广东，可他却收到了广东东莞市人民法院的判决书，说他因盗窃罪被判半年徒刑。明明做了错事，而且伤害了别人，法院却连声“抱歉”都不愿意说，理由竟然是“这种情况并不鲜见”！这背后对于人的歧视和不尊重是昭然若揭的。

当今世界上的先进民族无一例外都是理性的民族。我们应该有勇气承认，西方文明不仅是一个强势文明，也是一个优势文明。理性精神是西方文明的重要传统。西方自古希腊起就发展出了鲜明的纯粹理性精神，它是西方哲学的起点。所谓纯粹理性，指人超出一己感官欲望和利害关系，不求功利、不计得失地探索，主要包括本体论问题、事物起源、思维形式、存在意义等抽象的问题。这种探索，往往是非功利性的，更多地是为了满足人类作为万物之灵与生俱来的求知欲和好奇心，为了满足对完美和绝对的追求，服从于内在兴趣，出于创造的冲动。杰出的学者和科学家之所以能够取得卓越的成就往往是由于他们对于探索的内在兴趣。

西方近代,笛卡儿、康德、黑格尔等哲学家把纯粹理性推向了极致。他们所推崇的这种纯粹理性追求外在的超越,力图超越主体与客体、灵与肉、理性与感性之间的紧张关系与对立,通过沉思冥想,追求真、善、美的理念;同时又推崇创造,希望通过静默的沉思与能动的创造超越对立,实现统一。西方现代文明就是建立在这种理性发展的基础之上的。无论是托马斯·霍布的社会契约论,还是斯哈贝马斯的商谈伦理,都是其典型表现。前者对社会契约所作的界定是:某个人让渡了某些东西,而同时他又留下了另一些东西,以便在以后的某一特定时候履行契约中属于自己的那部分。这种契约理念显然要求一种信任,因为一个人总是在其他人履行其契约之前便履行了契约中属于自己的那部分。后者指出,一个社会——其公共机构、政治文化、传统和日常实践所允许的非胁迫和非专制的生活形式的程度是理性道德的标志,而它是通过对话得来的。在工作中形成对有关多元主义、正义和话语伦理学的认识和了解将会更为有效地化解那些价值负载的冲突。

只有当一个人具有良好的理性修养, 才有可能学会善待他人、学会自我克制、学会退让和妥协,因为一个理性的人能够推己及人,能够设身处地地为别人着想,能够换位思考,也是能够意识到理性的局限性的人;而一个国家(除非是在强权政治的铁血统治之下)只有当它的国民有良好的理性修养,才能避免流血冲突、情绪发泄的肆意破坏和无序竞争。理性是自由的前提和条件。不论是作为一种能力,还是一种态度,理性对于我们有尊严地行走在广袤的大地上,都有着宝贵的价值。

向内心求真理

何谓“真理”？这是每一个时代第一流的头脑都必然要也必然会回答的问题，因为这个概念集中表现着一个时代的人们如何认识世界和世界在他们眼中的图景。作为区别于“谬误”的“真理”，是一个学术界与大众都广泛使用的概念。对此我倾向于作这样的理解：在汉语中，“真理”是合成词，即为“真相”和“道理”。“真相”相对于“假相”，“道理”的内核即“逻辑”——我们对于万事万物的因果关联的推理的有效法则。比如，在对历史的认识中的真理，就是所谓的“历史”（史实）与“逻辑”的统一。

探求真理是人类的本性之一。我们如何能获得“真理”呢？无非两个途径：内求与外索。内求，即向内心求真理；外索，即通过一系列的实证研究方法，探索并揭示出人性或物理（事理）。

向内心求真理，是中国传统智慧的典型特征。孔子说：“道不远人。”大意是说，真理充满天地，离人不远，随处可寻。即使在厨房或窑洞里，都可以发现伟大的道理。孟子曰：“万物皆备于我矣。反身而诚，乐莫大焉。强恕而行，求仁莫近焉。”（《孟子·尽心上》）孟子的“万物皆备于我矣”与法国哲学家笛卡儿那著名的命题“我思故我在”有异曲同工之妙，给人以认识世界和探索真理的勇气与信心。

南宋时，陆九渊倡言“吾心即宇宙”、“心即理”，针对朱熹等人的“理”在人心之外、即物才可“穷理”的理论，提出“发明本心”、“求其放心”的“简易”、直接主张。“理”指超乎自然和社会之上，而又为自然和社会必须遵循的抽象原则;“心”指人的主观意识和认识能力。陆九渊认为,充塞宇宙的“理”,就在人的心中,“人皆有是心,心皆具是理,心即理也”(《与李宰书》)。

陆九渊弟子杨简甚至将“心即理”进一步发展成为“万物唯我”的唯我主义。到明代中期,王守仁以陆学传人自任,宣扬心学,并提出“心外无物”、“心外无理”的命题,在认识论上鼓吹“致良知”的方法,认为“良知”就是“天理”,同时提出“知行合一”,反对宋儒知先行后的说法或知而不行的做法。

不过中国古代思想家讲的“内求”主要是求“仁心”,求“诚意”,从而达到将心比心,推己及人并进而“以诚待人”,做到“己所不欲,勿施于人”(《论语·颜渊》、《论语·卫灵》)。当然,这作为个人道德修养的途径来说是不错的。但它也有不假外求的局限,而且充满了泛道德主义的意味——不离人伦日用,以致不无发展至极端的“天下之物尽在己”的虚妄。

中国古代思想家讲的“道”和“理”与希腊哲学的概念“逻各斯”(希腊语为logos)有点类似。《约翰福音》开头就说:“太初有道,道与神同在,道就是神。”而“道”在希腊语《圣经》中,就是logos。中国哲学追求的是“舍筏登岸,见月忽指”的“忘言”境界,追求超越语言而直接进入意义的内核,所以才会有所谓的“道可道,非常道”(《道德经》)。

正如余英时先生指出的:“每一个源远流长的思想至少相对于它自己的文化系统而言都含有某些经得起时间考验的真理和价值,所以思想虽然随时代而变,并且在一定的限度之内反映时代,但同时又超越时代,不是时代所能完全限定的。而且从长远的历史观点来看,它超越时代的意义甚至更为重要、更为基本。”(余英时《中国传统思想的现代诠释》,《意识形态与学术思想》,台湾联经出版事业公司,1987年,第59页)。作为中国文化的一个特色,“悟”的思维方式不仅统摄着传统的道德思维、宗教思维,也渗透、贯穿于文学、艺术思维。《沧浪诗话》云:“大抵禅道唯在妙语,诗道亦在妙语。”《草堂诗话》云:“野山更无山隔断,山光直与水相通。”中国艺术所提供的最有价值的东西就是“心灵体悟”的认识方式。作为中国文化的承继者的我们,岂可不察微微道心?

向内心求真理需要有一种充满主体意识、乐观向上的心态。我们都是人类的一员,我们分享着共同的人性。“我们拥有着自己,在追求价值和意义的过程中积极努力,在追求的过程中,每个人都有自己独立的立场,但又可以彼此理解。”(〔美〕卡利尼著,张华等译《让学生强壮起来——关于儿童、学校和标准的不同观点》,高等教育出版社,2005年,第176页)正所谓“英雄所见略同”。

我们内心世界愈丰富,我们看到的世界就愈丰富。在我们认识世界时,千万别忽视了我们拥有的这颗“心”。正如我们永远不能达到太阳这一天体,但没有太阳光耀的世界将是一个死寂的世界。在内心之中没有见证过自由和美好的人,在坚硬甚至残酷的现实面前,就不可能有自由与美好的闪光。让我们的内心见证美好,为了能够领悟更多的、更为真理的真理。

学问的价值

万事万物的产生和发展自有其道理，探寻这些道理，既是人类为了更好地生存和发展的实际需要，也是人类为了满足其与生俱来的理智好奇心的需要。所以，学问就具有了这样两层价值，功利的价值和智慧的价值。关于这一点，英国教育家斯宾塞早就注意到了，他指出："获得任何一种东西有两项价值，作为知识的价值和作为训练的价值。获得每一种事实的知识，除了用以指导行动外，也可以用来练习心智；应该从这两方面来考虑它在为完满生活作准备时的效果。"（〔英〕斯宾塞《教育论》，人民教育出版社，1979年，第10页）

今天人类衣食住行的文明和便捷，均得益于学问的进步。人类掌握了动物皮毛的加工制作，使自己能享有华美的服饰；人类摸索出植物的生长规律，成倍地提高了其产量，使得自己的膳食品种丰富多样；人类发明并制作了新的建筑材料，从而建造出高档舒适的居所。人类探索发现机械运动的原理，发明出汽车、飞机和轮船，极大地便利了人们的出行，使人们的生活舞台变得十分宽广。

美国科学家研究发现，受教育程度高的人更健康和长寿。这当然只是一种概率统计优势。我想，可能的解释有如下几点：首先是受教育程度高的人更有可能跻身于上流社会，因而其社会地位和经济地位比较高，个人成就感和幸福感比较强，生活条件，包括衣食住行的条件会比较优裕，特别是医疗卫生、保健条件会比较好，因而更加健康和长寿；其次是受教育程度高的人智力活动会更多，所进行的智力体操就更多，而智力活动有利于健康和长寿；第三是受教育程度高的人有更强的获取资讯的能力，有更合理的生活方式，有更丰富、更科学合理的养生保健知识和措施，从而更加健康和长寿；第四是受教育程度高的人有对自我更负责任的态度，会更加珍爱自我、善待自我，他们会更少地放纵自我，透支生命，因而更健康、更长寿。当然，受教育程度高的人从事高危职业的可能性比较小，受到意外伤亡的可能性就比较小，这也是原因之一。通过上述分析，学问也是具有社会功利价值的。

“学问”二字，须作两个层次的理解：学，即获取更多的资讯。你需要懂得更多，需要去了解事情的缘由，去分享和掌握人类世世代代所积累的经验和知识。而所谓“问”，就是不要轻信，不要把一切视为理所当然，凡事需要去问一个“为什么”。为什么我们可以通过电话能听到遥远的另一个人的声音？为什么飞机如此庞然大物能够承载着几百人升上天空并准确着陆？电视上清晰的图像是如何生成的？我们为什么需要政府？怎样的政府就是一个合法的、好的政府？等等，社会生活方方面面，需要去思考、探索的问题更是无穷无尽。

尽管我们不可能什么问题都去关注，或者有兴趣去关注，但探索的兴趣和思考的习惯却是非常宝贵并因而应该养成的。杰出的科学家进行科学探索最大的推动力来源于内在的兴趣，即理智的好奇心。如果教育不能够引发学生对于学问的兴趣，不能让学生掌握思考策略和探究方法，不能让学生感受到思考与探索的乐趣，那么这种教育就是劣质的教育。

其实，发展人们理智的好奇心也有其社会的功利价值。比如，一个热爱思考，能从思考中享受到生活乐趣的人，会更多地关注内心，而不会热衷于虚假的客套和无聊的应酬，他也不大可能热衷于“讲排场，摆阔气”；他可以在月光下静坐沉思，也可以一卷在手让思想尽情驰骋。他更倾向于去过简朴的生活,这样的人能减少社会资源消耗和浪费,有利于人类社会可持续地协调发展。

世界教育思想史上,曾有“实质课程”和“形式课程”这样一对范畴。前者指陈的是学习内容的实用价值,后者指陈的是学习内容的心智训练的价值。其实,绝大多数学习内容这两方面的价值都会有,只是谁的比重更大一点。但在课程设计中的确有我们更强调、更看中哪一种价值的问题。比如,一般来说,职业教育可能会更强调课程的实用价值,而在普通教育中,就更应该强调课程的智慧价值。

在我们当今的教育中,对于强调智慧训练和思考习惯的养成是存在着明显的不足的。这当然与我们的文化传统及教育传统有关系。要改变我们教育落后的面貌,甚至要改变我们民族和国家的落后,我们教材编排与呈现风格、教师教学策略、考试评价的题型等都需要改变。在教育的所有方面都应该朝着进一步彰显学问的智慧价值方向作出更多的探索。

补一补方法论的课

对于思想方法论的贡献是一个民族对人类文明的最伟大贡献之一。人类第一流的头脑对世界的贡献无不表现在对方法论的贡献上。对方法论的重视是西方文明的一个优秀传统。且不说逻辑学、数学具有方法论意义，解释学、接受美学、现象学、科学哲学等也都具有方法论意义。

方法论是一个哲学术语，是对于具体的科学方法的概括和总结。科学方法也就是我们获取可靠信息、正确地解释现象、理解文本的方法。科学方法是科学精神的集中体现，它洋溢着科学的实证精神、理性精神和审美精神，充盈着科学的怀疑和批判意识，无怪乎英国著名科学家和自由思想家卡尔·皮尔逊（1857—1936）把它看作是训练公民的科学心智框架（scientific frame of mind）的有效手段。关于科学方法的特征，皮尔逊将其概括为：（1）仔细而精确地分类事实，观察它们的相关和秩序；（2）借助创造性地想象发现科学定律；（3）自我批判和对所有健全的心智来说是同等有效的最后检验。尽管皮尔逊主要是说自然科学的科学方法特征，但人文—社会科学的方法也应该具有这些特征。

中国传统典籍也可谓是汗牛充栋，浩如烟海，但含金量不高，重要原因就在于缺乏具有思想方法论意义的元素。我不主张年轻人过多地去学中国传统的那些“经史子集”的东西，一个重要原因就是那些东西不利于科学的思想方法论的形成。因为，中国传统的东西大多缺乏充分而严谨的论证，没有严密的逻辑推理，充其量是“比喻例证”,重结论而轻“论证”,对结论是何以得出来的思维过程往往语焉不详,这对智慧能力的发展极为不利。没有正确的方法论作为支撑的言说,就难以摆脱臆断和武断的嫌疑。无论是晋惠帝“何不食肉糜”表现出的愚昧和昏庸(1700年前,遭遇灾荒,大臣禀报惠帝说许多百姓因为没有粮食吃被饿死,惠帝天真地说:“百姓无粟米充饥,何不食肉糜?”粮食都没得吃,哪来的肉呢?这么一个简单的道理,这位西晋皇帝司马衷就是闹不明白),还是“文革”中广为流传、被人们奉为圭臬的“凡是敌人反对的我们就要拥护,凡是敌人拥护的我们就要反对”的口号所表现出的极端与褊狭,都昭示出思想方法论缺失的后果。

中国传统读书人的所谓博学,更多的只是对于文献资料和典故的熟识,那些隽言秀语式的表达往往以文害义,以牺牲真理性为代价而附会表达上的对仗工整和押韵,或者是铿锵有力的气韵。中国古代读书人不仅有名,还有字和号,徒然增加人们记忆的负担。人们的精力过多地牵扯于记忆,头脑中充塞着一些并无多大意义的信息,自然不利于推理和概括能力的发展。举清末洋务派首领张之洞(1837—1909)的例来说明。张之洞,字孝达,号香涛,易号抱冰。张之洞曾在翰林院里做过小官,他有一个极富才华却沉沦市井的朋友亟须他安置,但他没有这个能力。在给这个朋友的诗中,他坦率地写到:“我愧退之无气力,不教东野共飞腾。”这句诗的意思是说:“惭愧得很,我没有当年韩愈那样的力量,无法让你像孟郊那样声名卓越”,“退之”、“东野”分别是韩愈、孟郊的字。你要不知道,这句诗你就无法理解。

在人们的言说中,分类不讲逻辑,错误归因和论证荒谬普遍存在。这与方法论意识的缺失有极大的关系。我们的教育,无论是基础教育,还是高等教育,思想方法论作为课程内容是十分薄弱的。尽管哲学是方法论,但我们的哲学已沦落为一种意识形态的话语体系,思辨与批判的气息已是荡然无存。“使青年人发展批判的独立思考，对于有价值的教育也是生命攸关的，由于太多和太杂的学科（学分制）造成的青年人的过重负担，大大地危害了这种独立思考的发展。”（许良英译《爱因斯坦文集（3）》，商务印书馆，1979年，第310页）除了让哲学真正成为智慧之学和开设方法论的课程外，任何课程的教学都应该充分发掘思想方法论的价值，并以此着力培养学生的思维技能。

亨利·纽曼（1801—1890）在《大学的理想》里说，大学的职责就是提供智能、理性和思考的练习环境。一群年轻人，以其特有的敏锐、坦荡、同情心、观察力在一起密切交往时，即便没有人来教育，也能互相学习。所有的自由交谈，对他人都是最好的讲课。他们每天获得新的概念、观点、思想，以及判断事物、选择行动的原则。姑且不论内容怎样，是对是错，都是一种真正的智力训练。即使最卖力的教师，在没有相互的同情和了解，没有思想交流的情况下，仅仅灌输一些零星、繁琐的知识细节，也绝不可能有这样的成效。这种博雅教育不是为了某一特定或偶然的目的，不是为了特定的职业或专业，而是为了智力，为了最高级的文化。学会了思考、推理、比较、辨别和分析，练就了审美能力、判断能力，丰富了内心的想象力，即便不一定立即成为什么专家，但他处于一种智力状态，便能在各种情况下触类旁通，掌握普遍的知识，从而胜任任何一门学科的研究和任何一种职业。

从某种意义上说，最重要的知识是方法论的知识，最重要的技能是思维技能。因此，除了我们都需要重视思想方法论并补一补方法论的课外，在教学中还特别需要注重学生思维自我监控能力的培养，让学生掌握思想方法论，并形成良好的思考策略。一个出色的思考者，是一个帮助其他人也成为出色思考者的人，使他们能够从不同的角度或用新视角看待事物。

信以立身　道以成信

2003年8月，北京市委市政府决定由北京机械工业学院和原北京信息工程学院合并组建北京信息科技大学；2004年5月，教育部正式批准筹建北京信息科技大学。新创办的北京信息科技大学正朝着建设在电子信息、现代制造与光机电一体化、知识管理与技术经济等领域特色鲜明，立足北京、面向全国，培养应用型人才为主，教学科研协调发展的高水平多科型大学而努力。

郑君礼先生原是我校的副校长，2006年初调任北京信息科技大学党委书记。我和郑先生没有实质性打过交道，偶尔在校园里碰面也只是礼貌性问候一声。大学应该有自己的校训。北京信息科技大学向全校师生征集校训，结果不甚理想，郑先生想到了我，吩咐学校办公室的工作人员找我帮助起草学校的校训。

校训应简洁凝练、典雅庄重、寓意深刻，富有时代感，能融合文化传统和时代精神，能体现一所学校的办学理念和办学特色，蕴含全校师生的社会理想、人生理想、学术追求和历史责任。根据北京信息科技大学的办学追求，我提出将“信以立身，道以成信”八个字作为该校的校训。本校训采用“头韵”“内韵”的修辞手法。本校训所蕴含的精神和表达形式受到我国著名的语言学家伍铁平教授和中国哲学史家周桂钿教授的高度好评，其表达结构与“静以修身，俭以养德”类同。

“信以立身”的“信”，有四个层面的含义：第一层面的含义是信息。当今时代是信息时代，信息越来越成为人类社会生活中最重要的资源。在今天这样一个信息化时代，无论是一个人，还是一所大学，乃至一个国家和民族，如果闭目塞听，闭关自守，没有开放的胸襟，没有信息的生发和交流，那是难以立足的。作为高水平的信息科技大学，理应是信息时代的引领者、弄潮者。

第二层面的含义是信念、信仰。对一个人来说，没有信念、信仰就没有灵魂，就没有自觉的高远的追求；对于一个国家来说，信念是立国之基，信念就是旗帜，就是方向；对一个人来说信念是立身之本。

第三层含义是"信心"。信心是我们做好任何事情的心理基础和个性品质。因信心的获得而表现出自信，因自信而彰显出个性魅力。

第四层面的含义是诚信。诚实守信也是一个人立身的重要品质。古人云："言必信，行必果"，"言而无信，不知其可矣"(《论语》)。在虚假信息充斥着我们生活的今天，诚信的品质更显得必要。

"信"，对于我们个人来说，是立身行事的根本，舍此便难以立足，更不用说事业上的成功和人生的美满。"信"，对于一所大学来说同样是立校之基。

信息科学日益成为一种显学，对于信息科技大学的学生来说，掌握好信息科学这门专业知识，也是安身立命的根本之一。

"信"无论在哪个层面的意义上，其内在的精神底蕴都应该是"道"。"道"即万事万物之理，即人间正道——既包括信息科技发展之"道"，也包括人类的核心价值和崇高的道德。

"道以成信"，就意味着不论是信息的生发，还是信念、信仰的生成，也不论是信心的确立，还是诚信品质的养成，都应该建立在自觉守护和践履人类的高尚道德的基础之上。

教育是文化传播与文化传递的过程，同时，教育也是文化存在的形式，是文化赖以整理、保存、传递与传播的手段。作为一种文化现象，教育活动本身就具有独特的文化意蕴。可以说，教育与文化具有天然的血肉联系，青岛的教育文化创建无疑体现出了教育与文化的关系内涵。

首先，他们把握住了课程改革推进教育文化建设的机遇和作用。课程改革是一项复杂的系统工程，青岛市在课程改革中，凭借课程改革的平台，以政府统筹为依托，以教育行政部门为主导，以教研部门为主干，以骨干学校为示范，以学校和教师为主体，以社会舆论为宣传监督，以家庭学校社会联动为支持的民主、科学、开放的课程改革工作运行机制。他们把课程改革看作是传递或传播某种文化的途径，通过课程改革中的交流、运用，以共同的理解、阐释和行为规范，实践和丰富教育文化。他们以新课改的理念和思想担起培养人的重任，引导教育者和受教育者的价值观变革，在理解和运用中滋润教育者和受教育者的心灵，发展和繁荣教育文化，并以此来推进新课程改革的进程。青岛作为全国首批课程改革的实验区，在探索新课程改革的途径和具体运作机制上起到了“先行者”和“领头雁”的作用。

其次，他们牢牢把握住了新课程本身富有的文化意蕴，赋予探索过程以浓厚的文化意味。青岛市的课程改革是理性的。他们敏锐地觉察到了新课程中所饱含的新质因素的文化存在，在推行新课程的过程中不是仅仅偏重于技术性操作过程,而是把握住了新课程本身固有的文化特点、文化类型、文化创造、文化碰撞与融合等文化因素,并纳入研究的视野。

在课程与文化的关系上,存在着两种理解:一是仅仅把“课程”视为“已成文化”的载体,二是把“课程”视为完全受制于现存的“法定文化”的规范和旨意的产物。在这两种理解中,无论课程作为知识的载体,还是作为“法定文化”的“附属物”,课程始终是被赋予了社会文化工具存在的角色和品质。对这一命题和逻辑的遵循导致课程文化主体性的缺失,并成为今日学校教育及课程发展的重要障碍。其主要缺陷就是消解了人这一主体存在,使人成为被动接受文化的“容器”。还原课程的文化主体地位,意味着课程可以根据自己的品位、理想、追求和关怀旨趣对文化进行选择、内化和重构,建构自己特有的课程文化。青岛市在课程改革中通过管理文化、教研文化、课程文化、课堂文化的选择、内化和建构,彰显着他们对新课改的需要、目的及价值和意义的理解。他们在校本研训、评价改革、课程建设等方面取得了突破性进展,得到了专家与领导的充分肯定,也得到了家长、社会的普遍认可。青岛市的教育充满着一种浓浓的文化氛围,让人感到神清气爽、心明眼亮。

再者,青岛市在课程改革中创建富有特色的教育文化,体现着他们长期追求积淀的深沉风格和成熟心理。他们审慎、合理而又具有开拓性地作出价值判断和价值选择,吸取精华,剔除糟粕,选择、吸纳、整理、发展与传播着新课程文化,以理性的引导,弘扬着教育的高尚的人文精神,同时也促进教育者和受教育者向着更为崇高、健康、丰富多彩和充满朝气的方向发展。在他们创造性地对于富有特色的教育文化的建设中揭示了文化与人的生命存在及其活动的本质联系,反映出人、文化与课程三者关系的相互依次,表达出一种成熟理性的价值关怀。特别是目前,课程改革在城乡发展还不平衡，农村个别学校设施陈旧、部分教师年龄老化、观念落后，难以适应课程改革的要求。为此，他们进一步加大教育投入，加大培训力度，逐步实现城乡教育的均衡发展。他们坚持教育公平，促进教育的均衡发展，对构建和谐社会具有重要的意义。

青岛市的做法是对传统教育改革中缺失文化关照的思维模式的超越，使教育返回到文化中去，以冷峻的理性防治着教育改革被现实的其他力量所冲淡、削弱，难以达到预期效果的弊病。他们采取回归生活的教育文化机制，既继承传统文化又创新教育文化，让教育者和受教育者在真实的文化冲突和融合中，彰显价值理想，凝聚文化精华，克服教育理想远离现实文化的窘态。可以说，青岛市在课程改革中打造富有特色的教育文化，是一种理性的选择和智慧的实践，值得我们深思和借鉴。

假如我是民工

北京、上海、深圳、重庆、广州、武汉，国内这些国际化的大都市，从表面上看，与发达国家的大都市并无多大差别——宽阔的马路、现代化的设施、富丽堂皇的高楼大厦。差别在哪里呢？比较直观地看，在发达国家，几乎在所有场合，你见到的男男女女、老老少少都是衣着光鲜、举止得体，而在国内的大都市随处可见的是穿着劣质廉价的衣服、满脸惶恐、“苦大仇深”的民工，即使在我的大学里也是如此。这就是当今中国的现实，我们无法粉饰的现实。

假如我是民工，我很有可能成了罪犯。按照我的脾气，对那些用刻薄的语言嘲弄和讥讽我，粗暴地、残忍地践踏我的尊严的人，对那些有意刁难、盘剥我的人，对那些故意下套蒙骗我的血汗钱的人，我会高高地举起愤怒的拳头，甚至是铁锤，然后就是不顾一切地逃跑，逃避警察的追捕，在惶恐中度日如年。

今天我走在大街上，需要上厕所时，我可以大大方方地走进任何一家宾馆去方便。假如我是民工，由于我粗糙的衣着和黝黑的肤色，门卫或者保安会阻挡我的进入，甚至可能将我一顿暴打；如果在拥挤的街道不小心碰撞了某位女士的背包很可能会被当成小偷而令我百口莫辩。我走在大街上，看到自己亲手盖起来的无数住宅楼而自己却只能住在简陋、阴暗、狭小、潮湿的工棚里……我不知道，当人们得知那些气势宏大、金碧辉煌的楼堂馆所居然是由无数衣衫褴褛、蓬头垢面、生活条件极其恶劣的民工们建造起来的，有资格享用这一切的人们该有怎样的心情？

假如我是民工，我或许早就离开了这个世界，带着满身的伤痛和愤懑。也许是因为防不胜防的矿难，也许是因为完全可以避免的工程事故，也许是因为无钱医治而被耽误的疾病，甚至因为犯罪(比如仇杀)而被处以极刑。也许我早就在另一个世界里为这个社会没有歧视、没有冷漠、没有贫穷与苦难、没有对于生命的轻贱而祈祷。

许多次我从睡梦中醒来，意识渐渐清醒，当我确信在大学有我的职位，在京城有我的居所，在身边有我的亲人，在银行有我的存款，我又进入甜美的梦乡。我庆幸我不是民工，在今后的日子里，即使我倒霉透顶我也可以肯定不会沦为民工。

然而，在他们面前我没有丝毫的优越感，我深切地同情他们。和他们打交道时，我尽可能尊重他们；从他们那里购物时，几乎从不讨价还价；家中处理物品时，倘若还有利用价值，我会清洗干净并包裹好放在他们可能捡拾到的地方；我告诉我的孩子，你遇到的那个民工，也许就是你的叔叔或姑姑，就是你爸爸的兄弟姐妹，你绝对不可以对他们表现出哪怕是一点点轻蔑……

民工是中国目前工作时间最长的群体。几乎所有民工，每天都要工作十几个小时，而且大多数没有什么“两倍加班费”之说。“同工不同酬”，“同工不同权”的现象普遍存在。对于处境最差的人们社会予以关注的程度是衡量一个社会文明水准的重要标尺。我们的社会似乎还是为权势者考虑得多了些，而为穷苦者着想应该更多些。当下中国正在进行着伟大的社会变革，城市化的进程至少要持续几百年。在这一过程中，政府、诸多民间机构，甚至个人，都可以有所作为。能够用300多亿元去建什么“中华文化标志城”，却对人们当下的苦难视而不见，“标志城”究竟建给谁看呢？如果300多亿元能够用来改善进城务工人员的生活条件，或者改善他们子女的受教育条件该是何等功德无量的事情！总有人花纳税人的钱表现出十分的大方，真正的"崽卖爷田心不痛"，目的只是为了自我能够从中获利，我们的制度为什么不能有效地防止这些败类的产生？建设法治社会，建设公正的社会，这一过程漫长而痛苦。我们任重道远。我们不能只是消极等待，我们可以为加速这一进程作出努力，因为一切都是事在人为。当"农民"不再是贫穷、愚昧、落后的代名词，"民工"一词从我们的生活中消失之日，才是这一过程的终结之时。

作为思想者的追求

作为人类世代交替中的一员，思考着人类的过去、现在和将来，思考着复杂的人性和纷繁的社会生活，我感到无穷的乐趣与巨大的满足。

"人类的一切，我都不陌生"，"人类的一切，都与我息息相关"，"无尽的远方，无数的人们，都与我有关"，从蒙田到马克思再到鲁迅，伟大的心灵都是如此的广阔，这令我无比的景仰和向往。通过阅读和观察，从自我的内心中感悟宇宙的幽邈和深邃，我源源不断地获取思想的资源。

我首先是一个战士，其次是一个读书人，最后才是一个学者。一切的不公正，一切的狭隘和不宽容，一切的以权谋私，一切的妖言惑众都是我抨击、鞭挞、诟病的对象；社会的阴暗面，体制中的缺陷，国民性格中的劣根性都在我批判的视野中。一个战士，只有同时是一个思想者，他才是富有力量的，否则，他就只是一个莽汉。

我知道我不过是一个平民，我自觉地坚守民间的立场。尽管我知道我个人的声音是微弱的，但我坚定地摒弃贱民意识、小民意识、草民意识。我以公民的名义，为制度变得更完善，为社会变得更美好，为阳光更加明媚和灿烂，以我的方式做出我的努力。这就是我的生活信念，这也是我的生活乐趣和我所体认的生命的意义。我绝不以真理与正义的代言人自居，我只能以我个人有限的智识追求光明与自由。

《在马克思墓前的讲话》中，恩格斯这样评价马克思："我敢大胆地说，他可能有过许多的敌人，但未必有一个私敌。”这是一种崇高的生命境界。作为人类文明的探索者，我不崇尚斗争哲学。在任何问题上，我不针对任何具体的个人，我不与任何的个人为敌。我为我们社会点点的进步而欢欣鼓舞，我为中国的日益强大而倍感自豪与骄傲。但我不会为任何政要歌功颂德，我呼唤忧患意识，提醒人们不要陶醉于今天所取得的经济成就，要意识到我们为取得的经济成就所付出的高的环境代价，提醒人们要对我们的子孙后代负责。

历史上，中国的读书人，是一种特殊的人物。《幼学诗》说：“万般皆下品，唯有读书高。”一个人，只有“饱读诗书”、“满腹经纶”，才会被承认为“读书人”。事实上，中国传统读书人通过“入仕”而“入世”，“学成文武艺，货与帝王家”（元·高明《琵琶记》），其遭遇往往是“拳拳报国心，招来杀身祸”。但愿这永远成为历史的陈迹。尽管捍卫言论自由仍然需要我们付出努力，好在读书人除了一个现实生活的世界，还有一个文字的世界。即使在现实生活的世界中，你只能是一个谨小慎微的人，但在文字的世界里你尽可以大气磅礴、放荡不羁、汪洋恣肆。

学术是在不断地对话和修正中取得进步的。对于学术发展的敏感性，即对于新的材料、事实，新的理论和方法的敏感性是学术精神的重要元素，这种敏感性意味着学者的开放的态度和理智的诚实。为学术而学术，为思想而思想，已经内化为我的学术良知，外化为我的生活形式——诚实的、恬淡的、宁静的、诗意的生活。任何学术，不管多么艰深和高妙，都要落实到对于具体、纷繁复杂的现象的捕捉和解释。作为一门学问，教育学当然不能只是停留在对各种现象表面和浅层的描述与罗列，而必须上升到理论层次，上升到概括与抽象的层次，但它同时也必须能够解释日常教育生活中的各种具体、感性的现象。真正的教育学者必定会真切地关注现实，关注人间疾苦，关注鲜活的教育实践，关注千千万万教师的所思所想、冷暖甘苦，关注数以亿计的儿童的成长与未来。

我们生活在喧嚣的世界里，受着现实生活的各种牵制，生活中充满了各种各样的诱惑。如果一味地为生计而奔波忙碌，过着一种异化的生活，难免会生出人生如梦，到头来一切都归于虚无之感。于是，人生便需要明确的精神指引，需要一个理想的境界安顿心灵，以防止自我的迷失甚至走上歧路。惟有超越于现实之上的眼光才能洞彻人生的得失成败，不为眼前的利害所左右。也惟有智慧的心灵才能在纷繁杂乱的现实中始终保持澄明，达到更高的人生境界。我时常想起歌词作家乔羽先生用以自勉的三句话："不为时尚所惑，不为积习所蔽，不为浮名所累。"

为了更为纯净的人生和更为隽永的文字，我将坚持做到：(1)不请官员为我的著作题词、作序；(2)不为东拼西凑、言不由衷、没有灵魂与节操的"著作"写书评；(3)在行文中，不引用政治人物的言论作为立论依据；(4) 在我所有的言说中不贴意识形态的标签和不使用意识形态的话语；(5) 不写用于宣传目的的应景文章；(6)尊重所有人的思想成果、表达风格和研究个性。这也是我的治学为文的原则。一个人当然也需要处世艺术和随机应变的能力，但最不能缺少的是原则和信念。否则，处世艺术也就成了圆滑、世故、狡黠的同义语了。

美国人类学家玛格丽特·米德曾经说过："不要对少数有思想、有责任感的公民能够改变世界抱有怀疑。事实上，这是唯一曾发生的事情。"我希望我能够成为这少数人中的一员。一个人的高度，取决于他从自我中超越出来的程度。马克思、爱因斯坦、居里夫人、鲁迅是我无比景仰的伟大灵魂。一个人要能够在人文学术领域作出贡献，需要"澄怀观道"的灵性和修养，需要干净的内心和坚定的精神。努力用这样的修养和精神去影响别人，使人们拥有更宁静的心绪和更充实的感觉，这是我所能想到的人生最重要的价值。

诗意地生活

着力提高教师生活的幸福指数

作为教师,我们生活的幸福指数的高低究竟用什么样的指标体系来检测呢？这个指标体系应该有这样两个一级指标:身心愉悦的程度和精神充实的程度。前者意味着是否有疲惫感、压抑感、挫败感、沮丧感,这些消极的体验都可以导致教师对职业的倦怠感。后者意味着教师是否有归属感和成就感。

教师比较好的生存状态和精神面貌就是精力充沛、信心十足、情绪饱满、热力四射,并能真切地感受到工作的价值和意义,觉得有成就感。现在不少老师感到压力大,常有力不从心、沮丧、焦虑、情感枯竭之感,感到"脑子是满的,心却是空的;时间是满的,心却是空的"。帮助这些教师从工作压力和职业倦怠中解放出来,让他们能够感受到生活的美好和劳动的快乐是学校工作的重中之重,全社会都需要为此作出努力。

究竟哪些因素会影响到我们教师生活的幸福指数呢?我想至少有这样17个因素。如果我们能够清醒地理解、认识这些因素对我们生活的影响,我们就找到了改进学校工作、着力提高教师生活的幸福指数的一些着力点和"抓手"。

1.待遇。待遇不仅仅是薪水,待遇是个多元的概念,包括三险等。待遇中非常重要的因素是薪水,但又不仅仅是薪水。正如我们经常讲的,培训是最大的福利。努力提高教师的待遇,不仅仅是学校的职责,更是我们政府的责任。

2.学校中的人际关系。学校中是不是充满了公平与正义,人与人之间的关系是不是融洽、和谐。大家想想全世界有60多亿人，但是真正能够影响我们喜怒哀乐的人都在我们的身边，这些人中很重要的就是我们的同事。对于我们的感受来说，小环境比大环境更重要。学校中的人际关系好不好，校长起着关键性的作用，每一个教师也都可以为营造良好的人际关系氛围贡献力量。

3.教师的劳动强度。简单地说就是教师的工作量。现在老师们，特别是中学教师的工作量都偏大，所以我们的确有一个解放教师的问题。随着社会的进步，我们怎样缩小班级规模，减少课时量，进而减轻教师的劳动强度，这应该是我们努力的一个方向。当然，这首先也是政府的责任。

4.教师的专业自主权。什么叫做教师的专业自主权呢？就是教师这个职业作为一门专业，它的从业人员所拥有的权利。我们作为人，有人权；作为公民，有公民权。那么我们作为一个职业的专业的人员，有专业权利。教师的专业权利包括教什么和怎么教（当然这是一个有限权利，特别在中小学教师，他们的教育对象的认知发展水平、知识和经验背景决定了不可能享有太大的自主权），还包括参与教育探索和发表教育研究成果，参与学校的制度建设，对学生的奖励与惩罚，对学生学业成绩的评定等这样的一些权利。我想作为校长，包括我们作为教师，认识到教师的这些应该享有的专业权利是很有价值的。我们教师怎样更好地去维护自己的权利，我们的校长怎样做到更好尊重教师的专业自主权，对于促进教师的专业发展和提高教师生活的幸福指数都有重要意义。

5.教师的专业素养。专业素养就包括专业精神，专业知识和专业技能。教师的专业素养会影响到教师作为生活者的幸福感，我想那就是因为同样的工作任务如果你的专业素养比较高，你就更能够感受到那种举重若轻，游刃有余，胜任愉快，就能够很好地享受工作过程的乐趣。更重要的是，如果你的专业素养比较高，你就能更多地得到领导的赏识，同行的尊重，学生的爱戴和家长的信任。在你所归属的团队中就能够享有更加良好的个人声望,更好地满足你自尊的需要。

第四个因素和第五个因素是互为因果、相互影响的。如果你的专业素养比较高,领导就会对你有更多的信任,从而使你享有更多的专业自主权。而当一个老师享有更多的专业自主权,他发展的空间就会比较大,施展个人聪明才智的舞台就会比较宽广,从而能够获得更好的专业的成长。

6. 学校的物质生活环境。环境,包括校内环境和周边环境。学校是不是整洁、干净、亮丽、宁静、舒适,对于生活于其中的每一个人来说都很重要。如果走进一个学校乱糟糟的,非常喧闹,我们老师一定会感觉不好。周边环境如何也不可忽视,所以包括学校的选址,应该选择比较宁静、有序和治安状况比较好的地方。让学校成为一个温暖的家,学校物质环境也是重要的一个方面。保持学校的整洁和干净,我们学校中的每一个人都有责任。

7. 学校的硬件建设。包括教学仪器设备、健身器材等,是不是用起来顺心顺手,富有效率和效益。

8. 教师职业的稳定感和安全感。教师这个职业,是不是稳定的,是不是享有职业安全的,对于教师的心理安全有重要影响。过去在一些地方,普遍盛行的末位淘汰制,其实是一个非常粗暴的和简单的做法。这样不能够很好地带给教师职业的安全感。因为你单纯地按照这种线性排队,那总会有人排在最后。比较合理的做法应该是为我们的教师确立起一个职业的基本标准,即职业基准。只要一个老师达到了职业的基本要求,他就应该享有职业安全。当然,过于稳定也容易导致有些教师不思进取,得过且过。所以,应该建立起一个好的机制,把握好一个合理的度。

9. 教师职业的社会声望。教师职业的社会声望是有不同层级的。比如说大学教师也是教师,大学教师的社会声望就更高一些,对于职业的自我认同感也会更强一些。原因是什么,原因就是大学老师的入职条件要求更高。所以一个职业的从业人员的资质怎么样，会影响到这个职业的从业人员的社会声望。所以我们要不断地提高我们中小学教师的入职条件，比如说提高学历层次。尽管学历不等于能力，但是从统计学上，更高的学历对于个人来讲，更有可能发展他更强的能力。

教师的社会声望不仅会影响到教师的自我认同，也会影响教育的效率。所以从这一点来讲，我们每一个教师，无疑包括校长，都有责任来自觉地维护我们教师良好的社会形象。如果我们的学生感觉教师是一个不正直、不光明、学问与品行有问题的人，那我们对学生的要求、对学生的教育影响就会大打折扣，甚至事半功倍。

值得欣慰的是，据发表于2007年9月10日《中国青年报》一项有全国各地1089名读者参与的调查显示，在公众眼中，教师的形象仍然是积极正面的——91.5%的参与者认为，教师是一个值得尊敬的职业。

10. 生源素质。学生的素质会影响到教师教学、教育过程中的感受，包括学生有没有良好知识经验的背景，有没有良好的文明礼貌习惯，有没有良好的学习习惯等。

学生的素质是由什么决定的呢？在很大程度上是由家长的素质决定的。在20世纪60年代，英国的学者就提出了一个克劳顿报告。这个报告得出的非常重要的结论就是，影响学生学业成绩有三个因素，其中第一个因素就是家长的文化素质，第二个因素才是教师的素质，第三个因素是学校的课程设置和硬件设施。这个结论得到了后来其他学者研究的支持和证实。

为什么家长素质会那么重要呢？因为我们今天的孩子在成长中受两个经验系统的影响，一个是家长所带给他的日常生活经验系统，一个就是学校教育带给他的这种精英文化的经验系统。家长的素质会影响到他对什么问题感兴趣，怎么去思考问题，用什么样的语言表达,待人待事是一种什么样的态度。无疑文化素质比较高的家长,他所表现出来的一切会与学校所倡导的、所带给儿童的非常相近,从而使得这两个经验系统——日常生活经验系统和学校教育带给他的经验系统,相互促进、相得益彰,从而能够使得孩子获得比较好的发展。

11.对教师的评价。这涉及两个问题:第一是评价的指标体系是不是科学;另一个就是评价的过程是不是民主,也就是评价的过程教师是不是能够参与。有个比喻说得好:评价机制好比是杠杆撬动物体时的支点。这个支点的位置,直接决定杠杆撬动的难易程度。一套好的评价机制,往往能起到"四两拨千斤"的作用。

所以我建议校长们,对教师每一个学期都应该有一个评价,这个评价由谁来做,由学校的中层领导,比如说教研组组长,年级组组长。为什么要由他们来做呢?因为这个评价应该建立在对教师日常表现非常具体、清晰了解的基础上。这个评价过程中首先应该有一个非常正式的面谈,这个面谈应该是一小时左右,首先给教师一个对自我工作状况的总结、回顾、反思、评价的机会,然后这个评价者基于你平时对教师的了解,和我们对这个教师的岗位职责的要求,来对他做一个带有鼓励性质的、中肯的评价。

如果一个老师几年下来他的评价都是很棒的话,那我们可以考虑,两年或者更长的时间,对这个教师评价一次,不必每学期。我们倡导的发展性评价,就是为了更好地激励教师成长的评价。

12.学校制度。学校制度是不是比较人性化,是不是充满了温暖的、关爱的,会影响到每一个教师对于学校生活的感受。让教师参与学校的制度建设,会让教师更多的体验到作为学校的主人翁这样的一个感觉,会使得教师更好地明了,更好地理解学校制度存在的必要性,从而有助于增强他们遵守学校制度的自觉性,有助于增强学校的亲和力与凝聚力。

13.学校的声誉。如果一个教师所在的学校社会的认可度、美誉度比较高，他就会有更多的职业自豪感，对于所归属的团队有更高的认同。反之，则可能羞于承认自己是该校的教师，对学校进行公平合理的评价，自觉地维护学校良好的声誉，改造薄弱学校，促进教育公平，对于提高那些薄弱学校的教师生活的幸福指数非常必要。

14. 社会期望。对于教育，过高和过低的社会期望都不利于教师生活幸福指数的提高。过高，会使得教师面临比较大的心理压力；过低，又会使得教师感受不到职业的社会价值。

15. 教材质量。教材编得好不好，无疑会影响教师在备课和教学过程中的感受。比如，是否有合理的逻辑线索，难易程度是否合理，选文或例题以及习题设计是否精当等。

16. 课程资源可开发和可利用的程度。如果课程资源非常丰富，可利用的程度很高，那我们的教师就更能感受到左右逢源、如鱼得水；相反，就会有力不从心、捉襟见肘、“巧妇难为无米之炊”的感觉。一所学校课程资源的丰富程度受许多因素影响，特别是社会发展水平，社区的文明程度的影响。当然，学校也应高度重视课程资源的建设。

17.教师的健康。健康对于我们每一个人都很重要，为什么我把它放在最后一点呢，那就是因为教师的健康受更多因素的影响，比如说受遗传因素的影响，但学校也可以在改进教师的健康状况方面作出努力。

这17个因素，对于不同的教师来说，在价值排序上可能会有所不同，也就是说，这些因素对不同的教师其影响程度会不同，这取决于每个教师的价值观、生存境况、生命境界。但可以肯定这17个因素对所有教师生活的幸福指数或多或少会产生影响，影响到一个教师对于职业的安全感、认同感、成就感以及最终的幸福感。这里讨论的17个因素，主要是学校教育情境中影响教师生命质量的因素。教师生活的幸福指数的高低还会受到家庭的社会经济地位、家庭成员的健康状况和家庭成员之间的感情状况等因素的影响,但这些因素是学校难以掌控的。那也就是说,我们可以在这17个因素方面去做出努力,这都是我们工作的着力点。我反复强调的,就是一定要关注师生校园生活的质量。一个好校长,要做的一个重要的工作就是,要使我们的学校首先对教师来说变得更有吸引力、更有亲和力。

生命的境界

哲学史家冯友兰(1895—1990)先生曾在《人生的境界》一文中说:“我们可以把各种不同的人生境界划分为四个等级。从最低的说起,它们是:自然境界,功利境界,道德境界,天地境界。”依照孟子的伦理理想,人所追求的有这样几个层次:“可欲之谓善,有诸己之谓信,充实之谓美,充实而有光辉之谓大,大而化之之谓圣,圣而不可知之之谓神。”(《孟子·尽心章句下》)这也不妨视为孟子眼中的人生的不同境界。

人生的境界,即人的生命境界,这是每一代人都必须面对的问题。因为“人被宣称为应当是不断探究他自身的存在物——一个在他生存的每时每刻都必须查问和审视他的生存状况的存在物”(恩斯特·卡西尔《人论》,上海译文出版社,第8页)。

今天生活在这个世界上的人,大约有60多亿。按照其生命的境界大概可以分为三类:为生计而奔波忙碌的人;摆脱了生存危机为欲望的满足而苦心钻营的人;为追求自我实现、追求永恒而不懈努力的人。

一个人生命境界很大程度上是由生活境况决定的。因为没有人能够将自己没有的东西给予别人。要一个尚在温饱线上挣扎的人去追求崇高的生命境界不仅是强人所难,也是残酷的,不人道的。所以,中国传统的思想家,一味地推崇崇高人格,而无视整个社会的文明程度,无视人们的社会现实生活的处境,最终导致的是整个社会的普遍虚伪。

可的确有一部分人已经没有了生存危机，甚至可以说经济上还比较富有，但他们整天地钻营，无非是为了满足一种低俗的欲望。有些人的欲望像墙根下的小草，终年处在阴暗之中，对这样的欲望，应该给它播撒点阳光和水分；有些人的欲望，像蓬勃的树，由于光合作用充分，生长得很贪婪，旁枝斜出，甚至直刺青天，对这样的枝蔓，就有修剪的必要。那些贪官就属于后一种人。

在我看来，生命的最高境界就是生活在自己的情怀里，为有价值的目标不懈地努力，“举世而誉之而不加劝，举世而非之而不加沮，定乎内外之分，变乎荣辱之境”（《庄子·内篇·逍遥游第一》）。这是只有有清晰的自我认识，有积极的自我形象，有高度统一的自我和生活哲学的人才能做到的。有崇高生命境界的人，把追求永恒作为自己的人生目标，通过“立德”、“立功”或“立言”去实现，他会铲除一切妨碍他通向最高目标的事务，执著地、心无旁骛地追求自我实现，追求生命的意义。

而只有一个追求生命意义的人才可能是一个有生命境界的人。在我看来，人的生命的价值就在于：在多大的范围内、多大的程度上给人以积极的影响。这其中有三个变量：影响人群的广度、对人深度和对人影响的积极程度。一个人生命的价值就是这三者的乘积。而生命的意义是我们对于生命价值的内心体认。

追求生命的境界，是一个不断超越自我的过程。这伴随着对于自我的不断深化和完整的认识。认识自我是人的自我意识的集中表现，并突出的表明人是一种自觉自为的存在物。因此现实的人无可规避地生活在二重性中：人不仅生存于当下可感的境遇中，人也超越可感的当下为自己设想和规划一种更值得作为自己生存之所的世界，而且这种设想和规划不是一次性完成的，当起先的价值目的通过人的对象化获得相当程度地如愿以偿之后，人的心灵又会从这既成的新境中跃起，为自己设想并规划更新的天地。

我常常和我的朋友们谈论这样的话题：我们已经是衣食无忧了，甚至可以说功成名就，还有什么值得我们去追求呢？仔细地体察自己的内心，都会得出同样的答案——惟有生命的境界值得追求。想起那些贪官，他们都是些有着优越的生存境遇的人，却没有应有的生命境界，他们是不幸的，是上帝的弃儿。因为贪婪是最真实的贫穷，内心的充实才是最真实的富有。一个人拥有的真正财富是既不能通过掠夺来获取，也不能被剥夺而失去。当一个人真正觉悟的那一刻，就是他放弃单纯追寻外在的财富，而开始追寻他内心世界的真正财富的时候。

在一个功利和浮躁的社会中，人们被操纵、复制成了千人一面、万众一辞，学历、职称、高薪、房子、牌子、票子、汽车，成为许多人奋斗和追求的目标，成为人生的唯一意义。而更多的人为了一点点蝇头小利，不惜与别人攀比、明争暗斗。人们每天煞费苦心、操劳忙碌，被焦虑、恐慌搞得心烦意乱、精疲力竭，不过是想让社会承认自己，想让社会和“管制者”接受自己、容纳自己，人们哪里还会想到什么生命的境界和人生的意义？想到这些，我是多么的庆幸。感谢命运，感谢生活。

信必得救，因信称义(Justification by Faith)是新教(即我们中国人所称之为的基督教)的三大教义之一，谓人要想得到上帝的拯救，不在于遵守教会的律法和礼仪，而在于对上帝的信心。信，包括信仰、信念和信任。我相信每个人心中都有一颗信仰的种子。正如赫舍尔所指出的："对有意义的存在的关切是做人所固有的——它是强大的、基本的、发人深思的，存在于每个人的内心。"(赫舍尔著，隗仁莲译《人是谁》，贵州人民出版社，1994年，第58页)

人是一种高贵的存在。人并不是一只硕大的"白鼠"，也不是有待涂鸦的"白板"，作为万物之灵，人类永远生活在自己的思想和信仰的世界中。"没有超越，不能超越个人，我们就会成为病态的、狂暴的和虚无的，要不然就会成为失望的和冷漠的。我们需要某种'比我们更大的'东西作为我们敬畏和献身的对象，这是就一种新的、自然主义的、经验主义的、非宗教的观念说的，或许正如索罗和惠特曼、詹姆斯和杜威所说的那样。"(〔美〕马斯洛《存在心理学探析》，云南人民出版社，1987年，第6页)"如果没有内在的权威，我就只能屈从外在的权威，而这种外在的权威仅仅是一种强制力。"(〔德〕雅斯贝尔斯《什么是教育》，北京三联书店，1991年，第78页)信仰是个体道德赖以生发和存有的根据。

信念使人勇敢，专注，用力，竭尽所能。在我们竭尽所能的时候，灵魂会闪出最美的光彩。没有信仰，就没有信念；没有信念，就没有节操。鲁迅先生说过:“看看中国的一些人,至少是上等人,他们对于神、宗教、传统的权威是‘信’和‘从’呢,还是‘怕’和‘利用’?只要看他们的善于变化,毫无持操,是什么也不信的,但总要摆出和内心两样的架子来。”(《鲁迅全集》,第3卷,1981年,第241页)

没有人会否认人与人之间信任的重要作用。信任在促进冒险精神、革新和实验、构成健康的合作的关系方面扮演着关键的角色。人与人之间信任建立在共同的信仰和信念的基础上,建立在伦理的基石之上,它们表现在个人参与权的扩大、公开对话、对多元思想的尊重、共同的价值观和团队的愿景上。

希望是萌发人间奇迹的无垠沃土,希望是点燃生命之火的灿烂阳光。人生如果没有了希望,也就没有了奋斗、坚持和拼搏。“你能看多远,你就能走多远。”希望是栖息于灵魂中的一种会飞翔的东西——它总是默默地歌唱——永不停歇。

“自我认识是自由的开端,唯有当我们认识自己,才能带来秩序与和平。”(〔印度〕克里希那穆提著,张南星译《一生的学习》,群言出版社,2004年,第59页)“上帝赐给人两样东西——希望和梦想——来减轻他的苦难遭遇。”(伏尔泰)如果没有定位,我们每天清晨起来将茫然四顾;如果没有目标,我们终日忙碌将毫无意义。

“未来不仅是一个映像,它成了一个‘理想’。”而“思考着未来,生活在未来,这乃是人的本性的一个必要部分”(〔德〕恩斯特·卡西尔著,甘阳译《人论》,上海译文出版社,1985年,第69、68页)。“今天如果不生活在未来,那么,明天你将生活在过去”,要想掌握未来,就必须了解未来,要想赢得未来,就必须把握未来。希望会帮助你正确地对待生活——即使坠入忧伤、迷茫、恐惧的黑夜也保持乐观的心态,仍能看到光明。生命中山穷水尽和柳暗花明的时刻通常难以区分。

希望之灯一旦熄灭,生活将变得一片黑暗。希望能让人生无比精彩和辉煌。特别是当人们遭遇境遇性危机(situational crisis)的时候(当出现罕见和超常事件:如交通意外、突发自然灾害、被绑架、被强奸、失业、突然的疾病和亲人亡故,且个人无法预测和控制时出现的危机),惟有信念与希望会使我们渡过难关。

"人从不满足于周围现实，始终渴望打破他的此时——此地——如此存在的界限,不断追求超越环绕他的现实——其中包括他自己的当下自我现实。"([德]马克斯·舍勒《人在宇宙中的地位》,上海文化出版社,1989年,第43页)正是我们心中的希望引导我们走向生命的新的境地。因为,成功源自心中的希望与信念。关于自我激励，心理学家弗洛姆曾总结出这么一个公式:M=V·E。在这里,M指个体从事某项活动积极性的大小，称为激励水平;E指某一特别行为会导致一个预期结果的概率，称为期望值;V指人们在主观上认为奖酬的价值大小,称为效价。所以只有具有必胜的信念、强化成功的对于人生的意义才能成功!

什么是爱?《圣经》是这样说的:"爱是恒久忍耐,又有恩慈;爱是不嫉妒,爱是不自夸,不张狂,不作害羞的事,不求自己的益处,不轻易发怒,不计算人的恶,不喜欢不义,只喜欢真理;凡事包容,凡事相信,凡事盼望,凡事忍耐;爱是永不止息。"(《新约·哥林多前书》第13章)爱,有种种表现,包括欣赏、尊重、鼓励、关怀、责任、给予等,也包括为你的任何错失,为你的任何疏忽,庄重严肃地向被伤害的人说声"对不起,我感到不安,我很抱歉和内疚"。正如蒂里希(P. Tillich)所言:"尽管爱这个词在文学和日常生活中遭到种种的滥用误用,但它并未丧失其情感上的力量。只要使用这个词,它所引起的都是温暖、热情、幸福、完满的感觉。它使人想起过去的,或现在的,或所期待的被爱的场合。"(何光沪选编《蒂里希选集》,上海三联书店,1999年,第292~293页)

德兰修女常说:"我们常常无法做伟大的事,但我们可以用伟大的爱去做些小事。"(华资《德兰修女传——在爱中行走》,山东画报出版社，2005年，第12页）北宋哲学家张载提出“民胞物与”的思想命题，意思是说人民都是自己的同胞，动物和植物都是自己的朋友或伴侣。一个缺乏爱的社会必定充满了冷漠和歧视。君不见，现实生活中的一些“得意笑他人，失意他人笑”，让人感到的是世态炎凉和丛林法则，而不能让人感到人与人之间的温暖和关爱。

爱是一种情愫，你可以感觉，却没法制造。只有当我们心中有爱，我们才能让人感觉到爱的光华。我们都是只有一个翅膀的天使，只有拥抱在一起才能起飞。而只有爱才能让我们拥抱。爱无法让人生之路变得平坦，但它能让人生之旅变得更有意义。让我们记住一生都在播撒爱的阳光的冰心老人的话吧：“人类啊！相爱吧，我们都是长行的旅客，向着同一的归宿”。

不管天有多黑，
星星仍在那里闪耀。
不管夜有多长，
黎明早已在那头盼望。
不管山有多高，
信心的歌，
把它踏在脚下。
不管路有多远，
心中有爱，
就能走到云端。
谁能跨过艰难，
谁能飞越沮丧，
谁能看到前面仍然有梦可想。
上帝的心看到希望！
你的心中要有眼光，
啊，你的心中要有眼光。

这首歌的名字叫《眼光》。我不知道这首歌词的作者是谁，但字里行间的宗教情怀是不难感受得到的。基督教的"信、望、爱"渗透在其中。她告诉我们要有信心，要始终抱有希望，要相互关爱，在这首歌中充盈着一种高贵、醇美的情操。

积小成以成大成

对成功的渴望,是生命成长健康的内驱力。用马斯洛的理论来解释,就是追求自我实现。一个社会,成功的人愈多,社会就愈有活力。马克思说:"每一个人的发展是所有其他人发展的条件",因而,每一个人的发展和自我实现,就是其职责和使命。

每一个成功的人都会有自己成功的人生策略。今天,也许我还算不上一个特别成功的人,但我相信总有一天我会取得比较好的成绩。我人生的策略便是:积小成以成大成。

一个好的社会,也是能够给人以梦想,能够唤起、激发人们成就动机的社会。倘若一个社会中人们只能听天由命、苟且偷生,这样的社会就会死水一潭。市场经济激活了人们对财富追求的欲望,整个中国社会在一定程度上显示出拜金主义和浮躁之风。这当然不是一个理想的社会状况,但毋庸置疑是我们的社会仍然在进步,在朝着一个更好的社会的方向前进。

对我而言,所谓"小成"就包括:一个概念的形成,一个命题的提出,一个有意味的表达,一个有探究价值主题的发现;而这些更可能表现为一篇随笔的创作,一本著作的出版,一个针砭时弊的建言,如"期待官员从学界退场";对事务明晰的分类,如"学术能力"包括哪几个方面;对一个社会现象的分析,如"是什么妨碍了我们说真话";甚至也包括对一本好书的评价,对一个优秀著作者的鼓励和扶持等。我醉心于写一个好的句子,作出一个细腻、充分且合理的解释。而所谓"大成",就是能够代表这个时代告诉我们的后人:我们这一代人对教育的关注,我们的价值观与思想成果,我们的喜乐与伤痛,我们所改变的和我们力图去追求的。而所有这些都只能通过留存的文字来体现。

一个人要取得一些小的成绩并不难。难的是有明确的目标追求,并坚持不懈地努力,使每一个“小成”都不游离于最终伟大目标之外。“大成”并非“小成”的量的简单积累。只有当每一个“小成”都作为通向崇高目标的步骤而存在,并一以贯之地蕴含着不渝的信念和思想的精魂,“小成”才能铸就“大成”。美国作家R.W.爱默生说得再好不过了:“如果一个人能避开所有要深孚众望的想法,虽然他也遵守誓言,但却是以保持那种不矫揉造作、不存偏见、不被私利所诱、不怕威吓的纯真无邪的状态为前提,那么这个人一定是一个不可战胜的人。他将对眼前的种种事情尽抒己见,由于他的意见不是站在偏私的立场而是站在必然性的立场上而发表的,所以它让人听起来如雷贯耳,惊心动魄。”

我只能尽我所能极力地呼吁一点什么,比如生命教育,比如公民教育,比如自由社会的建设,比如现代民主政治理念的启蒙。这也是我一生中言说的最重要的主题。任何一个学人的立场同它的理论表述之间,理论表述同它的立场的“再现”之间必然形成一个充满张力的“解释的循环”。也正是在这种“循环”中彰显着其精神旨趣。没有明确而坚定的价值坚守和政治信念的“社会—人文”学术的研究及其表达是没有灵魂的,这样的研究和表达很类似妓女的卖弄风骚,其目的是取悦于人而谋求现实利益。所以,对于“社会—人文”学术研究的“价值中立”或“价值无涉”的宣称,要么是无知浅薄,要么是别有用心。“世界上有七大罪恶,即不劳而获的富有,不顾良心的欢乐,没有品格的学识,没有道德的贸易,不讲人道的科学,不讲奉献的宗教,失去原则的政治。为正确的目的作正确的事就是真成功。”(甘地)

“积小成以成大成”是一种追求成功的策略,也是一种良好的习惯。在电脑中，我至少有五十篇文章没有写完。我的一些文章是一挥而就、一气呵成的，如《什么是良好的教育》、《受过教育的人》、《身内之物与身外之物》、《心存感激》等；也有的文章是慢慢生长的，如《培植教师的民主政治的理念》、《语文教学的策略》、《数学的魅力》等。这就是说，我头脑中至少有五十个“关切点”。当你带着更多的“关切点”去学习和生活时，你的头脑就会更有捕捉灵感和创生思想的能力。

著名明史专家毛佩琦教授说：“中国知识界有一个优秀的传统，那就是‘大专家写小文章’。远一点的，如朱自清写《经典常谈》，叶圣陶写《文章例话》，近一点的，王力写《诗词格律十讲》，高士其写的大量的科普读物，华罗庚写《优选法》，等等。一再印行、长盛不衰的《十万个为什么》，其中许多条目也是出于大专家的手笔。我们从中不仅可以看到老一辈学者献身中华文化事业的平民情结，也可以发现只有大专家才具备写小文章的优势。”（《毛佩琦细解明朝十七帝·第一部》，光明日报出版社，2006年，第274页）我将会有近千篇文章窥探人类的心灵，近千篇文章探讨教育，近千篇文章谈古论今，最终自然而然形成一个思想体系，一种精神祈向。无数的“小成”凝聚成“大成”。这便是我孜孜以求的人生目标。

我所需要的是更丰富的生活，更广泛的阅读和更深入的思考。而能不能创造出传之久远的文字，不仅取决于我个人的学识才情，也取决于社会言论自由的空间。我真诚地期待我们的社会变得越来越民主、自由、公正、和谐与美好。

目标、时间管理与压力应对

任何领域中人的专业成长都关涉到如下三个因素：目标、时间管理与压力应对。教师的专业成长也不例外。

没有目标就没有动力，没有目标也不具有道德意义。“没有目标支持的行动，不是道德的行动，而是机械的行动，真正的道德行为是由智力和意愿引导的行为。”（〔意〕丹瑞欧·康波斯塔《道德哲学与社会伦理》，黑龙江人民出版社，2005年，第2页）目标，对教师来说，意味着你有没有将“成为一个优秀的教师”作为自己的追求，有没有自己的专业成长的规划，你是一个有进取心的人还是一个得过且过的人。

世界上有梦想的人有太多太多，每天生活在不同梦想之中的人也有太多太多，唯独坚守一个梦想的人却凤毛麟角、少之又少。不能坚守目标给自己一个明确定位的人就像“小猫钓鱼”那样，一生都在游离不定中摇摆，在举棋不定中反复，在浮光掠影中闪失。其实，“一生只做一件事，一件事成就一生”的例子不在少数。

其实，不妨尝试着将目标形象化，这样就能够更好地知道要做哪些事情来实现目标。你可能无法实现所有的目标，但与没有目标盲目地生活相比，通过向目标努力，你会有很多收获。

想要实现目标，首先需要有乐观积极的态度。如果以不情愿或憎恨的态度工作，或者认为工作很无聊，就不可能很好地完成工作，或者需要花很长时间完成工作。如果态度不端正，你甚至会逃避工作，而不是很好地实现目标。

目标的达成首先取决于个人的人生规划。所以，时间管理首先意味着你作为一个初入职场的教师，或者作为一个经验丰富的教师，作为一个在团队中有重要影响力的优秀教师，你最终的目标和你实现阶段性目标是否有很好的协调。只有用长远的目光确定人生目标，你才能很好地制定出实现目标的计划。

目标的达成还要靠点点滴滴的努力。时间管理就是一门让生活井然有序的艺术。由于时间管理可以帮助你明确要做的事情以及有效利用时间，因而时间管理有利于效率的提高；同时，你也会得到更多的休息时间——养精蓄锐，以更好的状态面对生活。大多数人盲目地对待生活，最后往往胡乱应付了事，似乎永远没有足够的时间来完成必做和想做的事情，处于一种“混日子”的状态，为此我们感到沮丧。这种情况让生活充满压力和混乱，工作和家庭生活因此备受困扰，与此同时，时间却悄悄地从身边溜走。

因此，如何来利用好一天之内时间就是一个重要问题。时间管理可以解决以上问题。通过决定如何以及何时做事情，能够帮助你有效利用和节约时间。时间管理并不意味着一种刻板的生活方式，相反它让你更自由地从事生活中的重要事务。有个说法叫“三八理论”，大意是：一天二十四小时，八小时工作，八小时睡眠，还剩下八小时。人与人之间的差别就是在这八小时形成的。的确，本来旗鼓相当的两个人，每天就差那么一点点，日积月累，几十年下来，差别就会很大很大。

古训曰：一寸光阴一寸金，寸金难买寸光阴。古人的“厕上、枕上、马上”讲的是惜时。时间管理有许多技能，但关键是要有和你的价值观相吻合的目标追求。你一定要确立你个人的价值观，假如价值观不明确，你就很难知道什么对你最重要。你价值观不明确，时间分配就一定会不得当。时间管理的重点在于你如何分配有限的时间。教师不仅是职场中人，他还是家庭和社会的成员。你永远没有时间做每件事，但你永远有时间做对你来说最重要的事。你一定要了解，对你来说，哪些事情是最重要的。你可以对自己要做的事做一个价值排序，分出轻重缓急来，这就是所谓的“有所弃才能有所取”，有所不为才能大有作为。

高效的时间管理往往与一个人的生活习惯有关，比如说，有人就能够语言干练，办事利落，工作安排得井井有条，总能在正确的时候做正确的事情。无论是在家里还是在学校，每个人都要在某种程度上支配自己的时间。你做事的先后顺序，对你能否轻松惬意地驾驭生活有着莫大的影响。当你把有限的时间合理分配并充分利用时，再平淡的日子也能过得风生水起，有声有色。

压力是一个我们日常生活中不可避免的、十分重要的成分。压力无时无刻不存在于我们的生活之中。每一个人或多或少都会面临压力，对不同的人来说，压力可能来自不同的方面。压力并非完全消极的因素，适当的压力有助于我们潜能的彰显和生发。历史哲学家汤因比在解释人类文明何以进步时提出“挑战—回应”的理论，对于个人的发展来说，这一理论也是有解释力的。

面对压力，是勇敢正视还是退缩逃避，这取决于我们人格的力量。在压力面前，有的人积极乐观，迎难而上，不断成长；有的人却无所适从，心浮气躁，牢骚满腹，怨天尤人，在惶惶然中一事无成；也有人身心俱疲，积劳成疾，最终重病缠身甚至英年早逝。对于压力消极的反应可以导致心理失调、愤怒、憎恶、不信任、迷惘、沮丧、忧郁、孤独感和疏远感、不当的判断、注意力分散、缺乏自发性和创造性、自信心不足、筋疲力尽以及其他一些严重的健康问题。当你觉得被工作压得透不过气来时，可以试试各种“减压法”：诸如想象一件你认为最有趣的事情，并持续回味一会儿。让自己大声笑出来，想一件可笑的事情，逗自己笑。

没有人会一直不停地保持最佳状态工作，每个人都需要一些个人时间，比如说在一个安静的地方，单独一个人待着。这样可以放松身心，恢复精力。如果没有休息和恢复的时间，你会感到有压力、心情抑郁,同时工作效率很低。

面对压力时的勇气，即在压力之下仍能表现出的从容与优雅,这与一个人的精神修养有关。当然,过强的压力其实是一个信号,说明我们需要面对和调整一些东西。这时找到产生压力的真正原因,积极面对而非逃避压力,将压力变为动力,促进我们自身的发展才是上策。

压力应对的诀窍就在于学习如何从焦虑中发现一些积极的东西,从而驾驭压力。如果你不能很好地面对压力,将会导致生理、感情甚至思维紊乱。相反如果你能恰当地面对压力,可以激发精神和或身体的潜能,成为更加完美的自我。

在我熟悉的老师中,有许多是非常优秀的。他们一个共同的特点就是有明确的目标追求，并体现在他们脚踏实地的努力之中,坚持每天读书,每天写教学反思,坚持追踪教育发展的前沿态势,追求自我的不断完善。但愿中国教育界有越来越多的这样的老师。

生命有尊严的存在状态

有网友在我的博客上评论说:“肖川老师要我们慈悲为怀,可您做报告时对人要求非常苛刻,一点都不慈悲,是不是言行不一?”我承认我有性格上的缺陷,对人有点苛刻,不够宽容。经常有人告诉我,我在做报告时的会场气氛已经是非常好了,要是平时差多了。我相信这是真话。我在作讲座时对听众要求很严格,甚至有些苛求,这也与我对生活的态度有关。

我希望我们的教育能够帮助更多的人将生命提升到有尊严的存在状态。什么样的状态就是有尊严的存在状态呢?首先就是投入与专注。我发现所有非常成功的人都会具有这个品质。我很鄙薄做事情懒懒散散、三心二意、心不在焉的人。

我们对中小学生课堂纪律要求很高,到了成人世界里,会场纪律或公共秩序却很不理想。其实,这二者之间是有关系的。正因为在中小学生那里缺乏宽容与信任,主要依赖于外部强制的纪律,他们没有发展出自律、自制的品质,等到外部强制纪律被解除了,那种没有受到文明熏染的自发状态就会表现出来。

即使在人民大会堂开很重要的会议,我们也经常可以从电视上看到这样的镜头:有很重要的人物在作很重要的报告,一些也很重要的大人物却在漫不经心地翻阅着报告的文本,并没有专心致志地听别人作报告。

投入与专注,源于内在的兴趣,也源于自律和对他人的尊重。由于我们基础教育中许多课堂教学缺乏内在的吸引力(这既有教育内容本身的原因，也有教学的方式方法的原因，还有教师本身文化底蕴不足的原因)，没有让学生深深地沉醉于其中，因而没有能够发展出作为一个个性健全的人应具有的高度投入与专注的品质。不少人绝大多数时候都是注意力难以集中，意志涣散、松松垮垮、浑浑噩噩，像总也拧不紧的螺丝。这是一种非常不好的生命状态，在这样的人身上是难以体现出敬业精神和有尊严的生命存在状态的。

我非常欣赏在公开场合，特别是在应该表现庄严、庄重的场合，人们那种既投入、专注，又很舒展、放松的状态，而不喜欢那种既昏昏欲睡、无精打采，又十分拘谨、猥琐的样子。

我们的社会中有一种不健康的现象，那就是对"卑微者"要求严格，而对"高贵者"要求却非常宽松。这其实是人生中恶的表现，是一种欺软怕硬的流氓作风。

在自由社会中，倘若高官有道德上的瑕疵，诸如不诚实等，媒体和一些中立机构会穷追猛打，直至该公开道歉的必须公开道歉，该辞职的必须辞职。前者如贵为总统的克林顿，后者如位高权重的世界银行行长沃尔福威兹。对于位高权重的社会公众人物有更高和更严格的要求体现的是一种公平与正义。

不管一个人有着怎样的身份、地位，他都只是一个同我们一样的并不完美的人。平等地对待所有的人，就是有尊严的生命存在的状态的另一个重要的表现。平等，也意味着尊重所有的人，特别是普通人。常言道："大模大样，小家气象。"《朱子治家格言》有句话说得很好："见富贵者生谄容最可耻，遇贫贱者作骄态贱莫甚。"可生活中有人就爱摆架子，特别是那些级别并不很高的官员和没有真才实学的教授。原因恐怕就在于他们只有借助于架子才能自我感觉着站立起来。当然，仰人鼻息、自轻自贱、过分的自我贬抑和谦卑都不可取。

人在认真的时候往往最美。我希望老师们对待学生有慈悲之心，因为我们面对的是稚嫩的心灵，而我面对老师们作报告时要求很严格，那是因为我们都是成年人，更重要的是希望我们都有良好的生命状态和自尊自重的品格。

享受失眠

有时会由于晚上喝了浓茶或咖啡，或者由于兴奋或激奋之事，而失眠。这时，思绪异常地活跃，真可谓“思接千载，视通万里”。我的许多文章的腹稿都是在失眠时打好的，一起床就用笔记录下来。几乎无需修改就能成文。我常想，要是有一种仪器，可以戴在头上，把想到的一些东西都准确无误地记录下来，那该多好。

我可以“睡觉睡得自然醒”，因此，失眠对我来说，不是一件令人焦虑的事，相反我可以在这个时候审察内心，细腻思考。我可以享受失眠，成为我享受生活的一部分。失眠都可以享受，那还有什么不能成为享受呢！？

简单生活

近年来，经常在全国各地参加会议，或作讲座，也就少不了出入高档酒楼饭店。只要可能，我都会亲自点菜。我坚持几个人几个菜，决不多点，以免浪费；另外，我决不点价格昂贵的菜。当然，我会照顾到大家的口味以及荤素的搭配，膳食的平衡。我这样做，一是要避免浪费，二是可以加快点菜的速度，二是免得接待方的为难：他们经常会为了表达对客人的尊重，点很高档的菜，点很多的菜。

在餐桌上，我不喝酒，也不喝饮料，只喝茶。而且，我也会建议大家不喝酒或少喝酒，我从来不劝人喝酒。尽量不要将时间浪费在餐桌上。如果能有自助餐，那是最好不过的。

总有人一个劲地劝别人喝酒，非要一次喝多少多少，我觉得既无聊又不文明。如果喝酒对你来说是享受，你当然可以尽兴地喝；如果酒只是交往的媒介，出于应酬的需要，就应该可以象征性地喝一点。这既是对他人的尊重，也是对生命的珍爱。社会文明的进步要靠我们点点滴滴地努力。我提倡杜绝无聊的应酬和虚假的客套，学会简单生活，更多地眷注内心。我一直在身体力行，并将一如既往地成为我所倡导的价值观的模范。

无欲则刚

在一些地方做讲座，听众中有交头接耳或者昏昏欲睡的，我总要提醒。对个别置我的提醒于不顾、仍旧我行我素的人，我会措辞严厉地批评。这是我一贯的风格。

因为批评，产生过不少后果。如在北方一个城市，在我负责指导的一个实验课题开题会上，市教研室主任安排一位小学副校长发言。中场休息时，我看她的发言稿很长，因为时间很紧，我还有专题学术报告，就建议她不要照稿念，扼要地讲几点就可以了。等到下半场开始时，她上台发言，却仍旧照稿一字不落地念，啰里啰唆地讲了半个多小时。台下听众也大多越来越缺乏耐心，她却不会随机应变。接下来是我作讲座。我首先就谈到校长要有提炼与概括的能力，在公共场合讲话要能做到要言不烦、简洁、明快地表达思想，像刚才这位校长就没能做到这一点。那位女校长在下面显得很不自在，过一会儿就离开了。

这次开题会后，市教研室再与我没联系了。原来那位女校长是一个区教育局局长的太太。市教研室要指望他们支持，自然要舍车保帅了。实验的开展最后就不了了之。那个城市以后几年里也再没去过。

类似这样的事发生过多次。因为受到过我的当众批评，有人就在网站上发泄对我的不满。但我仍坚持我的作风。我一点都不担心别人不请我。我不去做报告，我可以读书、思考和写作。对我来说，活着就是机会，我不指望谁给我机会。所以我活得勇敢无畏。2001年11月，在基础教育界曾经风光一时的朱女士、刘先生曾在一次全国性的会议上放言试图封杀我。他们的作为也曾产生过一点后果，但好像并不显著，多年来请我作报告的人还是应接不暇。

有时，我真希望没有人请我，这样我可以潜心思考。我到处奔波，有时是盛情难却，有时是自己修炼不到家，定力不够，经不住诱惑，特别是那些我不曾去过的地方。我没被封杀的结果是，多了个三流的"教育活动家"，少了个思想深刻的探索者。这个三流的"教育活动家"诗意地生活着。

我感恩。

个性成就美丽

个性是一个人的处世风格。有人热情奔放，有人冷峻内敛；有人做事干净利落，有人则优柔寡断、拖泥带水；有人积极乐观，惯于正面地看问题，有人则消极悲观，常常心灰意冷、无精打采。好的个性是自信而不轻狂，果敢而不专横，温和而不软弱，沉稳而不迂腐。

心理学研究发现，具有良好个性的人表现为：(1)人格完整，自我感觉良好，情绪稳定，且积极情绪多于消极情绪；有较好的自控能力，能保持心理平衡；能自尊、自爱、自信，有自知之明。(2)一个人在所处的环境中，有充分的安全感，且能保持正常的人际关系，能受到他人的欢迎和信任。(3)对未来有明确的生活目标，并能切合实际不断进取，有理想和事业上的追求。

个性作为一个人的处世风格，这种处世风格之所以得以如此表现，背后的原因是多方面的，包括价值观念、思维方式、审美趣味的不同，而这与他以往的生活经历有着莫大的关系。风格既不能被克隆、被复制，也不能被传授，其各方面的组合和变换几乎是无穷无尽的。每个人都可以使自己的个性变得更完美，重要的是你要有追求更完美自我的冲动。

在这个急剧变动的时代，每个人的心灵中都充满了太多的渴望和要求，都积累了太多的呻吟和焦灼。我们的情感瞬息万变，难以捉摸；意志相互冲突，难以取舍；理智恍惚不定，难以抉择。世界、生活、自我都在走马灯般地乱转，不再能被有效地把握。但是，只要是人,就必定需要把握自己,需要知道这个世界到底是个什么样子,需要确信生活究竟是为了什么。这一切都需要在人的心灵中得到某种程度的整合。这才能有我的世界,我的生活,才能有“我”。自古以来,人们普遍认为,知黑守白者是温文君子,颠倒黑白者乃是非小人。这其实就是人格的完整。

“成功者不是做与众不同的事,而是做事与众不同。”王小丫是我最欣赏的电视节目主持人。她干练、洁净、充满活力,不仅美丽,且有女人的娇媚,可谓风情万种。2005年在山东淄博举办的金话筒的颁奖晚会结束的第二天早上, 她从济南乘飞机回北京,正好我和她同一班机。在从检票口到舷梯的路上,我走到她的身边,悄悄地问她:“你就是王小丫吗?”她微笑着轻轻地点点头,我对她的这个表现很满意:既没有拒人于千里之外的冷漠,也不显得过于张扬,友善而富于亲和力,这就是教养。

她就是我的眼中富有个性魅力的女性。如今社会的人们在算计和逢迎中乐此不疲,本色的、玻璃般透明的个性就弥足珍贵。可总有一些人,自以为自己是名人,不把别人放在眼里,自我膨胀得快要爆炸了。其实是十足的愚蠢。如果你是名人,又具有很好的教养,别人会很尊敬你。如果你没有教养,你大概也很难获得别人发自内心的尊重。

一个国家的强大,总是建立在个人的聪明才智与自由天性的发挥上,得益于他的创造力的展现。这既取决于完善的制度建设,也取决于良好的文化传统,当然,学校教育是其中的一个非常重要的因素。如果是这样一种状况:“我们的儿童像羊群一样被赶进教育工厂,在那里无视他们的独特个性,而把他们按同一个模式加工和塑造。我们的教师们被迫,或自认为是被迫去按别人给我们规定好的路线去教学。这种教育制度既使学生异化了,也使教师异化了。”(陈友松主编《当代西方教育哲学》,教育科学出版社,1982年,第119页)教育就难以造就个性丰富和鲜明的人。

学生的个体差异既是教学活动的起点，更是一种重要的教学资源。教育过程就是一系列的与人打交道的过程。在这个过程中，教师的个性会体现得淋漓尽致。他的风格不是一种处世技巧，而是他作为一个人、一名教师的真情流露。

过于内向、不乐于与人打交道，不善言谈、寡言少语，言语尖酸、对人过于苛刻，脾气暴躁、缺乏耐心，这样的个性都不适于做教师。教师应该待人宽厚，富有耐心，善于沟通，充满热情和温暖，能够鼓舞人、激励人。一个优秀的教师一定是一个个性上比较和谐与完美的人。

他们积极而真诚地关心、理解和尊重学生、家长和同事，并能公正地对待他们。如果教师对自己的学生缺乏真正地尊重和肯定，那么他就会不断受挫、不断失败。如果学生能够感受到教师对自己的尊重，他们就会更加努力地学习，更容易改正错误，也会更愿意为自己的行为负责。在实际生活中，缺乏尊重有很多种表现形式，而傲慢自大、自我中心、挖苦讽刺、冷嘲热讽和态度粗鲁等只是其中的几种。

正如苏霍姆林斯基所说："其实在每一个孩子心灵最隐蔽处的一角，都有一根独特的琴弦，拨动它就会发出特有的音响，要想使孩子的心同我讲的话发生共鸣，那么我必须同孩子的心弦对准音调。"思索一下你愿意与之共度时光的人吧。他们是这样的人，使你变得强大，肯定你的长处，理解你的问题，尊重你独特的品质，告诉你爱的真谛。你是愿意从这样的人那里，还是从吹毛求疵、暴躁易怒、满怀敌意、冷酷无情、极不友善、自我中心的人那里接受指导、指引及纠正呢？

若教师缺乏积极的精神生活、好奇心和扎实的知识基础，教室将会是智力匮乏的地方。而如果教师具有自己独特的个人风格，能够将戏剧性、热情、活力、幽默、魅力、创造性和新颖性融入教学之中，那么，他的教学一定是能够引人入胜、妙不可言的。

望老师慈悲为怀

宁夏有位叫孙瑞雪的老师，执著于在中国传播蒙特梭利教育，这对于当下的中国教育具有矫枉过正的意义。我的孩子上北师大实验幼儿园时的遭遇使我深切地感到：当下的中国教育是多么的缺乏爱、宽容与自由。

我的孩子聪明、淘气。在作为父母的我们看来，他的淘气是可爱，那是因为有爱；可在幼儿园的老师看来就不是这样。从进入幼儿园开始，我的孩子就成为了受打压、修理的对象。也难怪，一个班四十几个孩子，有几个调皮倒蛋的孩子也真够老师头痛的。所以一些活动，我的孩子，还有另外一两个孩子都没有"资格"和机会参加，因为老师害怕他们出乱子。有时老师还将他独自关在一个黑屋子里。幼儿园的老师甚至断言我的孩子上了小学一定跟不上班。这一断言曾给我的孩子的情绪以很大地打击。

我们的教育中太缺少爱、宽容和自由了。我的孩子几乎每天都带着消极情绪回家。小小的他常常说，我讨厌幼儿园，我讨厌老师。五岁多时居然说他希望生病，这样就可以不去幼儿园了。还好，我们的家庭充满了爱、宽容与自由。这多少可以平衡他在幼儿园受到的来自老师的有意无意的伤害。

几年前，上海《教育参考》的主编吴国平先生对我说："等你的孩子上学了，你对中国学校的教育的感受就会更丰富、更苦涩。"从我孩子上幼儿园起，就果真如此。后来，我的孩子上了小学，才发现学校中羞辱孩子的事简直是家常便饭。那时每次幼儿园开家长会，我太太宁可从竞争激烈的单位请假，然后花几十元打车费自己去参加，也不愿我走几步路去参加。为的是怕我言语冲撞得罪了老师，日后孩子遭受老师的报复。直至我孩子逃离了幼儿园，我才敢在《新京报》(2005年7月28日《文娱时评》)上撰文点名批评孩子曾上过的北师大实验幼儿园。

让我们的孩子今天走进学校是为了明天更好地走向社会。耶鲁大学的儿童精神医学专家、儿童问题的权威詹姆斯·库默坚持认为，对儿童的教育不能与他们在感情方面的需要分隔开来。“你必须要为孩子们提供这样一个环境，在这个环境里，他们不是多余的，而是有价值的、是被人接受的。只有在这种环境里，他们才会接受你。”我们知道，只有用一种平等的、不夹杂优越感和施舍意味的爱，才会被学生真正地接受，并进而让他们也学会爱他人。

然而，令人沮丧的事实却是，许许多多的孩子感到孤独，他们被人忽视，甚至于受到威胁。其结果就是学校对孩子没有吸引力，学生厌学、逃学甚至辍学。

教师如何能保证面对孩子的“召唤”，自己采取适当行动呢？加拿大教育学者马克斯·范梅南提出三个条件，那就是爱和关心孩子、希望和信任以及对孩子的责任感。爱是教育的前提。“没有爱就没有教育”，这是广为人知的至理名言。因为没有爱，我们就不能用欣赏的眼光看待孩子，从而发现他的闪光点；我们就容易失去耐心，过多地表现出嫌恶，从而带给孩子的心灵以压抑感。要老师有爱心，可怎样才能有爱心呢？我们自己就是在缺乏爱的环境中长大的，在一个弱肉强食的人群中，如何让一个人变得有爱心呢？一些学校的虚假宣传，一些作秀，都是冲着择校费去的，目的是吸引家长的眼球，然后诱使家长掏钱“赞助”。现实有时会让我感到自己很无能，很无奈。可我仍然从困惑和痛苦的人那里听到一种呼唤——我们的时代，我们的国度对生命教育的紧急呼唤，对生命教育的深情呼唤。

教师既要关注学生未来的成长，也要做到“教学生一天，想学生一生”，更要关心孩子的现实生活处境，他们已有的知识和经验背景，他们的需要和学校过程中的感受。如果真如斯滨诺莎所言，“快乐不是对美德的赞赏，而是美德本身”，那么现在基础教育学校的最大特点就是不快乐。我们作为教师是不是应该反省一下我们是否多少要对此负责？尽管我们很多老师自己并不怎么快乐。

佛教有句名言：“感伤之情，慈悲之怀。”在孩子们童年的记忆中，留下一个一个温暖美好的记忆瞬间，这对于他们健康人格的成长和对于建设一个充满同情与关爱的社会是多么的重要。

很喜欢张爱玲半个多世纪前写给胡兰成的一句话：“因为懂得，所以慈悲”，今天的流行歌曲唱到：“你的温柔是一种慈悲”，亲爱的老师，面对稚嫩的心灵，让我们慈悲为怀吧。

教师：努力成为家长的模范

我们许多教师同时也是家长。教师和家长同是孩子成长中最重要的教育者，作为教师，努力成为家长的模范有多方面的意义。

首先，成长是儿童生命的最重要的主题，作为教育者的职责就是帮助他们获得成长。为了孩子幸福的人生，教师应该努力从自己孩子的成长中探索出一些有效的教育方法，并上升到理性认识。我们是教育的专业人员，我们有责任以自己卓越的见识和良好的专业素养引领社会和家长，帮助家长对自己的孩子抱以合理的期望和用先进的教育观念与方法教育孩子，从而提高我们整个民族素质，促进社会文明和进步。

其次，作为教师，努力成为家长的模范有助于提高我们教师职业的社会声望。教师是一种古老的职业，如果教师在社会中在诸多方面都能够以专业人士的形象出现，我们教师就更能赢得社会广泛的尊敬和信任。这就需要教师能够在与社会各阶层的人们广泛交往中，展示出应有的专业素养，才能得到人们的认可。而当教师这个职业有更高的社会声望时，教师的言行才可能更具有教育的力量。

第三，作为教师，努力成为家长的模范有助于建立良好的家校关系，从而赢得更多的家长对于学校的支持，从而提高教育的品质。如果一个教师，连自己的孩子都没有教育好，学校开家长会时，恐怕很多话是难以说出口的，至少不那么理直气壮。如果你是一个成功的家长，你对学生家长的要求才能更加令人心悦诚服。

作为教育者，教师和家长都承担着责任。在任何情况下，责任都是一个定量，任何一方如果承担过多的责任，就意味着另一方相应地减少了本来应该承担的等量责任。如果教师能够成为家长的模范，就等于告诉家长所应该承担的责任，并且教师对于一些规范与要求的身体力行、率先垂范，使得家长有明确的努力方向。

作为一个称职的家长，首先是给予孩子成熟的、无条件的爱。每个儿童健康成长的必要条件之一就是至少有一个非常喜欢他(她)的人。这个喜欢他(她)的人就成为一个重要的人。正如教育家马卡连柯所指出的那样："家庭是社会的一个天然的基层细胞，人类美好的生活在这里实现，人类胜利的力量在这里滋长，儿童在这里生活着，成长着——这是人生的主要快乐。"有研究证明，早年受欢迎的儿童将一直受欢迎，而遭到拒斥和忽视的儿童很难改变不受欢迎的遭遇和消极的社会关系。

其次，以自己模范的行动引导孩子亲近书籍，养成阅读的习惯。据研究发现，爱书的孩子其人格特征是温柔、善良、开朗、快乐、幽默、自信、有同情心、语汇丰富、人际关系良好，在学业上的表现也比较好。所以父母除了要循循善诱，还要身体力行，包括亲子共读，以便让孩子尽早建立阅读习惯。

再次，作为称职的家长，需要骄傲着孩子的快乐，特别是不要体罚孩子。如果父母体罚孩子，还认为那是为孩子好的话，孩子可能会怀疑其他一切关心他的努力。多和孩子平等、真诚地交谈，不存在完全不能与孩子讨论的问题。不要不懂装懂，或者敷衍糊弄。要自觉地引导孩子发现问题，并且形成自己的解释。从小让孩子养成对于事物理解与解释的习性。

还有，帮助孩子学会了解并驾驭自己的情感；敏感地知道他人的需要，注意其他人的感受；知道自己对别人的影响；懂得其他人可能有不同的观点；索取的同时要懂得给予；学会直面冲突并在解决冲突中获得成长；知道自己行动的结果。这样孩子就更有可能成为受人尊敬和受人欢迎的人。

美国学者戴维·刘易斯的《做好家长的四十条建议》是家长与孩子快乐相处并从教育自己有天赋的孩子获得快乐的宝典。这里抄录如下：

1. 对孩子提出的所有问题，都要耐心和老实地做出回答。

2. 认真对待孩子提出的正经问题和看法。

3. 安放一个陈列架，孩子可以在上面显示自己制作的东西。

4. 不因为孩子房间里或桌面上很乱而责备，只要这与他的创作活动有关。

5. 给孩子一个房间或者房间的一部分，主要供他玩耍。

6. 向孩子说明，他本身已经很可爱了，用不着再表现自己。

7. 让孩子做他力所能及的事情。

8. 帮助孩子制定他的个人计划和完成计划的方法。

9. 带孩子到他感兴趣的地方去玩

10. 帮助孩子完善他的作业。

11. 帮助孩子与来自不同社会文化阶层的孩子正常交往。

12. 自己遵循合理的行为标准并留心使孩子照着做。

13. 从来不对孩子说，他比别的孩子差。

14. 从来不用辱骂来惩罚孩子。

15. 向孩子提供书籍和材料，以便使他能干自己喜欢的事情。

16. 让孩子独立思考问题。

17. 定期为孩子读点东西。

18. 让孩子从小养成读书的习惯。

19. 激励孩子编故事，去幻想。

20. 认真对待孩子的个人要求。

21. 每天都抽出时间与孩子单独在一起。

22. 允许孩子参加计划家务和外出旅行的事情。

23. 从来不因孩子犯错误而戏弄他。

24. 表扬孩子背诗,讲故事和唱歌曲。

25. 教给孩子与各种年龄的成年人自由交往。

26. 详细拟定试验计划,帮助孩子了解更多的事情。

27. 允许孩子玩各种废弃物。

28. 鼓励孩子发现问题,随后解决这些问题。

29. 在孩子干的事情中,不断寻找值得赞许的东西。

30. 从不空洞地和不真诚地表扬孩子。

31. 诚实地评价自己对孩子的感情。

32. 不存在完全不能与孩子讨论的问题。

33. 让孩子有机会真正自己作决定。

34. 帮助孩子成为有个性的人。

35. 帮助孩子寻找值得注意的电视节目。

36. 发挥孩子具有积极认识自己才干的能力。

37. 从来不对孩子的失败表示瞧不起。

38. 勉励孩子尽量不依赖成年人。

39. 相信孩子的理智并信任他。

40. 让孩子独立完成他所从事的工作的基本部分，哪怕不相信会有积极的最后结果也好。

六个"讲一点"

美好的人生是需要追求一点生命的境界的。我把对生命境界的追求概括为如下"六个讲一点"。

首先,讲一点享受,无愧于自我。人们的享受也是有层次的。享受不仅仅是感官享受,我们完全可以享受内心的充实与平安,享受创造的快慰,享受生命的高峰体验。如果一个人把对"享受"的理解停留在物质享受、感官享受的层面,那只能说明高级需要没有在他的视界中出现。善待自我,是善待他人的前提和条件,一个不会享受生活的人,往往对别人也会比较苛刻。

"人生得意须尽欢,莫使金樽空对月"、"钟鼓馔玉不足贵,但愿长醉不复醒",与其说是一种享乐思想,不如说它表现的是诗人对生命的沉醉及其在生命力的驱使下试图超越时空羁绊之外的迷狂。面对上苍赐予我们的五彩缤纷的世界、多姿多彩的生活和我们每人一次的珍贵生命,我们没有理由拒绝去接纳、去享受。只有发现,才有欣赏;只有欣赏,我们才能体验到世界的美好,才能感到生活的趣味,进而感受到生命的意义与价值。而要能发现,就需要独具慧眼,需要有一个开放的心态,让生命有如晨曦中的第一道光芒那么美丽与安详,那么柔和与生动。幸福不可能来源于普遍的痛苦和自我牺牲。追求幸福的权利是指个人有权为了自己生活,选择自己的个人幸福并为实现这样的幸福而努力。

其次,讲一点奉献,无愧于亲人。家是扶老携幼的承担。"有钱能使鬼推磨",却惟独买不到亲情,买不到家的那种温暖与安全。

诗圣杜甫早已道出了对“家”的牵挂:“烽火连三月,家书抵万金,”“家书”的珍贵,这也许只有在交通与通信都极不便利的时代漂泊异乡的人才可能深切地体会得到的。

我一向反对从政府的角度要求人们奉献,因为这可能削弱对于社会公正的追求,掩盖一些人以“奉献”的名义对人实施“道德绑架”的嫌疑,掩盖一些人要别人奉献而自己从别人的奉献中捞取好处的企图。但我提倡每一个人都要对自己的亲人讲奉献。如果一个人对他自己的亲人也斤斤计较,那他就太没品位、太自私和狭隘了。对自己的亲人讲奉献,甚至可以说是人之为人的伦理底线。

再次,讲一点真情,无愧于朋友。“二人同心,其利断金;同心之言,其臭如兰”(《易经·系辞》),这是古人的交友之道,讲的是两个人,兴趣爱好会相投,就能够做朋友;如果两个朋友志向相投,两个人的优势结合起来就可以所向披靡,天下无敌。这句话经过了数千年的生活检验,已经成为了一句至理名言。虽然今天“朋友”二字已经被社会叫滥叫俗叫贬值了,然而这丝毫不能抹杀一个好朋友的珍贵价值。

我们的生命里或许可以没有成功、没有胜利,没有其他的东西,但不能没有的是朋友。茫茫尘世中,能让胸口温暖的是朋友以及和朋友的往事。朋友也许只是你生命中某个时段的一个过客,但因为这份缘起缘灭,更使生命变得美丽。选择一个好的朋友,就是选择了一个正确的方向,一种接近成功人生的旅程。

胡适有一句名言,“做学问要在不疑处有疑,待人要在有疑处不疑。”他当然不是叫人装傻瓜,更不是叫人放弃立场,滥交朋友。所谓“不疑”,就是不要瞎猜测,不要无端地不信任别人,不要苛求,不要动不动就拿高得不能再高连自己也够不着的所谓“形而上”的标准来裁量他人短长。人生有几个可以抵膝而谈、推心置腹、肝胆相照、两肋插刀的朋友?这无疑是生命的好境界。

第四，讲一点责任，无愧于社群。人是社会中人。人与人的关系是多米诺骨牌的关系，所以每一个人天然地在承担着一定的社会责任。其实，每一个人也都有责任承担的需要。因为，没有一个人希望自己是一个无足轻重的人。给更多人以更深刻的、更积极的影响，是使我能想到的一个人存在价值最好的证明。我们国家的贫穷与落后，虽然这主要不是我们造成的，但我们有责任去改变。我们需要一种信念与热忱，相信生活总会改变，贫穷总会改变。我们真诚地努力一定会结出硕果，因为我们可以准确地数出一个苹果中有几颗种籽，但我们永远无法计算出因为这些种籽而能够结出多少苹果来。

那些位高权重的贪官们本来他们有很好的造福一方的机会，可他们欲壑难填，而且并不在乎别人戳脊梁骨，此所谓"笑骂由你笑骂，好处我自捞之"，不捞白不捞，最终沦为千古罪人。也许我无法阻止恶鸟从头上越过，但我可以阻止它在我头上栖息筑窝；而且我坚信如我者多了，恶鸟就会被累死、冻死，直至彻底绝种。

第五，讲一点博爱，无愧于人类。博爱即自爱，护生即护心。"真正的爱是夜的花香，是黑暗中的宝石，是医生听到第一声心跳。它是寻常的奇迹，是用柔软的白云织成而撒在夜空的满天星斗。"([法]凯恩斯)

呵护生灵，呵护人的生命尊严，多一点博爱，对于和谐社会的建设有着重要的意义。博爱的精神在中国社会中是比较稀缺的。像强迫人给狗下跪的事在今天的中国还时有发生，就很好地说明了这一点。大庆一人力车夫王强因避让汽车，撞死了一条宠物狗，被狗主人夫妇强逼下跪，为死狗磕头，并逼其赔偿200元之后，才扬长而去。围观者众，竟无人阻止狗主人男女的恶行。身强力壮的王强，在屈辱的泪水中给死狗下了跪，磕了头。他想到的是不要惹事，躺在病床上的母亲还要等他挣钱治病。想一想在这个过程中，王强及其车夫们内心一点一点积累的愤怒，再想一想城里不断发生的恶性案件吧。那些自视高贵的人对乡下人、对弱势群体的歧视和凌辱，是恶性案件的产生土壤和温床！

中国有着数千年等级社会的历史，在我们的社会价值中，少有“平等的人”的概念，每个人都被确定在不同的等级的阶梯上，因等级而确定了他的价值。我们曾经慷慨激昂地批判过“天赋人权”的理论，导致对人的价值认识的根本缺失。处于社会底层的弱势者，他们的生命价值和人格尊严受到漠视，在相当一些人的内心深处还被认为是合理的。比如在一些媒体上，我们经常可以看到对于那些“真真假假乞丐的欺骗和不劳而获”的讨伐。而在我们身边，比这些更可耻可恨一千倍的事还多着呢，为什么很多人却熟视无睹？独对那些已沦落到靠可怜去乞讨几个钱的人高举“正义”的杀威棒，甚至连基本事实都不讲地征讨一气。

多一点沟通、多一点理解，多一点宽容、多一点关爱，多一点与人为善、多一点和谐温馨，这确实我们每个人都能做得到的，也是我们每一个人需要与期盼的，我们都有责任去创造适宜生命生长的环境和土壤。

最后，讲一点信仰，无愧于天地。尼采曾借查拉图斯特拉之口说：“人是需要超越的东西。”这“超越的东西”无疑包括信仰。正义与邪恶的较量是人类活动的永恒主题之一。只要有恶势力的存在，就需要正义的力量与之进行不停歇的斗争。在这个过程中，一个人没有信仰，就会失掉骨气和立场。这样的人，哪怕他活上两辈子，也不过相当于被拖着乱跑的一截车皮。而一个有信仰的人，才可能做到“不戚戚于贫贱，不汲汲于富贵”，才不会见风使舵、趋炎附势，真正拥有纯净高远、宽和淡泊的人生境界。

以下是一段基督徒的祷告词，非常值得我们分享：“主啊，求你使我成为你和平的工具，在有仇恨的地方，让我播种仁爱；在有伤害的地方，让我播种宽恕；在有猜疑的地方，让我播种信任；在有绝望的地方，让我播种希望；在有黑暗的地方，让我播种光明；

在有悲伤的地方，让我播种喜乐。主啊，求你给我们梦寐以求的，叫我们不求被安慰，但去安慰；不求被理解，但去理解；不求被爱，但去爱。因为给予就是我们的收获，宽恕别人，我们就被宽恕，这样的死亡，就是我们的新生。”

从自我到亲人、朋友，再到社群、人类，最后到天地，这是一个不断从狭隘走向广阔的过程，这也是一个立于天地之间大写的“人”精神成长的历程。

月与诗

中国是诗的国度。月亮是古代文人笔下的钟情之物。作为人类永恒的初恋的诗歌,诗中处处见明月。在浩如烟海的古典诗词中,月亮的意象往往是宁静澄澈、晶莹淡泊的。诗中的月光,润洁、含虚而流辉,仿佛我们无时不沐浴在幽微而美妙的月华之中。

“多情只有春庭月,犹为离人照落花”,张泌的《寄人》中的月华抚平了一颗寂寞、离愁的心。“今夜月明人尽望,不知秋思落谁家”,这是唐代诗人王建在中秋之夜发出的慨叹。在张继的《枫桥夜泊》中,明月、静夜、钟声的意象组合更是显得清新静谧,典雅高远,月光中仿佛钟声可视可见,钟声中仿佛月光可闻可听。悬挂在中国古典诗坛上空的月亮是多情的。它是一种道具,一种背景,一种气氛,更是一种文化符号,一种情感媒介,一种审美意趣。它的空明、澄澈、高洁的品性,它的暗示、隐喻、象征等效用,令无数诗人为之钟情、倾倒。“月亮”意象无处不在地渗入古典诗词的字里行间,化为作品的血脉和灵魂,亮丽着浩远的历史长空。

月亮在古人那里,尤其在中国古代文人那里是十分重要的天体。首先因为月亮是古代除太阳以外的最重要的照明体;其次因为中国古代使用的阴历就是以月亮的盈亏来作为历法的依据,月圆之时总在阴历的十五、十六之夜。

清代学者恽正叔在《南田画论》中说:“古人用心在无笔墨处。”鉴赏古人诗文,除了要通解文面含义,更重要的是认真体察作者为文作诗的良苦用心,即所谓“弦外之音,言外之意”。比如李白的《静夜思》中有“举头望明月，低头思故乡”的诗句。为何“举头望明月”，就会“低头思故乡”呢？这里有一个十分广阔的想象和解读空间。也许，诗人在想：月亮离我们这么遥远，我们都看得到，为什么看不到我的故乡呢？可以想见，诗人的内心是一种感伤的情怀，一种羁旅乡愁。也有可能诗人在想：月光照在我的床前，也一定照在故乡的土地上吧！这时是一种“天涯共此时”的温暖慰藉的情怀。

诗人产生这种联想，也许因为诗人故乡的山和水，在形状上或者在名称上与“月亮”有某种关联。譬如，诗人故乡的池塘像一轮明月，某一个山丘像一弯新月；也可能诗人故乡的名字就叫“月亮湾”、“月牙店”之类的（至于诗人的故乡究竟是什么名称，这是历史考证的问题，这里只是想象的可能性空间）。诗人之所以产生这一联想，还可能是由于诗人儿时的伙伴，也可能是青梅竹马的恋人，在长相上、名字上、出生日期上与“月亮”有丝丝缕缕的联系，比如名字就叫“月娥”、“月秀”、“月娟”、“月华”，甚至就叫“月月”；还有可能是诗人故乡的人们对月亮有一种近乎图腾崇拜的心理，月亮在他们的精神世界中有一种特殊的地位，因而故乡与月亮之间就有了一种天然的联系。

月亮是田园风光的构成要件。在游子的眼中，明月是可以驱散孤寂和相思，是对思乡和祝福的寄托与象征。在月光如水没过双肩的时候，任凭伶仃孤悬的弯月，垂钓尘世间落寞寂寥的心绪。

诗歌中的月亮，空灵、高洁和清幽，寄托着诗人温柔、纤细的情怀。中国有诗教的传统。“诗可以兴，可以观，可以群，可以怨。”（《论语·阳货》）深厚的诗词修养可以陶冶你的情操，修炼你的品位，明敏你的感觉，丰富和纯净你的语言，使你的心灵荡漾在情怀的烟波里，而不至于成为面对美丽的大海而自惭形秽的渔夫，使你无论是面对夕阳晨雾、春华秋叶、细雨霰雪，面对每天都见到的日月星辰，不至于熟视无睹，使你成为对自然、社会、人生有着特殊感受力的人。有道是“夕阳芳草寻常物，解颐都作绝妙词”（袁枚《遣兴》），那是何等纯粹和美好的精神世界。

无论是“风花雪月”，还是“花前月下”，月亮都象征着浪漫与诗意，自古皆然。“古人不见今时月，今月曾经照古人”，岁月站在城市的肩头细数人世的沧桑。太多的是非恩怨，太多的爱恨情仇，太多的问题和答案，只有月亮知道。月亮象征浪漫、诗意与永恒，而这些正是诗歌创作灵感的源泉。

成为知识分子

大学教授

在任何一个文明国家中，大学教授都是社会中的精英和骨干、社会进步的中坚力量。德国政治家就曾自豪地说:“德国对大学教授的尊重远远超过对商业巨子、银行家和官员的尊重,这就是我们的希望所在。”

70年前，著名科学家竺可桢在受任浙江大学校长的第一天，在与全校师生见面发表题为《大学教育之重要方针》就职演时说，“教授是大学的灵魂，一个大学学风的优劣，全视教授人选为转移。假使大学里有许多教授,以研究学问为毕生事业,以教育后进为无上职责,自然会养成良好的学风,不断地培植出来博学敦行的学者。”这段话是就“教授”对于大学的意义的很好的表达。

大学教授之所以应该得到全社会的普遍尊重，原因就在于，大学教授不仅是知识精英,是学术研究、知识生产的主力军,也应该是人格典范;他们拥有学术的真诚与学术节操,能“立言”,亦能“立德”。正如费希特所言:“所有的人都有真理感,当然,仅仅有真理感还不够,它还必须予以阐明、检验和澄清,而这正是学者的任务。”(费希特《论学者的使命,人的使命》,商务印书馆,1997年,第43页)大学教授作为知识分子的价值与尊严,正蕴含于对学问不懈地追求之中。

当然,大学要真正成为思想的策源地,成为产生思想家的地方,首要的条件就是思想自由,能够真正做到蔡元培先生所倡导的“大学教员所发表之思想,不但不受任何宗教或政党之拘束,亦不受任何著名学者之牵制”(《大学教育》,《蔡元培全集》(第五卷),中华书局,1988年,第507~508页)。民国时期的一些著名教授曾经是大学校园里一道最亮丽的风景,他们的背影和传说永远地留在了人们的记忆和怀念里。今天我们的大学里还能否出现特立独行、学问与情趣兼备的大师既取决于整个的社会文人环境,也取决于个人的志趣与追求。

可我们今天正如余杰所指出的:“上千所大学,数十万教员,能够让学生及社会尊重的教授,能够勇敢地批评时弊、为弱势群体说话的教授,却仅有屈指可数的极少数。”大学教授要赢得社会的普遍尊敬,一是要破除官本位思想意识和制度安排,二是大学教授自身的学问修养和人格操守要过得硬。作为大学教授,应该是心态平和、客观理性却不乏睿智与犀利。他能够创造一些经典表达在世间流传,这其实就是“立言”。作为大学教授,你总需要在某一专题上有精深的思考和丰富的积累,总需要有可以娓娓道来,如数家珍的话题;能够作出哪怕一两个有意味的命题,有一两篇(本)代表你学术贡献的著述。梅贻琦在《教授的责任》一文中指出:“现在吾还是这样想,因为吾认为教授的责任不尽在指导学生如何读书,如何研究学问,凡能领学生做学问的教授,必能指导学生如何做人,因为求学与做人是两相关联的。凡能真诚努力做学问的,他们做人亦必不巧取、不偷懒、不作伪,故其学问事业终有成就。”(刘述礼、黄延复《梅贻琦教育论著选》,人民出版社,1993年,第24~25页)

今天,可真有不少大学教授这几条一条也不靠谱。学问不行,人品也不行的教授,也是不乏其人的。我们个人要对此负责,我们的社会也需要对此负责。我身边就有这样的教授:招收硕士或博士生,优秀的应届毕业生不要,而偏爱那些工作过的,特别是有一官半职的考生。原因就是这类考生经济基础比较好,请得起客,送得起礼。作为导师,看重的不是学生的学术资质和发展潜力,而是经济实力。热衷于和学生一起吃吃喝喝，在意的是蝇头小利。在同行晋升、学生论文答辩通过等事情上，一点点利益就能将其收买。虽然本人不才，可也耻于与这等人为伍。

孔子说，“古之学者为己，今之学者为人”（《论语·宪问》），意思是说，古代的学者是为了自己修身养性、提升生命境界而读书，为了更好地完成自己的人格塑造而研究学问，可现在的学者呢，是为了别人而读书，为了外在的功利目的而“研究学问”。在人们愈来愈放弃了对于精神的崇尚和追求的今天，大学里更多的是两类人：一类人是“捞”，一类人是“混”。只有少数的“另类”还有点向学之心。

中国社会在漫长的贫困之后，物质的陡然繁荣使得许多人如同飞蛾扑火般地追逐财富，许多专业领域的头面人物（当然是大学教授）不仅为自己捞，也把手伸得长长的，为其徒子徒孙们捞，捞啊捞……捞不着的人，就一声叹息后，混啊混，撑不死也饿不死地活着，混到退休了此残生。

公正地说，今天的中国大学里，还是有一批真正的教授的。就我有限的交往所接触到的如语言学家王宁先生、伍铁平先生，哲学家黄克剑先生、周桂钿先生，文艺理论家孙绍振先生、钱理群先生……他们不仅学识渊博、见识过人，而且为人正直、品行高洁，富于人格魅力和个性魅力。他们是我敬重的学者（由于可以理解的原因，我不便提及我敬重的教育学者）。我的导师孙喜亭教授和成有信教授，他们仗义执言，不曲学阿世的品格给了我精神的滋养。

我忝为大学教授，常常感到愧怍。好在多少还有点自知之明，相信勤能补拙，不敢丝毫懈怠。但愿在我后半生，能够有那么一点有价值的东西留存于人类文化的积累之中。

成为知识分子

在我有限的个人经验中，一个没有经过良好的学术训练的人，往往难以摆脱狭隘和肤浅。今天在座的诸位同学，你们通过公平竞争获得了在学问上继续深造的机会，从而有可能加入到一个新的群体之中，赋予你一种新的角色意识，这个群体就是知识分子。

每个人都有选择自己生活方式的权利，这包括宗教信仰、政治倾向、处世风格。民主社会的基本原则就是尊重每一个人的自主判断、自主选择和自主承担。但教育是一项价值引导的工作，每一位老师，不管他称职还是不称职，都希望他的学生成为他所希望成为的人。我希望我的学生成为一个真正的知识分子。

知识分子是这样一类人：他除了能够用自己的专业知识服务于社会之外，他还能够对超越个人和个人所归属的小团体的私利的公共事务予以真诚地关注。知识分子既不是传统意义上的士大夫，也不是一般意义上的读书人；既不是“一言可以兴邦”的谋士，也不是百无一用的书生。他们是关照着脚下的路并时常仰望天空的人，是可以运用自己的智识和良知增进社会整体福利的人。

获得了硕士、博士学位，并不一定就是知识分子。要成为知识分子，首先得具备一个学者的素养，这包括问题意识、文献意识和方法论意识。至于对本专业领域以及相关领域的知识积累的必要性就更不用说了。中国传统读书人比较强调博学，而不大重视创新，问题意识和方法论意识明显不足，这是中国近代以来，文化落后的一个原因。

作为知识分子并不一定要具有圣贤人格，但知识分子有区别于社会其他群体的显著特征，用萨义德的话说，就是“能够面对强权说出真理”。所以，知识分子区别于非知识分子的地方就在于他的学术节操。他自觉地拒绝充当任何利益集团的“会说话”的工具，他唯一服从的只有真理和内在的良知，从而彰显其自由意志和独立人格。

这并不是说知识分子没有自己的私利，也不是要知识分子彻底放弃个人私利，而只是说知识分子要有自觉的社会担当，要自觉地去守护社会的核心价值。这就难免在我们的内心产生冲突，承受这种冲突所带来的痛苦，这也许是作为知识分子应付出的一种代价。在一次次的冲突中，我们有可能更真切地认清我们的使命与责任，不断地提升着生命的境界，并有可能最终达到至善。

追求生命的意义是知识分子的重要特征。在我看来，人的生命的价值就在于：在多大的范围内、多大的程度上给人以积极的影响。这其中有三个变量：影响人群的广度、对人影响的深度和对人影响的积极程度。一个人生命的价值就是这三者的乘积。而生命的意义是我们对于生命价值的内心体认。一个追求生命意义的人才可能是一个有生命境界的人。

茫茫人海中，按其生命境界可分为三类人：第一类是为生计而奔忙的人；第二类是摆脱了生存危机，甚至可以说生活富足，但在为种种欲望的满足而苦心钻营的人；第三类是为自我实现而不懈地努力的人。这类人当然也是衣食无忧的。硕士、博士倘能就业，生计当是不成问题。那究竟你是成为第二类人还是第三类人，就取决于你个人的自我求取了。中国传统的士大夫也是讲自我修养和崇高人格的，如孟子讲“吾善养吾浩然之气”，但他们的终极目标是“内圣外王”。所以，在我看来，中国古代的人格理想，一是要求过高，二是目标过大，动辄就是“治国平天下”。这与我们今天讲的知识分子的公共精神和自我实现是大有区别的。

在全球化的时代,在民主越来越成为势不可挡的世界潮流的今天,“全球视野,本土意识,批判精神,民间立场”日益成为知识分子的学术取向。而这对于我们来说,并不是有良好的愿望就可以确立的,它需要伴随学识的积累和生命境界的提升。

有道是:“计利当计天下利,成名应成万世名。”这话当然也有要求过高、目标过大之嫌,但作为与大家共勉,我一时想不出更好的表述,“虽不能至,心向往之”吧。再长的路,一步步也能走完;再短的路,不迈开双脚也无法到达,这是一个再朴素不过的道理了。在我们短暂的一生中,每个人都只能在种种内在与外在的局限中做一点有缺憾的事情,能够有所执著、有所追求就好。愿这三年的学习生活真正有助于大家学问和生命的成长,在成为知识分子的人生历程中迈出坚实的步伐。希望和大家共同探索,共同成长。

深深地祝福大家!

(本文是肖川教授在2007级教育原理硕士、博士研究生迎新会上的讲话)

写作的三重追求

没有自觉的追求的“写作”大概不能称之为写作，用时下流行语来说，充其量也就是“码字儿”。怎样的追求值得推崇？我以为写作中应该内涵史学、哲学和美学三重追求。

所谓“史学”追求，就是我们所写文字具有记录这个时代人们的所思所想、所作所为，成为后人知晓我们这个时代世态人情的信史。公元前1000年，犹太王国的国王所罗门写下这样的名句：“已有的事，后必再有；已行的事，后必再行；日光之下，并无新事。”从某种意义上说，这话当然不错，但倘若没有可以作为信史的文字，人们怎么知道时下发生的究竟是不是“新事”呢？

“史学”追求体现在写作者敢于直面现实，勇于捍卫言论自由。其实，敢于说真话是底线伦理的要求。一个连真话都不敢说的人，还能指望他能够助人为乐、扶贫济困、见利勇为？一个不敢说的人，他的文字只能是虚情假意、曲学阿世的，尖刻一点地说，这样的文字与垃圾无异。中国几千年的思想专制的痼疾使得“说真话”成为一种需要大声呼唤、大力提倡的宝贵品格，实在有些令人悲哀。讲真话成为一种被崇尚、被歌颂的品质，透出生活的荒诞和文化专制主义的邪恶。代表这种邪恶力量的体制仍然不断地在人们心中制造恐惧，从而使得人们彼此陌生、防范、疏离，甚至以“言”害人。我们能够容忍假话，却不能容忍“错话”，这导致了普遍的社会虚伪。鲁迅先生早在80年前在《无声的中国》一文中如此告诫国人：“青年们先可以将中国变成一个有声的大国。大胆地说话，勇敢地进行，忘掉了一切利害，推开了古人，将自己的真心的话发表出来。”因为，“只有真的声音，才能感动中国的人和世界的人；必须有了真的声音，才能和世界的人同在世界上生活”。这在今天仍然有其现实意义，就更加令人悲哀。

其次是自觉的哲学追求。哲学追求体现在对于道义与良知的守护之中，体现在“究天人之际，通古今之变”的学理探寻之中。文字之中应该饱含道义和良知，否则，所谓的“理”就只是强盗的逻辑，魔鬼的妖言。当然，“谁之正义？何种合理性？”的确是值得追问的。但是，我还是相信，我们一来到这个世界上，上帝就将道义和良知安放在每一个人心中。我相信，公道自在人心，尽管我们始终要警惕以“公道”的名义强奸民意的企图。

另外，真正能够穿云裂石、穿越历史的文字一定得富有哲理。哲学讲究推理的严谨，论证的缜密，逻辑的自恰；讲究高度的概括和穷根究底的追问。我们这个民族是一个缺乏哲学修养的民族，所以，我们的文章就特别需要强调哲学内涵和理性色彩。

第三是自觉的美学追求。好的文章从结构到遣词造句都要讲究趣味和美感。人们阅读有多重动机，其中包括怡情。这就需要文章具有理趣、情趣或者文趣。所谓“文趣”就是语言表达本身的美学趣味。把文字打理得云淡风轻，那是一种美妙的境界。古人说得好：“义虽深，理虽当，词不工者不成文，亦不能传神也”，因此要努力做到平字见秀，常字见奇，陈字见新，朴字见色；做到“语不惊人死不休”（唐·杜甫《江上值水如海势聊短述》）。近读刘良华教授为名师闫学的新作《教育阅读的爱与怕》一书所作的序——《像闫学一样“过阅读的生活”》甚是喜欢。《序》篇幅不长，可谓要言不烦，文字纯净，意趣盎然。读到好的文章就如同见到“巧笑倩兮，美目盼兮”的女子，内心充满甜蜜的期盼，期待再一次的相见。

古人的惜墨如金是一个好传统，特别在今天信息爆炸，出版便利的情势下，写作就更应该如鲁迅先生所倡导的“选材要严，开掘要深”。现在市场上充斥着一些浅薄的无病呻吟、杯水波澜、婆婆妈妈、空洞无物的自恋型文字的出版物，这对于文化的普及、文明的提升是有负面影响的。

对于一个作者要求其每篇文章都是能够令读者击掌叹赏、拍案叫绝的上乘之作未免苛求，但对于作者自己而言，多少应该有古人那种“一诗千改始心安”，“头未梳成不许看”（清·袁枚《遣兴》），“吟安一个字，捻断数茎须”（唐·卢廷让《苦吟》），“为求一字稳，耐得半宵寒”（清·顾文炜《苦吟》）的严谨、虔敬的追求，以求达到"两句三年得，一吟双泪流”（唐·贾岛《题诗后》）的效果。要在一本书或一篇文章中，有令读者想去摘抄、想一读再读的表达，这就需要不断推敲和锤炼，而这个过程同时就是严谨、细密思考的过程。没有这等工夫，仓促为文，要能够成为传世之作是不大可能的。

写文章有时的确会有灵感勃发、笔走龙蛇的时候，但这要建立在厚积薄发的基础之上，建立在对一个问题深思熟虑、烂熟于心的基础之上。这也就是所谓的“打腹稿”，只有经历“十月怀胎”的艰辛，才会有“一朝分娩”的欣喜。

我一向提倡无论是正式场合讲话，还是写作，都要尽可能做到“有话则短，无话则免”，以便让我们的心灵尽可能少地被无价值的信息侵蚀，让我们有更多眷注内心的时间和恬淡的心境。这种心境非常宝贵，因为写作的灵感、表达的冲动、生命的奇迹永远不会在心灵麻木与情感冷漠中产生。

垄断是万恶之源

垄断可以发生在社会生活的方方面面。独霸市场是一种垄断;思想专制是一种垄断;对公众知情权的剥夺也是一种垄断。

据统计,目前我国的电力、电信、石油、金融、保险、水电气供应、烟草等行业共有职工833万人,不到全国职工人数的8/100,但工资和工资外收入总额估算却相当于全国职工工资总额的55/100。不同的研究机构用不同的方式所进行的调查都表明,目前有些行业管理层与普通职工的收入差距达15倍,高的甚至达到了30多倍(《平均工资增长不等于社会总福利增加》,《中国青年报》2007年7月3日)。

垄断行业收入过高,不符合按劳取酬的分配原则。按照该原则,一个人能力越强、贡献越大,收入就越高。但垄断收入发出的信号却是:谁拥有垄断权、掌握垄断资源,谁的工资福利就高,待遇就好。垄断企业的薪酬可以不受企业盈亏约束,"效益好时就涨工资,形势不好时就涨价"。企业利润增长,他们的人工成本快速上涨;一旦经营成本稍有提升,他们就凭借强势地位把成本转嫁到公众身上。

谁是垄断的受益者?当然是垄断者,极少数的人。行业垄断的背后是权力垄断。由垄断结成利益共同体,有一张巨大无形的保护伞。

长期从事公共事务研究、并且一直关注出租车行业的经济学家郭玉闪反对出租车涨价。北京市运输管理局的一份内部资料显示，银建出租汽车公司高层管理者的月均收入高达21544元，似乎可作为郭玉闪这番话的注脚（《中国民航报》，2006年5月10日，第五版《焦点关注》）。出租车在我国许多大城市是标准的行政垄断行业，在出租车司机上面有一个个行政垄断庇护下的寄生食利公司。为什么出租车制度不与国际"国际""接轨"，油价却要与"国际""接轨"？一些权力部门为了自身的部门利益，当然也就是为了少数人的私利，擅自出台一些政策法规，还打出"国际惯例"的幌子。

垄断是万恶之源，这在任何领域恐怕都是如此。湖南省郴州市原副市长雷渊利涉嫌经济犯罪2006年被送上法庭。他在一封忏悔信中说："人家背后议论我是'玩权、玩钱、玩女人'的'三玩'干部，我认为名副其实。"就是这样一个劣迹斑斑的腐败分子，却在领导岗位上步步提拔，最终酿成重大经济损失和恶劣社会影响。重领导"看法"，轻民意评价，也导致雷渊利的"带病"提拔。这是权力垄断的后果。

把手中权力视作私人法宝，对管理和服务对象颐指气使、滥施淫威的行径，在社会上普遍存在。只因不满酒店董事长没有亲自送开张宴的请柬，湖南浏阳市电力局党委书记周××、副局长李××指挥属下对当天开张的这家酒店及所在小区恶意停电，造成恶劣的社会影响（2006年8月4日新华网）。

据媒体披露，由于酒店董事长事先没有亲自将开张宴的请柬送到电力局，酒店开张当日，就有"今天要停电"的消息传到酒店。当晚，在另一家酒店喝酒的周××、李××命令该酒店十分钟内派人过来陪酒。酒店只得立马派出销售部女经理和一名女员工前往。酒桌之上，浏阳市电力局的人对酒店派过去的女经理和女员工说：停电就要停你们一通宵，你们给我喝酒，喝一瓶白酒少停你们一小时电！

不仅如此，一桌人在喝光7瓶白酒后，还对从酒店过去的女员工搂搂抱抱。遭到对方拒绝后，周、李立即指使手下对酒店拉闸停电。此次停电，不仅造成开张酒店的混乱，还殃及这一小区广大居民。因新开张的“准五星”酒店“不懂礼数”，让我们有幸见识了个别地方“电老虎”的难伺候。或许，喝白酒、抱美女的供电条件，只是一种在特定场合、特定环境下上演的极端个例，但这足以说明，一些手握权力的个人和单位仗势欺人、以权压民已经到了令人发指的程度，在他们的脑海里，根本没有执政为民的概念，治下百姓反而成了他们鱼肉的对象。一旦碰上不甚识相的被管理者，他们便会不择手段地侵害百姓的利益。

还比如，在不少地方上演的“政府请客、百姓埋单、明星发财、官员沾腥”闹剧，同样是由于权力垄断。

垄断体制的最大弊端，在于其不公平的竞争，阻止了其他单位进入这些行业的机会，打破了自由、公平的经济秩序。垄断滋生暴利，垄断诱发腐败，垄断还会侵占百姓利益。房价为何如此之高？我推测这背后定有官商勾结的黑幕。

垄断与特权是罪恶的孪生兄弟。特权现象的司空见惯，不但使得一些“特殊人物”心安理得地享受着各种特殊待遇，也使得一些“非特权人物”原本对于特权现象的愤怒逐渐转变为对于特权的羡慕与追逐。垄断与特权毒化着人们的心灵，败坏着社会风气。

《学习时报》署名文章这样指出：现实中的行政性垄断经过多年整治，非但未能得到有效遏制，反而有变本加厉、日益严重的趋势。《反垄断法》在最近一次草案修改中，“禁止滥用行政权力限制竞争”一章被整体删除。该文担心，反行政垄断在立法中的“缺席”有可能传递出错误信息。

中国迄今为止仍然是一个以权力为中心的关系社会，而不是以知识和能力为中心的自由竞争的社会。越是文化教育落后、经济欠发达地区，资源的权力垄断性越强，特权现象也越是普遍。可见，垄断与特权也是愚昧和落后的代名词。

在今天,由于民意还无法充分地表达,更无法产生制衡力量,民意的力量并不强势。但公众不能保持缄默,尤其是面对霸王条款的欺凌时,逆来顺受只会助长垄断行业的嚣张气焰。许多霸王条款面世之初,往往有一个“投石问路”、试探民意的过程,如果公众反应平淡麻木,它们就可能变本加厉。

我们要感谢那些对“电老虎们”不买账的人。倘若所有酒店开张时,董事长都亲自敬送请柬,或者酒店女员工在遇到非分要求时都主动投怀送抱,真不知道这些平时道貌岸然的败类,何时才能在公众面前揭去其虚伪的画皮。一些地方基层官员存在着种种令人担心的现象:耍官威,目下无人,以老子天下第一自居;高高在上,听不到群众呼声;主观武断,长官意志;决策全凭自己一个脑一张口等。民主意识的缺失,正孕育着可怕的问题。而今,一些地方群体事件不断,不正是从一个侧面折射少数官员民主政治理念的淡薄吗?

为了使垄断与特权这些丑恶现象尽快从我们的社会中消失,当我们面对霸王条款、不法行经等丑恶现象时,不宜心存幻想,坚持主张自己的权利;在丑陋现象没有消弭之前,要再接再厉,继续斗争。沉默没有杀伤力,垄断行业是不会自动放弃自己的私利的。无竞争则惰性生,无竞争就不会有改善资源配置的动力和压力。“欲流之远者必浚其源。”这个“源”就是打破垄断,治本之策就是引入充分竞争。

知情权：民主参与的起点

知情权是指公民接受、寻求和获取官方所掌握的情报信息的自由和权利。“从理论上讲，公民有权获知跟自己有关的，不涉及国家机密、商业秘密和他人隐私的一切信息，政府有义务向公民通报与其人身、财产安全等相关的信息。”知情权是公民的一项不言自明的权利，政府是否采取有效措施保障公民的知情权已被视为评价一个国家民主化程度的重要标准之一。

我国《宪法》第2条明确规定：“中华人民共和国的一切权力属于人民”，“人民依照法律规定，通过各种途径和形式管理国家事务”。因此信息公开是政府应承担的法定责任与义务，它是一种承认公民对国家拥有的信息有公开请求权，国家对这种信息公开的请求有回答义务的制度。广义上的信息公开，包含了国家行政机关向公民能动地提供信息和接受公民请求被动地提供信息两方面。“没有它，社会成员就不能签订并执行协议，就不能从事制度化的合作，而这种合作正是社会生活的要素之一。”（米尔恩《人的权利与人的多样性》，中国大百科全书出版社，1996年，第8页）公民是否占有以及占有信息的多少直接影响其参与管理国家和实现自身利益的程度。保障知情权与参与权的获得将让人们产生主人翁意识，而公民精神、公民意识的提升，必然会提高国家的软实力，让社会变得更加和谐，更有活力。

我们社会中充斥着各种传言、谣言，一些道听途说，小道消息，这都与公众知情权不被尊重很有关系。其结果是有价值的思想资源的严重匮乏，在关注任何一个问题首先要做的事情就是甄别信息的真实性，无形中加大了社会生活的成本，导致包括智力资源在内的各种社会资源的无端消耗。

阳光是最好的消毒剂。腐败的结构性根源是什么？经济学家胡鞍钢指出这集中体现为两个不对称性：一是权力不对称性，指的是公共权力和制约、监督公共权力的力量的不对称性；二是信息不对称性，指的是由于腐败隐秘、敏感特性而造成的腐败者和反腐败机构所掌握的信息的不对称性。权力不对称、信息不对称最大化的结果必然是导致腐败。

中国的文艺复兴正逢其时，而其中最重要的一点就是要消除对权威的偶像崇拜，致力于建设一个冷静从容的意见广场，让人们"各是其是，各非其非，各美其美"。在这样一个非垄断的、竞争性的舆论空间中，充沛的信息量会让人们形成恰当的思想力和行动力。当面对任何无关人类生死存亡的事件时，人们拂袖而去还是击掌迎合纯粹是个人自由而非强迫的选择。推行愚民政策是专制统治者的惯用手段，对民众实行瞒与骗，实在瞒不过也骗不过就摆出一副流氓无赖的嘴脸。在任何时候，不尊重公民知情权，既表现出当政者的不自信，也表现出当政者对民众的理智判断力的不信任。

今年(2007)是南京大屠杀惨案发生70周年。在南京，30万手无寸铁的中国军民惨遭杀害，其惨烈世所罕见。牢记历史、珍惜和平的话说了许多，这些话也都在理，但我想说的是：为什么近代中国我们总难摆脱挨打(外族入侵)、挨饿(贫穷落后)的命运？归根到底就是专制统治对国人的奴役——尊严的践踏、理智的禁锢所导致的积贫积弱。专制统治的手段就是一个"欺"字：欺侮和欺骗。用强权和恐吓对人民进行压榨和蹂躏，剥夺人民的知情权，剥夺人民自由表达自己愿望的意识和能力，"防民之口甚于防川”，推行愚民政策。要彻底摆脱挨打、挨饿的悲惨境遇，首先要彻底杜绝挨欺。尊重并切实保障公民的知情权，这也是公民民主参与的起点。

回到常识

19世纪英国学者、诗人马修·阿诺德(1822—1888):"一代人自由思考的成果是下一代人的常识。"常识不仅是被社会历史实践一再证明了的真理性认识,而且是广为人知的。为了让我们的社会变得更好,在很多问题上,并不需要什么系统深入的调查研究,只需要以谦卑、正直的心灵回到常识,尊重常识。

有名不见得就有实,这是一个常识。随着对外开放的不断加深,我国到国外留学镀金的人也逐年增加,其中不乏在国内"混不下去"的人到国外随便找所学校混个文凭,再回来拾饭碗。炮制一张和当年方鸿渐一样的"克莱登大学"的假文凭,一个不学无术之人转眼就变成全身镀了洋金的"栋梁之才"。而一些人盲目媚外,缺乏应有的鉴赏力,对这等人奉若神明。

在20世纪80年代,每一项改革都伴随着姓"资"还是姓"社"的争论,这令我们今天看来十分荒唐可笑。可见,过去一些东西对人们头脑的禁锢是何等厉害。令人感到悲哀的是,这种在我们的后人看来十分荒唐的禁锢仍令今天的许多人无法摆脱。制度是由人来设计的,是为了服务于人更好的生活,人不是为了体现某种制度而存在,人不是制度的道具。这也是一个常识。

先哲早就告诫世人:"绝对的权力导致绝对的腐败!"那种"一手掌握权力、一手操持资本"的权力结构和社会控制垂直的结构,使得一些人享尽监守自盗"之便",劫持民财一如顺手牵羊。等级与特权、腐败与罪恶、垄断与权力寻租等丑恶现象的产生就是必然的事情。中国正处在一个社会转型期，一个市民社会正在形成之中。市民社会是一个真正优胜劣汰的社会，一个社会资源合理配置的社会，一个不存在人身依附因而能够彰显“自由之意志，独立之人格”的社会，一个每一个人的各种智慧潜力都能得到充分发挥的社会。

惟有民主能够使一个国家走向繁荣与富强，纵观全球，发达国家无一不是民主国家。这对于具有现代文明修养的人来说是一个常识。加速政府转型，建设监管型政府、公共服务型政府、能够使社会有效监督的政府、有限的政府、负责任的政府、与民为善的政府，不仅是解决腐败问题的根本措施，也是建设现代国家的需要。可只要还存在“打天下，坐江山”的意识，就不可能把我们的国家建设成现代国家。因为，“打天下，坐江山”的观念背后仍然是“成王败寇”的逻辑，而不会有尊重民意、商谈伦理的诉求和实践。

“真理越辩越明”，这也是一个常识。但在我们的社会中许多问题不许讨论、不能讨论。而因为一些问题不能系统、深入地讨论，与此有直接或间接相关的问题就说不清楚，认识就不能被推进。我们不可能建设一个对所有人都那么公平合理的制度，但是我们完全可以建设一个所有人都能够批评其不完善的制度。如果一个制度本来就是不公正的，而感觉它不公正的人连批评它的权利都没有，这样的制度就是邪恶的制度。那些被剥夺了批评权利的人就会感到绝望，进而有可能成为这个社会的破坏性力量。

小班化才更有利于因材施教，而班额过大的危害很多。这至少也是教育界的一个常识。这首先因为教师在课堂上给予学生的关注是一个常量，如果学生过多，平均到每个学生身上的就会很少，而且，一些学生就会遭到忽视，以及学生实质性参与教学过程的机会也会被剥夺。其次，班级规模太大，教师的注意力就会更多地放在对班级的控制上。教育家鲍伊尔说：“当每班学生数超过了

30个人的时候，教师就从对个体的关注转为对班级的控制。”再次，班级规模太大会使得学生遭受过大的群体压力，从而使学生的主体性（主动性和独立性、超越性）受到压抑。“当班级的人数达到25至30人时，最好的情况也只不过是每个学生受到间歇性的和简单的关注。‘班级或学校越大，教师就会面临越糟糕的问题’。”（Skinner，1989）（〔美〕Margaret E. Gredler著，张奇等译《学习与教学》（第五版），中国轻工业出版社，2007年，第116页）

还有，班级规模太大会加剧教室中二氧化碳含量超标现象，不利于为学生创造一个空气清洁的学习环境。北京海淀区中关村中学的师生经过专门实验测量得出的数据能够很好地说明这点。他们将有46人的教室封闭40分钟后，测量出每升空气中二氧化碳的含量为0.0033g，封闭90分钟后每升空气中二氧化碳的含量增长了一倍以上，上升到了0.007g；将封闭了40分钟的教室开窗20分钟后，每升空气中的二氧化碳含量就会将到0.0024g，而将封闭90分钟的教室开窗20分钟，每升空气中的二氧化碳含量仍达0.0033g。他们还对20人的教室进行封闭实验，测量出教室中每升空气中二氧化碳的含量略有下降，为0.0027g。通过这组数据可以看出，房间封闭时间越长，二氧化碳的含量就越高，单位面积内人数越多，二氧化碳的含量也越多。高浓度的二氧化碳会使人头昏脑涨，疲乏无力，这对正在生长发育阶段的学生身体健康不利。为此，李慈君等有识之士提出建议：学校延长课间休息时间，为每间教室安装通风设备；教室多种一些绿色植物，通过光合作用来减少空气中二氧化碳含量。他们还建议减少每个班级的人数，以30人为佳。可有没有人对此建议予以重视并进而采纳，考验着一些人的良知。

违背常识终将受到惩罚，这在所有领域都是一条铁律，教育者尤其应该正视。儿童的内心是纯真的，我们今天以教育者的身份向他们兜售什么“假大空”的东西，他们都会信以为真。可当他们成熟了，有自己深刻的判断力了，他们就会有被愚弄的感觉。这种感觉非常糟糕，它很有可能使得年轻一代变得价值虚无，甚至玩世不恭。

独立、自由与责任

独立，意味着摆脱了依附状况，可以自主、自治、自立；可以自由地作出选择。与独立相对的是依附、盲目从众、随波逐流，独立是对自我的完整接纳，是自我同一性的表征。只有具有统一的生活哲学的人，才可能是真正独立的人。

“自由”的三个基本要素是：(1)自主，个人不是他人意志的工具和对象。(2)私人领域的权利和尊严。(3)自我发展，即个人潜能的最佳状态，个体独特品质淋漓尽致的发挥。自由是对人的自主判断、自主选择和自主承担能力的信任与尊重。自由是独立完整的自我形成的一个条件。只有在自由的环境中，人的独立性才能得到真正的彰显。对自由的渴望，即是对被禁锢、被钳制、被支配和控制的反动，即对独特生命的自我本真表达的渴望。对于我们的生命来说，自由是意义的唯一捐赠人，它是价值的唯一源泉。

英国学者阿尔顿认为：“自由是人类文明的最高价值。”([英]阿尔顿《自由的历史》，贵州人民出版社，2001年)罗斯福总统在1942年3月14日的演说中，再一次强调了维护人类四大自由——“言论自由、宗教自由、免于匮乏的自由、免于恐惧的自由”的必要，他说：“信仰人类共有之四大自由，乃吾人与敌人之主要分野。”又说：“人类共有之四大自由，乃人类所需要之要素，正如空气、日光、面包与食盐之不可须臾或离，剥夺人类所有此等自由，则彼等必将无法生存，剥夺其一部分自由，则其另一部分必将枯萎。”

63年后美国总统乔治·布什在2005年的就职演讲中27次使用了“自由”一词，并不断引用《圣经》。他说：“那些生活在暴政和绝望中的人，美国不会忽视你们遭受的压迫或者宽恕那些压迫者，当你争取自由时，美国与你同在。”“自由是火，将温暖那些感到它力量的人”，“不可抑制的自由之火将传遍世界的每个角落”。

从一个角度说，一个人除非是独立的人，否则不可能是自由的。而从另一个角度看，一个人最终的独立，包括人格的坚挺，一个重要的条件是充分的自由。自由使自主的选择成为可能，自由使我们能够服从于内心的召唤而不是屈从于外部的压力。

内心的召唤中一定包括作为一个社会历史进程中的人的责任。伦理学中有一个重要的命题：只有当一个人拥有自由时，我们才能追究他行为的责任。一个人的行为能力一定包括他自主判断和自主选择的能力。

多样性、自由、独立、个性、责任，这五者之间构成一个互为因果的网络系统。没有多样性，自由就无从体现；没有自由，个人就不能独立，也无法承担责任；没有个人的独立，个性就无法形成；没有个性的发展，就没有多样性。一个良好的社会就是一个尊重多样性、开放的、多元的、自由的社会。

教育就是帮助儿童获得独立和自由的能力，学会独立思考，独立地作出判断，独立面对世界。让儿童参与分享并进而掌握人类千百年来所创造的精神财富是必要的，但它的目的仍然为了他成为独立、自由与具有责任意识和责任能力的个体。在一个人的成长历程中，要让他学会自由、独立地飞翔，就需要赋予他两翼：自由与规则。约翰·密尔在《论自由》中说：“天才永远是一个社会的少数，但天才需要自由的土壤。”因为规则，自由区别于放任；因为责任，规则区别于支配和控制。这也是对基于人的生命特征理解基础上的生命教育的诠释。

马加爵，我可怜的兄弟

你离开这个世界几年了，我才看到你的绝笔，才从你滴着血与泪的文字中了解了你，走近了你。尽管你的脸上还有血污，可你不是恶魔，不是冷面杀手。我不同意你解决问题的方式，但我从内心深处同情并原谅你，我把你视为我的兄弟，我用我的方式祭奠你。

你，我可怜的兄弟，一个在缺乏温暖的环境中深感屈辱的人，一个因为贫困而备受歧视的人，因为屈辱，因为歧视，因为冷漠，扭曲你的内心。你内心郁积的愤懑终于在那个不幸的夜晚毁灭了他人也毁灭了你自己。我不知道这究竟是谁的错?!但我知道贫穷不是你的错，你一直在努力地抗争，你吃了许多你的同龄人不曾吃过的苦。

我们要惩罚罪恶，却需要同情罪人。你杀害了四名同学，你必须为此付出生命的代价，这是法律的尊严所要求的。可是谁扼杀了你对美好生活的向往？我不停地问，不停地想。

你家依靠给人熨衣服过活，熨一件衣服仅仅五毛钱。那次你的母亲丢了100元(熨200件衣服的钱)，为了不让母亲伤心，你故意把自己挣来的100元丢在过道里让母亲捡到！从你的身上应验了“家贫出孝子”这句老话。读着你从前的家书，我更感动于你的孝心：“爸妈，在校门前的天桥上，偷偷落泪望着你们离去……亲情总是很感人，让人心酸。你们千万要保重啊！我什么时候才能报答你们？”不知道你穷苦的父母生活今天是否有所改观？

你在监狱中穿上了你这一生中穿过的最好的衣服——囚服。“这是我穿过的最好的衣服。”你注意到了吗，你说的这句话让在场看押你的警察都落了泪；你知道吗，有四位律师主动地免费为你做无罪辩护，被你杀害的同样出身贫寒的同学家属放弃了赔偿的要求……我从他们的身上看到了人性的光辉。你应该向四位被你杀害的同学及他们的亲人郑重地道歉和深深地忏悔，他们同样是不幸的。

不知道那个将你的情书当着许多人的面撕个粉碎的女孩是否得到了真爱？不知道听闻你被执行死刑的消息后异常高兴相约晚上喝酒不醉不归的人们是否有过深度的反省？（注：新华网云南频道2004年6月18日电［记者××、××］云南高校师生6月17日听闻马加爵被执行死刑的消息后，大多异常高兴，有的鼓掌，有的唱歌，还有人相约晚上喝酒不醉不归。大家认为，终于还受难者一个公道了，终于可以从马加爵案件阴影中摆脱出来了。）

我可怜的兄弟，你的不幸同样是我们的不幸，是我们这个缺乏博爱、平等精神的人群的不幸。千百年来，在这块土地上，从来就是权势者的天堂，穷苦人的地狱。我们的社会中有相当多的人，只要自己过得好就不管别人的死活，但愿你的死能够给他们一些警醒。如果我们不能消除贫穷以及由于贫穷而带来的对生命的轻贱，我不知道那愤怒的铁锤下一次会落到谁的头上！有谁知道究竟有多少人高举着愤怒的铁锤只是还没有落下？建立在他人不幸基础上的幸福犹如在火药库上烤火，终究会引火烧身。不懂得爱别人的人是不幸的，缺乏对苦难的同情的人是不幸的，因为他们的心中没有光。

是你的遭遇促使我努力地让生命教育的旗帜在更多学校的上空高高飘扬，是你的遭遇让我一遍遍地呼唤生命的情怀回归人们的心灵世界——为了我们这个世界不再有歧视，不再有冷漠，不再有权势者的专横和跋扈，不再有残酷的压榨与血腥的杀戮，为了我们每个人都学会善待他人,每个人都能够用爱心来对待我们身边所有的人。

代表发言的“三步曲”

从县、市、省、全国，每年开“两会”所耗费的财力不知是否有人作过统计，我估计是一个不小的数字。可这“两会”的社会价值究竟有多大?这就很难说了。尽管每年有一些新的提案，不仅问题依旧是问题，而且许多深层的问题根本就无人触及。

代表们的发言大多是这样的“三步曲”：首先，肯定所取得的成绩；其次，成绩的具体表现，列举一些事实证据；第三，避重就轻、避实就虚、十分含蓄委婉地谈一点存在的不足和问题及问题解决的对策或建议。

形成代表们的发言这“三步曲”套路的原因是多方面的。首先，有思想又敢于仗义执言的人，就不太可能当上“两会”代表，虽然少数或者个别的代表属于有思想又敢于仗义执言的人；其次，作为代表的发言总有录音或文字记录，你的问题如果说得太多、太严重，有的领导听见了就会不高兴，你的“乌纱帽”也就岌岌可危了；第三，在我们今天的社会中，人们对于因言获罪仍心有余悸，“慎言”、说些无关痛痒的话仍是许多人的处世哲学和为官之道。

还有一个原因是“代表”们大多是社会的精英分子，当然也是社会的既得利益者。因为利益的蒙蔽，他们中的某些人也确有可能看不到更多的问题。社会中的弱势群体、边缘人物、“另类”与“异端”是不太可能被选为代表的。相信随着政治文明程度的不断提高，会有越来越多的有思想、有说真话的勇气的人能当上两会代表。

我觉得与其花费大量的财力、物力、人力开两会,不如广开言路,真正兑现《宪法》所赋予公民的各种权利,切实保障公民的言论自由,让人们对于公共领域的所有事情都能够畅所欲言,这样更有利于建设和谐社会,更有利于集中全民族的智慧,致力于国家的强大和人民的幸福。

(补记:本文是好几年前写的,一直没有公开发表。今天中国政治民主化的进程有了很多的进步,"两会"的会风也有了很大的改观。本书将其收录,作为社会进步的见证。)

祖国在哪里

祖国，是一个无比神圣的字眼。有道是，人生有两个东西不能背叛，一个是祖国，一个是家庭。但祖国不单纯是我们的祖祖辈辈生活的地方，也不单纯是生我养我的地方，祖国，最重要的含意是给予自由与安全的地方。也许正是在这一意义上富兰克林才说："哪里有自由，哪里便是我的祖国。"因此，祖国，不只是疆域，不只是版图。祖国，对于每一个国民来说是一种情怀，一种心灵的归依，对于国家来说，是一种道义和责任。一个人可能有多重国籍，却可能不曾有过祖国。

祖国应该是每一个国人慈爱的母亲，是我们每一个人最后的依靠和保护神，她不会歧视和冷落任何一个儿女，她用自己的乳汁哺育我们成长。在地缘政治还存在的今天，这也是我们之所以需要爱国主义的最有说服力的理由。热爱祖国，这是普世伦理。古往今来，任何一个国家都强调爱国主义，只是程度和出发点有所不同。尽管有人声称自己是世界公民，但其底线是不能出卖和背叛自己的祖国，否则这样的"世界公民"将四处碰壁，成为"丧家狗"，有时还可能成为"看家狗"、"宠物狗"。

祖国，你在哪里？我在心中无数次地问过而又回答过这个问题。当我听《歌唱祖国》、《祝福祖国》、《祖国让我亲亲你》、《美丽的祖国》等无比优美而深情的歌时，祖国就在美好的歌声中，在歌唱者的情怀里。当我走遍中国，饱览祖国的大好河山，我感到祖国在每一寸土地上，在我的每一个脚印中。对我个人来说，祖国在我为她的文明与进步作出的点点滴滴的努力之中。对所有的守法的公民来说,祖国在"免于恐惧与免于匮乏"的生活之中。

可当我看到精神病人流落荒郊野外,被人驱赶,被人欺凌的时候,我的心中也在问:祖国,你在哪里?当我看到许多的农民兄弟受到歧视、怯生生的表情和在城市里飘泊的艰辛时,我在心中问:祖国,你在哪里?当贫困家庭的孩子因交不起学费而受不到最基本的教育时,我在心中问:祖国,你在哪里?当我看到司法不公,一些身份卑微的人求告无门的时候,我在心中问:祖国,你在哪里?!

我相信,在每一个中华儿女的心中,都有一个深深的情结,那就是爱我中华。但我这里要强调的是,我们的政府官员,应该做爱国的典范,因为他们掌握着国家的资源,掌握着国家的命脉。他们是公众人物,有着巨大的影响力。你看,多少官员跑遍了世界?多少官员将子女送到国外?多少贪官携巨款外逃?多少官员与外商勾结出卖国家利益只为了一点回扣或回报?多少官员将钱存入国外的银行?究竟有多少,没有人告诉你,但直觉告诉我,因此而导致的国家财富的外流是巨大而惊人的。我敢断言,如果我们绝大多数的官员都自觉地爱国,那本身就是一种无声的宣传教育。在普通民众看来,这个国家值得去爱,比无论多少的说教和宣传都管用。这是一个极简单的道理,可有人就是"不懂",不知用心何在?我们一直强调爱国主义教育,这并不是问题,问题是爱国主义教育的有效性需要怎样的条件。只有这个国家是真正地爱她的人民的,善待她的国民,国民享有"思想自由、信仰自由、免于恐惧的自由与免于匮乏的自由"时,这个国家才真正值得她的人民去爱,她的人民也才会发自内心地去爱她。

当然,我反对以国家、民族的名义要求年轻人作出承担,作出牺牲。《围城》里一位国民党的政府官员以"党国"的名义要方鸿渐服从命令,方鸿渐意味深长地回答道,"那是你的党国,不是我的党国”。只有一个国家真正是主权在民，这个国家才不会成为个人异己的力量，国民也才会从内心深处认同为祖国。因而，我们需要切实推进中国政治民主化的进程。为此，年轻人要有“大我”意识，这是健全的自我的脊柱，一个大写的人的生命气焰。倘若没有这点气焰，安于个人得失，沉溺于小我情调，生命就显得暗淡、苍白、轻薄。从生命需要本身去启迪心智、点醒觉悟，教育作为价值引导才能产生可靠而长久的实效。

怎样使我们的国家成为一个现代国家，怎样使所有的中国人都为自己是一个中国人而由衷地感到自豪与骄傲，怎样使她赢得每一个中国人发自内心的热爱并由衷地认同——这就是我的祖国，这样一个沉甸甸的问题，确实需要我们民族去朗声作答。

自重者人恒敬之

2008年奥运会能够在中国举办,这对于中国的改革和开放也是一个难得的历史机遇,作为中华儿女为之感到自豪和骄傲自在情理之中。细心谋划,精心准备也都无可厚非。但凡事都有一个合理的度,伟人与小丑之间往往只有一步之遥。

奥运会本来不过是一场全球体育赛事,可国内一些人太把它当回事了,对它寄予了过多、过高的期望。就因为有外国人要来,过分的热情,过分的周到,显得有些曲意逢迎。结果,适得其反。西方一些人给中国扣上利用奥运"煽动民族主义"的帽子,像斯皮尔伯格这样的人表现出的傲慢与偏见,更是给主办者一记耳光。尽管问题主要在他们一边,尽管我们可以对斯皮尔伯格们说"给你脸不要脸",但我们的确需要认真地想一想,好好地调整一下自己的心态。一个国家,如果不是高度尊重自己的国民,而对外国人过于热情以至于让人觉出几分媚态,不仅不能得到别人应有的尊敬,反倒会让别人轻视,甚至怀疑你别有用心。

自重者人恒敬之。不能以一颗平常心对待外国人(这"外国人"其实主要是西方人),把他们当成"洋大人",为他们的马首是瞻,对他们另眼相看、曲意逢迎,一些人甚至以能说几句外文(过多的是英语)作为自我炫耀的资本,是典型的弱国心态。我们可以心平气和地承认我们国家的落后,我们可以只争朝夕地向别人学习,我们可以穷则思变、自强不息。但任何时候我们都不能以牺牲自我的尊严迎合、取悦任何人,哪怕他的确比我们先进和文明。

前不久，我去日本旅游，导游告诉我，日本人总是将最好的东西留给自己的国民享用。导游小姐反复说，这体现出日本人的自私。但我不这样看，我倒觉得日本政府是真正的亲民政府。你想，社会上层享用最好的东西在哪一个国家都不成问题，问题是普通民众能否享用到最好的东西。将最好的东西留下来供自己的国民享用，普通民众就有可能享用到和社会上层享用的同样好的物品，这对于民族凝聚力、民族精神的培育是多么重要！相反，有的国家，将好的东西出口，普通国民享用的大多是劣质产品。将最好的东西出口换取的外汇用来进口高档商品，当然也只有社会上层可以享用得起。换取的外汇还可以供社会上层出国学习考察、观光旅游，总之，一切都是有利于社会上层。这样的行动逻辑与现实体现的是对普通民众的漠视甚至蔑视。

据刘绍楹先生在《从卸任外国政要"走穴"说到寺庙"CEO"》一文中披露：大名鼎鼎的英国前首相布莱尔，这位卸任的世界政坛名人2007年11月6日"走穴"来到我国南方一座城市，应某企业之邀出席商业活动，美滋滋地把50万美元出场费装入自家腰包，而他所作的仅仅是两个多小时的作秀和讲演。无独有偶，英国另一位前首相梅杰、美国前总统克林顿也曾到我国"走穴"过，从我国一些机构、企业拿走不少银两。据说，克林顿2002年到2005年四次中国之行，总共将近百万美元收入囊中（资料来源：《前线》，2008年第2期）。以致英国的媒体都感到奇怪：中国作为一个发展中国家为何如此慷慨大方？这是不是也因为某些人的那种盲目媚外、自轻自贱的思想在作祟呢？想想看，50万美元是多少农民兄弟一年的收入？我不知道那些不肖子孙，那些败家子是不是受到了应有的惩处？此等败类是不是还安稳地坐在炙手可热的位子上？

在全球化的今天，我们无疑需要坚持对外开放，需要更多地吸取其他民族，特别是世界先进民族的政治智慧、知识创新和技术创新。但在国际交往中，我们始终应该不卑不亢，自觉维护国家主权和民族尊严。并且,需要对于所有的中国人以同样的尊重、关爱和呵护。只有这样,我们才能真正赢得世界其他民族的尊重。任何以牺牲中国人自己的尊严、利益和便利,试图去取悦外国人的思想和做法,不仅是可耻的,也将是徒劳的。任何奴颜媚外、仰人鼻息的做派都是自毁长城,都只会招致别人的轻蔑和不屑。我愿三复斯言!

在星辉里放歌

走在教育寻思之路上

在我的书桌案几摆放着很多教育类著作，有的深邃幽长，散发着理论的芬芳；有的鲜活灵动，飘溢着实践的余味。这些渗透着作者心血的文字，每每都让我灵感乍现，智慧泉涌，感同身受，无法忘怀。这本小书也不例外。初读之，宛若走入了一个精彩无限的世间万花筒，历史的引证，生活的趣谈，科技的妙用……多样化的视角却无一例外地指向了作者对教育问题的创造性解答，读完只觉春风扑面、耳目一新，欲罢不能；再细细品味，却仿似看到了一个“耳顺之人”在几十年为人、为师、为学的旅途上坚实而又执著的足迹，字里行间洋溢着的已不再是“年少不知为师难”的一腔热情，而是在体验了为师难、为学难之后依然尽毕生之力于教育事业的不倒的精神。我欣慰地看到有这样用生活阅历话教育，用毕生心血追求品质人生的行路人，我也庆幸能通过文本结识这样一位“大器晚成”的温暖的教育者，江苏如东的陈震先生。

何谓教育？教育是唱给年轻人的歌，是沟通历史与未来的桥，是为成长吟诵的诗，是精神的唤醒、潜能的显发，是智慧的播撒、幸福的营造，是灵魂的引领、心灵的感召……不同的作者会用不同的表达隐喻教育，但陈震先生的视角依然让人称绝。无论是从“格律诗”与“自由诗”的角度反观教育中的“规训”与“自由”，还是用“单数”与“复数”的概念表达教育的整体与个体观；无论是创造性地首次提出教育中的“五行”，还是用“三菜一母”之喻考量教育，我们无法不惊讶于作者对生活点点滴滴地采撷，对教育游刃有余的理解。相信在作者形形色色的贴切比喻中,我们能更进一步地揭开“教育之谜”的面纱。

何谓教师?作者倡导教师应成为一个温暖的教育者,一个智慧的研究者。我很欣赏这种提法,温暖与智慧,共同融合成教师这个美丽的职业。教师,如同一抹冬日里的阳光,为一个个年轻的生命送去温暖;教师,又如一本飘散着智慧的书,承担着“传道、授业、解惑”的永恒使命。作为一名练就了中小学“十八般武艺”的老教师,作者跳出了狭隘的学科领域,为我们全方位、多角度地勾勒了教师之智,教师之识,教师之慧,教师之思,教师之爱……作者将教学叙事生动地比作教师自己的论语,将教学反思趣味地比作检查教师的“默认装置”,将良好的师生关系定位为“肩并肩”而非“面对面”,妙趣横生的文字拉近了作者与读者的距离,也贴近了教师真实的专业实践。尽管作者在后记中由衷地感叹“为师难,难于上青天”,但其文字依然流露出他知难而进的勇气与化难为易的智慧,令人钦佩。

何谓教学?教学是师生视界融合、心灵晤对、灵感生发、智慧探险的历程。这一历程充满了不确定的模糊美,复杂开放的整合美,它同样也是形式美与内容美的统一,技艺之美与智慧之美的融合。几十年的教龄给予了作者一双发现美的眼睛,使他能用浅易的文字触及教学之真义。他质疑“教到无疑方是教”的传统教学标准,以“小疑获小进,大疑得大知”的古训勉励自己及后来人;他提醒教师们关注教学的形式与细节,像包石头那样磨砺自己的教学技艺,最终获得理性的愉悦;他主张将零碎的教学要素整合起来,将生活的科学引入教学之中……这些在多年教学经验中沉淀下来的文字,为教师们勾画了一幅完美而又真实的教学画卷,也为教师们提供了一个有关教学的新的思考空间。

全书洋洋洒洒十万余字,论及了教育的方方面面,而贯穿其中的,则是作者从生活中采撷教育智慧,在教育中追求境界人生的姿态。正是这种姿态形成了他独特的教育观、教师观、教学观，也正是这种姿态涵养了他整个教育人生，指引着他一步步成长为一个留存着“爱心、真心、公心与慧心”的教育者，一个自觉不倦的反思者，一个人生价值的享受者。

用心去写的文字总是洋溢着那么一种鲜活的生命气息，总是蕴含着那么一种撞击人心灵的力量。这本玲珑有致的小书就给了我这般感受，希望它也能帮助更多的教师朋友们在教育寻思之路上走得意兴盎然。

是为序。

（陈震著：《做温暖的教育者》，南京师范大学出版社，2007年。）

以课改的视角审视教育

壬午年春，江苏省通州市教育科学研究室邀我去通州讲学，我因此认识了郭志明先生。虽然在通州时间不长，可是，对郭志明先生却留下了深刻印象。在与他的交谈中，我感受到他人格的洁净，心境的宁静。最近，我又在《人民教育》上读到郭志明先生的《教师·教育·永远的梦》一文，我读到了他"人可以没有财富，没有地位，没有……但不可以没有梦想和追求"的情怀。他从一个清贫的农家走来，父母的善良、淳朴、勤劳养就了他淡泊名利、宁静致远、勤奋好学、执著坚毅的性格。他酷爱学习，以书为伴，境界因此而开阔；他挚爱学生，以生为友，激情因此而燃烧：他钟爱教学，以师为荣，生命因此而精彩。我以为，一个教育工作者能以这样的心态面对纷繁复杂的社会，以这样的情感对待自己所从事的工作，是值得称道和推崇的。

作为江苏省语文特级教师、有突出贡献中青年专家、全国优秀教师，他潜心于语文教学和教育科研工作，成果颇丰。最近，他寄给我一叠书稿——他的又一本用心血凝成的《课改：教育新视角》即将面世。这是一本很值得一读的书。新一轮基础教育课程改革实际上是一场教育思想的革命，它催生着我们的教育理想，改变着我们的教育活动的方式，激发起我们促进教育进步、变革教育现实的热情。郭志明先生站在课程改革的前沿，积极思考课程改革中的相关问题，以全新的视角审视教育，以独到的见解，诠释课改背景下的教育观、教材观、课堂观、学生观和教师观，可以说，郭志明先生正是怀揣着对课改工作的一腔热情，积极地对如火如荼的课程改革实验作出了思想和情感的回应。他所做的是一项有意义有价值的工作。

走进郭志明先生的这本书，徜徉在“一方资源丰蕴的生生息壤”——教材只是一个例子，教学不是教教材，而是用教材教。学生不再是教材的被动的受体，而是对教材进行能动实践的创造性主体；不再是只追求对教育经验的完美的预设，而是为学生留有发展的余地，引导学生关注教材和课堂以外的更多。如果教材是一章乐谱，教师则是作品的演奏者。为什么有的指挥家和乐队特别受人欢迎，不仅仅是因为他们演奏的乐曲本身优秀，更为重要的是他们用自己对乐谱的理解和演奏技巧为乐曲赋予了第二生命。教师和学生不再是教材的奴隶，他们是教材的主人和开发者。

领略“一片生命共生的无限时空”——现代课堂应该飘荡师生生命的交响曲，教学过程是师生生命共同成长的过程，它意味着以石击石的火花迸射，以情生情的心潮相逐，以思引思的丝丝相连；它意味着用生命感动生命，用灵魂完善灵魂，用智慧开启智慧的相互造就。

捧起“一捧永绽不败的诗意花朵”——尊重五彩缤纷的个性，呵护鲜活灵动的生命，创设自主发展的环境，开发蕴精蓄华的宝藏，让孩子们诗意地栖居在充满阳光、飘荡春风的教育园地。

……

教育，一个古老而又永远年轻的话题。我从郭志明先生的这本书的滚烫的语言中，不仅品读到他对新课程背景下教育的理性思考，更触摸到他对孩子、对课堂的炽热爱心，感受到他潜心于拷问教育的热情和执著。这是每一位有责任心的教育工作者应该达到的境界。

是为序。

（郭志明著：《课改：教育新视角》，北京大学出版社，2005年。）

生命教育的温情诠释与追求

一年四季，我深爱着春。当春的精灵悄无声息地抚平了寒冬划过的伤痕，当烂漫的春花自由地纯粹地舒展着自己的小小生命，当世间万物在春的怀抱里自豪地获得了新生，我总是不自觉地感动于那种灿烂而不张扬的美，那份宽厚却不计回报的爱。孙明霞老师的文字，就有这种春的魔力——充满了生命的气息，充盈着生命的情怀，饱含着生命所必需的阳光、空气和水。我想，明霞笔下的那一抹迷人的春色，定是她在生命化教育的羊肠小道上追逐蝴蝶之所得，也正是她用全部的生命对生命教育的温情注解。

教育因生命而发生，生命才是教育鲜活的家。然而，在应试教育日甚一日的今天，教育的真义被遮蔽了，教育的真正价值失落了，教育成为“训练”的代名词，成为塑造“单向度的人”的工艺流程。教师，那一群苦恼而又无助的工匠，还在如陀螺般麻木而冰冷地旋转；而学生，则成了一群“无目的的升学者”和“非本意的就学者”。他们可以不喜爱任何科目，只求考得高分；他们可以不喜欢学习，只求从学习中取得利益；他们的童年期被压缩得很短，取而代之的是不合时宜的早熟与冷漠。我们的教育正在经历着“工业化”、“标准化”、“工具化”的寒冬，肆虐的功利主义之风吹裂了孕育生命的土地，理想主义的太阳被无边的黑暗吞噬，我们是那样从未有过地期盼着春，期盼着那个让生命自由呼吸的季节，期盼着还生命以尊严、给生命以幸福的良善的教育。

作为教师的孙明霞，便是应着这样的呼唤，悄然来到孩子们身边的春的使者。“她并不娇艳，只是用一抹淡淡的鹅黄展露出她的容颜；她并不多姿，只是将几个小小的花瓣伸展；她并不芳香，只是在悄悄地点缀着春天。那小小的淡黄色的花瓣是她的笑脸，那小小的绿叶是她的心情。那就是小小的迎春花。”这小小的迎春花，匍匐生长在贫瘠的土地上，童年的苦难与伤痛使更博大的爱在她心中发芽，幸运的阳光让满满的幸福在她心里开花……她怀着对生命的敬畏与珍爱，平实而淡然地，温暖而诗意地践行着生命教育——她心中那轮不灭的太阳。

没有听过明霞的课，根本不会懂得她将“生命”二字演绎得多么精妙。生物在她心中，是鲜活的有生命的“物”，而不是作为学习客体的“物”，更不是一堆冠以“知识”之名的缺乏生气与情感的符号。正如明霞所言，知识是有生命的。而丰富多彩的生活，正是使知识焕发生机的肥沃土壤。明霞的课堂，总是洋溢着春的味道：无论是狗尾草、杨树枝，还是各种美不胜收的鲜花，都成为孩子们了解生物结构的“至宝”，都是孩子们课堂上亲密的伙伴；植物的生长过程，被明霞和孩子们演绎成一首首拟人化的小诗，一篇篇妙趣横生的短文；老师们讳莫如深的生殖发育知识，却成了明霞教育孩子们珍惜生命、尊重生命的绝妙素材。明霞是一位魔术师，经她的妙手摆弄，被考题和分数禁锢了的生物知识就重新恢复了鲜活的状态，在生活的滋养下，呈现出蓬勃的“生命态”；明霞又是一位诗人，她那如孩子般的赤诚，那在生活的细微之处捕捉自然之美的虔诚，那将纯真的诗性与深沉的理性合二为一的魔力，总让人分不清她引领孩子们探索的究竟是自然的奥秘还是生命的诗行……

生命教育作为教育的存在形态，其精义便在于课堂教学的生命化。如何让课堂充满关注生命的气息，让生命的活力充分地涌流，让智慧之花尽情绽放，应该成为所有教学的自觉追求。明霞便是这样一位执著的追求者:她的课堂有着精彩的预设,但并不乏意外的惊喜与灵机一动的美丽;她的课堂从不拘泥于华丽活泼的形式,平实自然的聊天也能聊出浓浓的生物味;她的课堂充满了理智的拷问与情感的激荡,像问号,像感叹号,更像省略号,在平等的对话之中为每个生命的自然舒展留白;她的课堂不拘泥于知识与方法的传授,而始终致力于学生深刻的生命体验,致力于一种"生命在场的学习过程"……这样的课堂安全而又温暖,跃动而又不失沉静,生命的灵动在这里凸显,生命的意义在这里得到完美的呈现。

对于孩子,明霞是老师,是友人,也是母亲。她总是那么激情澎湃地去赴一场又一场与孩子们的"约会",在课堂上,在书信中,她享受着与孩子们最美好的相遇。非常欣赏明霞在本书第一章的结语:"有人把教学工作看成是年复一年的重复劳动,自然也就享受不到教育的乐趣与幸福。我想说,教师所面对的不是冰冷的石头、不是无边的黑暗,而是一个个鲜活的生命,是一个个充满了灵性的美丽的灵魂。不在于付出是否得到回报,不在于是否得到名利地位,而是在生命与生命的对接闪烁出的智慧之光、悄然绽放的爱的花朵,那是生命浸润生命的过程。"明霞,就是这样幸福着,在与年轻生命的对接中幸福着,在生命教育中幸福着。那是迎春花小小的幸福,同样也是生命教育常被忽视的旨趣所在——使教育者自身的个性愈加丰富而舒展,人格愈加正直而强健。生命教育,既是对人,也是对己。在自我的生命教育之中,幸福从此熙熙攘攘,幸福从此溢满心房。

生命教育是一个旅程,而不是一个终点;是内化于教育本身的神圣使命,而不仅仅是一种具体的教育样态。在明霞生命化教育行为的背后,承载的是她对于生命质量的不懈关注,对于生命尊严的坚定捍卫,对于个体独特性的悉心呵护,对于人生幸福的永恒追求……我想,这才是生命教育全部的意味。

迎春花的绽放让人心醉,生命教育的春天还会远吗?
是为序。
(孙明霞著:《用生命润泽生命》,福建教育出版社,2008年。)

大气磅礴　细处摄神

江苏是我国的经济大省、文化大省，也是教育强省。江苏有一大批优秀的中小学教师，他们学问精湛，书卷气浓，课上得好，文章也写得漂亮。本书作者凌宗伟先生就是他们中的佼佼者。

我一向坚定地认为，能写好文章的人，基本上都能上好课。因为，一篇文章的要素与一节课的要素是十分类似的。一篇文章无非是由主题、素材、技巧和语言四个要素构成。写文章不论长短和体裁，都必然有一个写作的目的、意图，或是要说明某个问题，或是要发表意见提出主张，或是要表达一种思想，或是要抒发真爱情感，等等。总之，须有一个中心。主题，就是指通过文章的全部内容表达出来的基本思想、意见、情感、意趣等。

我听过凌宗伟老师上的公开课，大气磅礴，有吞吐日月的气象。我觉得优秀的语文老师就应该是他那个样子——豪放而又儒雅，挥挥洒洒间有一种情怀与情趣，有一种细处摄神的精致与穿透力。

语文课的诗意来自哪里？很大程度上是源于教师的诗人气质，洒脱、飘逸、空灵、净润，在不经意间用词的鲜活和灵动、意象的丰富和意境的高远。

在基础教育中，语文无疑是最重要的学习领域、最主要的课程，理由就在于语文的内涵十分丰富。它关涉个人的精神世界的建构，关涉思维的发展。其实，中国古代教育的课程内容都无外乎语文，而中国古代的文化巨人学习的内容也无外乎语文，可见语文对于人的成长和发展的重要意义。

凌宗伟先生在繁忙的教学之余,用一腔豪气打底色,写下了如此之多、优美而又意蕴隽永的文章,实在是难能可贵。教育涉及方向和方法这两个层面。方向即教育的价值追求,为什么教;方法关涉有效教学的策略,即如何教。在这两个层面上,凌宗伟先生在理论和实践上都力图以一种诗意的姿态做极富韧性的跋涉。以自己独特的视角观察和分析教育教学的每一个细节并形成独到的思考和见解:"优秀的国画作品中独具匠心的'留白',总给观赏者以无限的遐思与想象,观赏者在欣赏时会有意无意地调动自己的知识积累、生活积累去置换这些空白,丰富画面的内容。教育又何尝不是如此!""卓尔不凡的旋律需要慧眼独具的乐师,生动鲜活的课堂更应该有个性飞扬的学生!""教育是培育生命的事业,教育最根本的目的就是培养人不断地领悟世界的意义和人本身存在的意义。""让课堂教学奏响生命的乐章,就是要充分发挥教师智能中的人文情感和文本内容的人文因素,去唤醒沉睡的学生,唤醒他们的求知欲望。让课堂成为关注生命、放飞生命、提升生命质量的主阵地。"他力倡享受教育,他认为享受应该是教育的最高境界,"强迫的教育不是真正的教育,以辛苦为代价的教育也不是真正的教育。真正的教育是激发学生学习兴趣的教育,是培养学生终身学习能力的教育,是师生合作共同探究、共同成长的教育,是师生共同放飞生命、享受生命乐趣的教育"。课堂教学应该是"面向对象的、随机的、自由的、灵动的"、"不拘教案的"。更为可贵的是他在自己的教学中身体力行,让学生在欣赏中享受教育。他在设计《水调歌头·明月几时有》一课的教学方案时,试图将音乐美、图画美、表演美有机地融合在一起,让学生在欣赏音乐美、图画美的基础上激发美的冲动,加之他声情并茂的范读,课堂中始终点染着诗意。

在我看来，一个地方，如果教育搞得好，它就给人一种充满希望的感觉，那里的人的文明素养就比较高，精神充实，有远见，有追求，经济的繁荣也自然指日可待。相反，如果教育荒废，即使当下经济发展暂时领先，也会使人感到危机四伏、前景暗淡。江苏省通州市的教育在全国县级市中是一面光辉灿烂的旗帜。教育质量高的背后一定有一支高水平的教师队伍。在这支高素质的教师队伍的打造方面，通州市教科室功不可没。秦德林主任是一位有着非凡的鉴赏力、事业心和责任感的好领导，他朴素、精明强干、雷厉风行的工作作风，为像凌宗伟这样一大批优秀教师的成长作出了表率。我曾参加过通州市教科室所组织的“名师之路”讨论会，相当多的教师对于教育理解的丰富、深刻、精到，足以令绝大多数专攻教育学的博士、教授汗颜。一个地方在教育上的成功，一定有一些杰出的领袖人物在发挥作用，通州市教育上的辉煌再一次向人们昭示了这一点。凌宗伟先生的文章如同他的为人，率真而豪放，亦如他的语文教学，挥洒而隽永，相信一定会给读者以享受和启迪。

是为序。

（凌宗伟著：《语文教师的使命》，江苏教育出版社，2007年。）

用智慧与真情经营班级

班主任工作是学校教育的重要组成部分。学生有没有良好的生活习惯、学习习惯和文明礼貌的习惯，都与班主任工作有着密切关系，而这些习惯影响着课堂的教学质量，也从更广泛的方面影响着学生的健康成长。尽管我们所有的老师都要成为学生成长的引领者，但班主任在教育者集体中扮演着协调者、沟通者的角色。刘旭先生编著的《经营班级》从对学生的了解、亲近、沟通，呵护学生的尊严，习惯的培养，班集体的建设，同事之间的协调等方面对小学班主任工作的艺术进行了系统和富有深度的阐释。

班级是学生成长和发展的重要平台，学生之间相互影响的作用也许并不亚于教师对学生的影响，班主任是班集体的组织者和领导者，是班级文化的缔造者和班集体的精神领袖，特别是在家校沟通与合作方面，班主任扮演着桥梁与纽带的角色。

我们经常说，没有爱就没有教育。健康、成熟的爱就包括了解、尊重、关怀、责任和给予。而这五个方面又是一个整体。没有了解，爱就是盲目的。“如果教育学希望从一切方面去教育人，那么它就必须首先也从一切方面去了解人。”（乌申斯基《人是教育的对象》，科学出版社，1959年，第11页）不论我们是缺乏了解的意愿，还是缺乏了解的方法、策略，了解都不会自动生成。

没有尊重，爱就会表现出支配和控制。“当教育者赢得了学生的信任时，学生对接受教育的反感就会被克服而让位于一种奇特情况：他把教育者看作一个可以亲近的人。他感到他可以信赖这个人，这个人并不使他为难，而正在参与他的生活，在有意要影响他之前能与他亲近。于是他学习提问了。”（布贝尔《品格教育》，《西方现代教育论著选》，人民教育出版社，2001年，第302页）而只有对于学生人格的尊重，才能赢得学生的信任。

缺乏具体的、真诚的关怀，爱就会显得空洞、苍白和贫乏。“教育者要为儿童的未来着想……不管困难大小，有一点是清楚的，因为人的追求是多方面的，所以教育者所关心的也应当是多方面的。”（赫尔巴特《普通教育学》，《普通教育学·教育学讲授纲要》，人民教育出版社，1989年，第37页）爱就是恒久的忍耐又有慈恩。对于学生的关怀不仅应该指向当下的需要和现实处境，也应该包括未来的指向：学生可能和应该成为怎样的一个人。

爱就是在别人需要的上面看到自己的责任。学生有没有向学之心，有没有同情心，都与班级氛围有关。而良好的班级氛围的营造，与充分的师生互动、生生互动有着密切的关系。特别是充满生活气息的活动，对于学生健康人格的形成有着重要价值。《礼记·学记》中说：“故君子之于学也，藏焉修焉，息焉游焉。夫然，故安其学而亲其师，乐其友而信其道。”

我们作为教师能够给予学生什么？我想，最主要的是热情和温暖。用我们生命的热力去陪伴孩子们充满艰辛的成长历程，并努力让这个历程尽可能变得灿烂和阳光一点。“我决心使我的孩子们在一天中没有一分钟不从我的面部和我的嘴唇知道我的心是他们的，他们的幸福就是我的幸福，他们的欢乐就是我的欢乐。……我一切为了孩子。从早到晚，我一个人和他们在一起，是我的双手，供给他们身体和心灵的一切需要。他们都是直接从我这里得到必要的帮助、安慰和教学。他们的双手被我握着，我的眼睛凝视着他们的眼睛。我们一同哭泣，一同欢笑。”（裴斯泰洛齐《与友人谈斯坦兹经验的信》，《西方资产阶级教育论著选》，人民教育出版社，1979年，第197～198页）

班主任工作虽琐碎，却异常重要。一个充满友爱、上进、责任感、凝聚力和集体荣誉感的班集体，为学生展示自我，发现自我，从而发展自我提供了舞台。这对于发展学生的交往能力、组织协调能力、规则建构的能力、民主参与的能力，对于一个学生成为自尊、自爱、自强、自律的合格公民和幸福人生的创造者无疑有着巨大的意义。有鉴如此，打造和培养一个好的班集体就十分重要，具体途径有：除了日常的工作，更重要的是系列的主题班会，系列的主题活动等。相信读者会从刘旭先生编著的《经营班级》一书中受到更多的启示。

是为序。

（刘旭编著：《经营班级》，四川教育出版社，2007年。）

倾听来自异域的声音

自古以来，对于“教育是什么”的问题答案纷纭，不同时空的人们都有其个性的回答，如今对于此问题的探讨仍在继续。我们不仅需要自己的冥思，也需要听听他人的声音，尤其是那些来自异域的声音，因为“他山之石，可以攻玉”。

在不同的回答中有这样一种声音：“教育是反对一切压迫形式，培养具有批判精神和独立意识，有社会责任心，能动自主的人的活动。”这就是批判教育学——一种以批判性思想贯穿始终的教育思潮和教育实践。其代表人物之一——巴西教育家保罗·弗莱雷认为，真正的教育是为实施解放的教育，教育解放的对象不仅是学生，也包括教师。他以警醒而犀利、热情而虔诚的文字写下的《被压迫者的教育学》被誉为“教育中的战斗檄文，被压迫者的教育圣经”。与弗莱雷的著作不同，《批判教育学：来自真实世界的手记》更像一本自传。

作者琼·温克是美国加州大学的学者，也是一位教育实践者，她以平实而感性的言语讲述了自己与批判教育学的一见钟情，用信手拈来的教育故事阐释对批判教育学的深刻理解，以亲身经历来启发读者对批判教育学的实际运用。没有尖锐，没有晦涩，甚至没有严密的逻辑论证，只是在柔和而亲切的叙述中自然地示范着批判教育学。此书可做教育研究读本，也不失为一册教师工作指南，读来就像是手捧一杯温润的奶茶躺在轻柔的牧草中，静静听一旁的长者讲故事，故事是她的，听者却越来越清楚自己的路。

是的，很多路前人走过，因而“读史可以明鉴”。教育史学书籍如今也可谓汗牛充栋，《教育学之历史与哲学基础》是其中较为特别的一卷。特别之处在于它不是简单史实的堆积，也不是长篇大论的史评，而是以史上对教育思想和实践有深远影响的人物为线索，通过传记式手法，缓缓而生动地讲述人物所处的时代背景、他们的哲学和实践以及他们对当世和后世的影响。回想我们学习历史的经历，通常不是关注具体年代的具体事件，就是专心于各历史人物的思想、事迹及其评论，因为这是历史试卷的考点，也可能成为我们向人炫耀的谈资。我们很少真正走进历史，走近那些影响历史的人。

《教育学之历史与哲学基础》给了我们亲近大师的机会，它像是时光机器，载我们回到过去，与大师们并肩作战，共同继承传统的遗产，接受时代的重托。然而，这本书并不希望我们沉迷于历史，故事之后是历史与现实的互动，为读者提供有趣的思考空间。如，“比较并对比柏拉图时代的雅典和当代美国在主要社会，政治和教育问题。一定要考虑以下几点：恐怖主义和暴力，乡村社会和学校的困难，家庭结构的变化和技术的发展。”“假设你正在建立一个学校，将会按照亚里士多德的教育原理来运作。写一个简短的未来计划，来吸引你未来的学生。”这些操练让人感觉历史并不遥远，历史人物也不是伫立在博物馆的雕塑，他们就在你身边，只要你愿意，随时可以向他们那样思考和行动。

人们常说，在一个知识社会、知识经济时代，我们要有所行动，那么何谓“知识社会”？早在20世纪70年代，美国社会学家丹尼尔·贝尔在他的《后工业社会的来临》中便预言了“后工业社会”，即“知识社会”的景象。这个社会已不再单纯地依靠自然、资金或是劳动力，而是凭借日新月异的知识飞速前进，知识是人们生存和发展的资本，也是社会存在和进步的源泉，个人和国家的成败全系于此，因而这也是一个学习型社会。学习型社会对于人类，对于与人息息相关的教育提出新的希冀。正如哈格里夫斯在《知识社会中的教学》中所言，“知识是一个有弹性、能流动、永远膨胀和永远移动的资源”，身处“知本时代”的现代人，所要学的不是林林总总、不可穷尽的知识堆，而是一种适应这个瞬息万变社会的创造性知识。创新教育也就成了知识社会所呼唤的教育形态，它要求教育摒弃没有灵魂、整齐划一、工业生产式的标准化，转而将创造性、问题解决、冒险精神、持续进步等精神等作为关键词。哈格里夫斯提倡为知识社会而教的同时，也清醒地看到了硬币的另一面——知识社会使人缺乏同情，缺乏对他人的理解，缺乏对公共利益的责任。于是，他又进而提出超越知识经济的教学，旨在培养知识社会所匮乏的同情心、包容感、民主精神和世界性身份。《知识社会中的教学》一经面世，在世界范围内产生了巨大影响，因为它是我们这个时代乃至未来社会及其教育的精辟注脚。

无论承认与否，社会分层是一种客观存在，至少在我们这个时代仍是如此。有人说，最理想的社会是“橄榄型社会”——两极小，中间大，形同橄榄，或称“梭型社会”，其两极是占人口比例较少的极富和极贫阶层，而中间相当庞大的便是中产阶级(middle class)。中产阶级被视为社会贫富分化的调节器、利益冲突的缓冲器。虽然学术界对这一阶级的定义并不明朗，但是常用它来指称这样的人群：大多从事脑力劳动，具有专业知识、较强的职业能力及相应的家庭消费能力；一般受过良好教育，具有善好的公民意识及相应修养；有一定的闲适时光，追求生活的品质。即所谓的白领，当然，也包括小业主等小资产者。他们不用劳命于生存，也不会沉没于物欲，被认为是最幸福的群体。所以，“社会的、科学的眼光历来不是朝下去关注穷人、劳动阶级、无产者，就是朝上去关注富人和权贵”，很少有人关注中间人群。他们真的如此幸福？

由萨莉·鲍尔、托尼·爱德华兹等英国学者撰写的《教育与中产阶级》一书却向人们表明：中产阶级并非理所当然的一帆风顺，他们的成长跌宕起伏。该书实为一项始于20世纪80年代的教育研究报告，鲍尔等人通过对英国300多名出身典型的中产阶级家庭的学生进行访谈，了解这些孩子和家长对学校的选择以及对未来的期望，并且历经十余年的跟踪调查，探询这些孩子成年后的学习和工作进展。虽然数据证实，“一个人上什么样的中学，对他后来的经历、成就和人生走向有着清晰和持续的影响”，但研究者并不满足于简单判断，而是戴着“鹰眼”到数据背后去审视中产阶级看似平坦的发展轨迹。事实上，该书的亮点并非仅为其与众不同的结论，还包括蕴含其中的一种务实、细致而持久的社会学分析方法，或许这种方法对于我国教育学者拓掘更广袤而深邃的研究视界有所帮助。

带给我们帮助的不仅是宏观领域的思索，还有微观领域的建议。比如，彼得·W.艾瑞逊告诉我们有一种简明的方法可评价我们的学生。作为美国波士顿大学教育研究、测量及评价课程的教授，艾瑞逊先生主要培训职前和在职教师的课堂评估策略，他的力作《课堂评估——一种简明的方法》便是一本很好的教科书。学习者翻开目录，可梳理出清晰的脉络，全书以简要的关于课堂评估的概述为基础，从了解学生出发，按时间逻辑逐步分析教学前、中、后的评估，并在适当的时间介绍了正式评估和非正式评估的种种方法，包括档案袋评价、等级评定和标准化测验等。没有任何方法“放之四海而皆准”，也不存在一无是处的评估。艾瑞逊先生在对每种评价方法的分析中都不忘尽可能全面地列举其优势和不足，建议教师在何种情况下运用以及怎样改进这些方法。为了方便教师掌握，在每一章阐述前有简短且具体的学习目标，使教师的学习更有目的性；每一章结束前有内容提要，帮助总结各章要点；此外，还有丰富的讨论、练习和活动，即时引发教师思考和应用所学；最后以复习题巩固所学。倘若教师依其序，步步为营，最终会在不知不觉间恰好地完成整个培训。况且，这并非一本枯燥无味的纯理论或技术书籍，其中渗有大量实例，使人倍感亲切和轻松。

“一头绵羊带领一群狮子，敌不过一头狮子带领的一群绵羊”，有时，好的领导力也使我们的工作倍感轻松。我们很难精确定义领导力，但却在生活中与之频频相遇，在企业、军队、政府、球场、家庭……我们都能感觉到它的存在。因为它是有效运作的团队不可或缺的核心，作为一种社会组织，学校也不例外。那么，学校中的领导力会是怎样的呢？首先，我们且来分析学校中的领导者的工作特征。澳大利亚的鲍勃·林嘉德等人在他们的《领导学习》一书中明确提出：“学校中领导阶层的中心任务之一就是提高课堂中实践的效率，无论是从教学和评价的角度来讲，还是从将这两者与课程结合的角度来讲都是这样。”简言之，提高课堂教学质量是学校领导者的工作重心，这也是学校这一机构运作的核心。此外，另一个重要特征便是，学校的领导者不仅是校长和中层管理人员，教师和学生也是权力的分享者，因为他们是教育的主体。所以，学校教育中的领导力与“出色的课堂实践是分不开的”，是一种广泛的、灵活的、分散在学校各处的确保学校教育效果的能力和艺术。这种能力和艺术似乎有些抽象，有些理想化，但林嘉德和他的同事以深厚的理论和详实的案例向读者证明，这种希望可以变得触手可及。

感谢这个时代，让远在千里的智慧变得触手可及。无论彼此拥有多么迥异的文化和历史，我们总会面临一些共同的挑战和困惑，并怀有共同的梦想与希望。在我们困惑的时候，可以听听他人的忠告，为什么不呢？

是为序。

（《教育学精品译丛》，湖南教育出版社，2008年。）

事半功倍　好梦成真

对一个人来说，有机会在学业上深造是一件十分幸运的事情。随着社会文明程度的提高,人类的精神成就变得日益繁荣富丽,我们要进行新的创造,起点愈来愈高,所以,大学本科教育也越来越成为基础教育。对于年轻的学子来说,要想成为某一领域的专业人员,特别是学术性比较强的专业,受到研究生教育日益成为必要。因此,研究生招生规模上的逐年扩大是社会发展的需要。但不管招生规模如何扩大,每个国家、每所大学都会有对于研究生入学的资格要求。在今天以及今后相当长的时间内我们国家最公平、最具操作性的选拔方式无疑仍是通过考试。

教育学作为学术领域、作为话语系统、作为知识共同体的社会活动,是一门怎样的学问呢？简明地说,教育学就是以教育现象、教育活动和教育事业为研究对象并建构出体系化的教育知识的学问。教育知识包括教育的价值、目的、系统、要素、过程、功能和评价等，以及与此相关的人和事，比如中国历史上的书院、科举、蒙学和教育家。

中国的教育学可以借用一句话来扼要的描述,“有着久远的过去,却只有着短暂的历史”。众所周知,中国是一个文明古国,教育在中国文化的创生、传播与承继中扮演着重要的角色。早在先秦时期,对于教育,思想家们就有着许多精深的思考,在“四书”“五经”中,对于教育的表述比比皆是;《学记》就更是先秦教育思想的集大成者,它提出的许多命题,至今仍有着强大的生命力。

先秦以降，历代思想家、教育家对增进人们对教育的认识也都贡献多多。然而，同许多学科一样，教育学成为今天意义上的一门学科，却是“西学东渐”的产物。从一个学科的发展历程，大致可以折射出一个社会及其文化的变迁，让人们从中感受到文明战胜野蛮的曲折与艰难。

教育是一个十分复杂的社会实践活动。在教育中，将任何一种理论、学说、思想置于一种不容质疑的地位，都是对教育真义的背叛。希望教育学界的同仁都能够以一种健康心态的批判性来对待人类已有的教育学的思想成就。

包括教育学专业在内的四个专业的研究生入学考试全国统一命题作为尝试和探索，我是支持的。我们国内高校的教育质量实在是良莠不齐，包括一些有硕士学位甚至博士学位研究生招生资格的大学，教育质量低劣到了令人瞠目结舌的程度。因此，明确一个专业领域内本科毕业生以及准备进入该专业继续深造的青年学子必须了解、理解和掌握的一些基本事实、概念、原理和方法就十分必要。本书根据教育部考试中心所编制的《2008年全国硕士研究生入学统一考试教育学专业基础综合考试大纲》详尽地阐释了《考试大纲》所涵盖的内容，其中教育学部分包括教育学概述、教育及其产生与发展、教育与社会发展、教育与人的发展、教育目的、培养目标、教育制度、课程、教学、德育、教师与学生；中外教育史部分包括中国古代教育、中国近代教育、中国现代教育、外国古代教育、外国近代教育、外国现代教育；教育心理学部分包括绪论、心理发展与教育、学习及其理论解释、学习动机、知识的建构、技能的形成、学习策略及其教学、问题解决能力与创造性的培养、社会规范学习与品德发展；教育研究方法部分包括教育研究概述、教育研究的选题与设计、教育文献检索、教育观察研究、教育调查研究、教育实验研究、教育行动研究、教育研究资料的整理与分析、教育研究报告的撰写等。

这本书会随着考试大纲的修订而每年都有新的版本。我希望我们的劳动成果有助于考生系统复习，并及时检验自己对各个知识点的掌握情况，以强化记忆，深化认识。这也是本书的最大特色，这将使广大考生对教育学专业基础综合的复习事半功倍，大大提高大家复习的效率。

我作为教育学界的一员，发自内心地为近些年来教育学研究取得的丰硕成果感到高兴，也感谢大家选择教育学作为自己的研究领域，相信教育学因为有你的加盟而变得更为精彩。希望本书在诸位营造自己的幸福人生的追求中能够助大家一臂之力，祝大家心想事成，好梦成真。

是为序。

（肖川主编：《教育学：全国硕士研究生入学考试用书》，新华出版社，2007年。）

创造积极的学校文化

在当前中国轰轰烈烈的教育改革浪潮中，新事物、新思想、新观点和新举措不断涌现，层出不穷，让人眼花缭乱。在不断推进教育改革的当下，关注一下大洋彼岸的教育研究成果势必能为我们的改革带来一丝活力、一种解决问题的新视角、一种展望未来的新视野。在众多研究成果中，这本有关学校文化的新书映入了我的眼帘。读罢此书，令我深有感触，这不正是我们广大的中小学校一直在苦苦寻找的东西吗？在我们还在对学校文化中的诸多问题充满迷惑和不解时，这本书的作者已经做了系统和深入的探索，它为我们提供了宝贵的建议和解决问题的现实策略。

什么是文化？我们看不见，摸不着，但文化随时都影响着我们。比如说，我们每一个人都有口音，我们的口音是怎么形成的？我们不太好解释，但它足以说明文化对我们进行塑造的强大力量。“文化”是一个内涵十分丰富的概念，你难以尽述什么是文化，却很容易指称“非文化”的对象。不同的学者在不同的层次和侧面使用这个词，“文化”概念谱系的最大一极，即与“自然”相对。德国著名文化人类学家恩斯特·卡西尔（1874—1945）在《人论》中指出：“人不再生活在一个单纯的物理宇宙之中，而是生活在一个符号宇宙之中。语言、神话、艺术和宗教则是这个符号宇宙的各部分。”（〔德〕恩斯特·卡西尔著，甘阳译《人论》，上海译文出版社，1985年，第33页）人是文化的动物，“文化”是人的世界的基本特征。文化因人而存在，人是文化的目的和依据，文化的本质是它的人性内涵。

文化是一个生态系统，是一个活的有机体。作为人类活动的产物，它伴随着活动过程本身，世世代代生长着。文化是人类活动的结果，它与人类如影相随，是人类漫长生活经验的积累和行为的总结。任何一种文化既是人类实践的成果，同时也是人类实践的过程。文化在塑造一个社会的政治和经济行为上，是一个关键元素。文化是蕴含在社会背后的起综合和体系化作用的价值体系。

办好学校一项重要的工作是创造优良的学校文化。学校文化是一个十分宽泛的概念，它是一种精神，是一种氛围。学校文化是一种"组织文化"，渗透在学校的办学理念、管理体系、校园活动等各个方面。迄今为止，施恩的《组织文化和领导力》(1992)一书是关于"组织文化"这个话题的权威著作。他在书中指出："文化是一群人在解决适应环境和内部团结的问题时习得的、成体系的一系列基本预设。这些预设在实践中卓有成效，所以被认为是正确的，被当作解决问题时正确的感知、思考和感觉的方式教给新成员。"他还有一个著名的说明文化的三个层次的睡莲模型，水面上的花和叶是文化的外显形式，包括组织的架构和各种制度、程序；中间是睡莲的枝和梗，是各种公开倡导的价值观，包括使命、目的、行为规范等；最下面是睡莲的根，是各种视为当然的、下意识的信念、观念和知觉。简而言之，学校文化是基于预设的价值观，这些价值观产生制度，并进而约束行为。

在学校中，我们每一个人都是学校文化的体现者、创造者和传承者，我们体现着学校的文化，我们参与着学校文化的创造，我们也通过我们的言行把学校文化传递下去。

积极的学校文化无形中为学生提供了健康向上的生活空间和学习氛围，促进学生积极健康地发展，从而为提高学校的核心竞争力奠定坚实的基础。因而，学校文化要与时俱进，顺应时代发展，体现时代精神，同时又要体现鲜明的校园特色和风格，从而真正促进学校核心竞争力的提升。

作为一名教育工作者，也许你正在为改变亚健康状态的学校文化而苦苦思索，也许你正在为建设独特而充满活力的学校文化而寻觅良策，也许你正在为身处一种积极向上的学校文化之中而倍感欣慰……无论如何，学校文化的建设是进行教育教学改革的关键，也是关系教育教学改革成败的重大因素。毋庸置疑，学校文化代表学校的整体存在状态，是学校的“灵魂”所在，学校的文化价值引导着学校发展的方向。文化价值的丧失是可怕的，正如安·兰德所言：“价值丧失的具体症状是期望值的逐渐降低。我们在文化的烟瘴之中已经浸淫太久，以至于我们觉得非理性、不公正、腐败和流氓手法所形成的压力都是理所当然的，仿佛生命中不可能有比这更好的东西。”（安·兰德著，万里新译《理性的声音——客观主义思想文集》，新星出版社，2005年，第128页）一切文化的问题反映的都是深层次的问题，文化的疾病也是最难根除的。

在进行教育教学改革的过程中势必会发生种种问题，包括教育理念的分歧、校长与教师的关系问题、师生关系问题、教师之间的关系问题、制度问题以及家长与学校之间的问题等，它们都会影响教育教学改革的实施及其进展。如果说我国中小学缺乏强有力的教育理念的支撑，倒不如说是缺乏理念与实践之间衔接的桥梁以及对实践问题的反馈策略。诸多学校在改革的同时，因为没有建立起与其教育理念相吻合的学校文化而致使改革举步维艰，或在保持传统与进行改革之间徘徊不定。

《创造积极的学校文化》这本书的作者采用大量的现实案例，进行深入的调查，运用同一种研究视角，以丰富而细腻的笔调分析了学校中校长、教师、学生及家长之间的主要问题，从一些具体而现实的小问题着手，将教育理论与学校的问题现实而又合乎逻辑地联系到一起，并提出了解决的实际策略。

正如可以从一粒沙中看出大千世界，学校中的小问题往往反映了学校大的文化氛围。我们的教育教学改革往往急于求成,在大踏步前进的时候忘却了对小问题的重视。小问题往往折射出大问题,忽视小问题,反映的是一种不健全的教育改革观。试想,不健全的教育改革观能将学校向前推进多少,使其走出多远呢?

亚里士多德说,人是世界的精华,万物的灵长。学校文化问题的核心是人的问题,校长、教师和学生是构建学校文化的主体,也是学校文化的感受者。人的问题始终是学校文化的最主要问题,校长、教师和学生的相互关系和相互作用建构了学校的亚文化,而其在总体上又构建了学校文化。在很大程度上,教育改革的过程是改变相互关系的过程,也是改变人的态度和价值观的过程。学校氛围中人的主观感受折射着学校文化的状态,每个人的价值观和荣誉感产生的时候,也是学校文化蓬勃发展的时候。

在当代多元文化发展的趋势下,多元文化更多地体现在学校文化当中,对个体独特文化背景的尊重、尝试在不同的文化情境下思考问题、以差异的方式解决问题,这也是该书探讨的重点。在多元理念的支配下,解决学校问题的态度和方式自然很明朗,问题解决的态度因而更能为人所接受,解决问题的方式也更加富有人性。

以上阐述的几点只是贯穿于全书中的几个核心要点,作者的论述实际上更加生动,更加贴近我们的教育教学生活,更能为广大的教育实践工作者所理解和认同。

如果把学校文化比作是我们生生息息永不分离的空气,那么这种空气的质量将决定我们生存的质量和状态。当浸没其中时,也许我们感觉不到它的存在,而实际上它每时每刻都在影响着我们,决定着我们的心态,影响着我们的价值观,调节着我们的行为方式。它是无痕的,然而它更是永存的;它是细腻的,然而它更是敏感的;它是微妙的,然而它更是深刻的。

不论你是一位校长还是一位教师,抑或你只是对教育感兴趣的人，也许你正苦于学校各方面的工作没有起色，也许你正遭受着与书中类似的各种困境，也许你仅仅是想了解学校中的一些问题，相信这本书能给你带来一丝安慰，一点启示，一种反思！

鉴于译者水平有限，书中可能还存在不少的翻译问题，祈望读者不吝指教！但愿所有的教育工作者、所有关心教育或对教育感兴趣的人都能从中有所收获！

（Marie-Nathalie Beaudoin & Maureen Taylor著，肖川、倪晓玉、徐涛译《创造积极的学校文化》，中国轻工业出版社，2008年。）

体察学习的精髓

我一直从事教育工作，曾经参加和主持过很多关于孩子教育和学习的专家研讨会。每次开会，总会挤来一大帮家长和老师来旁听。他们想弄明白：自己的孩子（学生）为什么总是不争气？别人的孩子（学生）为什么总是那么优秀？他们想寻找孩子（学生）学习成功的秘诀和法宝。

于是，孩子教育和学习方法方面的书大批涌现，弄得家长像喝了迷魂汤一样疯狂购买，然后逼着孩子拼命阅读，结果，孩子好像并没有找到法宝，成绩依旧，态度依旧。所以，我对市场上那些讲教育孩子培养习惯的书基本不看。“眼界决定境界，方向决定方法。”我相信，如果不能从内心深处激发孩子，你再高明的方法，也只能枉费心机。

就在我坚定地捍卫自己这个“偏见”的时候，李培林先生给我寄来这部书稿。我与他是在去年的“中华青少年生命教育论坛”上认识的。培林是成功学的后起之秀，又是教育成功学的先进。他讲课时，能非常巧妙地唤起学生内在的激情，又能画龙点睛般地进行方法的点击。而本书的可贵之处正在于将内在的主动学习观念与外在的具体可行的方法紧密地糅合在一起，使读者在学习的同时感受学习的恩泽，体察学习的精髓，领悟学习的方法，同时又在掌握方法的过程中养成并强化主动学习的观念和习惯。

本书的特点在于并不枯燥地谈论重视学习的必要性和重视方法的可行性，而是把方法、理念及潜能作为一个整体，蕴藏在一个个生动的事例和精辟的论述中，在谈论方法时，强调观念的形成及潜能的开发，使读者的学习动力和学习方法成为有源之水，有本之木，同时也为读者的终身学习提供了信念支持和习惯保障。

著名成功学家安东尼·列宾曾以他自己辉煌事业和成功学方面的建树，帮助无数的人改变了命运；今天，在全民创业和和谐发展的重要时刻，成功学的教育应该是我们最重要的素质教育。我们为什么要学习？我们应该怎样学习？我们要学习什么？看着书中他讲的那么多的故事，不仅孩子，就连我们成年人也深受鼓舞：学习改变命运，知识丰富人生。

学习，从来都是人生的一件大事，更牵动着千千万万父母的心。为了我们民族的未来，我真诚地希望我们的青少年朋友，中小学领导，老师和家长都能很好地阅读此书，绝不要认为这本书谈的仅仅是学习。

如果你、你的朋友、你的学生、你的孩子至今还在与学习过不去，我建议你尽快翻开这本书。我相信书中的真知灼见将使所有的读者受益无穷。

是为序。

（李培林著：《别跟学习过不去》，华夏出版社，2007年。）

解读教育的“河图洛书”

如果你要追溯五千年中华古文明的滥觞，你不能不万水千山跋涉到中原大地的洛河旁来听黄河的涛声；而如果你想找寻当今中国基础教育的希望之光，你也一定要不远千里万里走进古城洛阳的洛龙新区，来考察这里的“全课程教育”，试着解读当代基础教育改革的“河图洛书”。

遥想先古时期，“龙马”显露“河图”神谕伏羲，伏羲由此演八卦而启中华文明；神龟背驮“洛书”启迪大禹，大禹因之治水，遂定神州。此地百世风韵，千年繁华，钟灵毓秀，人杰地灵，是历史还是时代赋予了洛阳洛龙新区人以使命和责任绘制了当代基础教育改革的新“河图洛书”——全课程教育！

在当今中国的基础教育改革中，“素质教育”与“应试教育”在实践中的关系问题就如同古老而神秘的“河图洛书”一样，常常会令解读者陷入疑惑之中、迷茫之中，以致痛苦、失望、沮丧。当多少学者文人都在为解开这其中的奥秘而殚精竭虑、苦苦求索之际，新的洛阳人却凭着先祖传承下来的灵慧与睿智以一种崭新而独特的方式为我们展示了他们对教育改革的“河图洛书”的理解，对“素质教育”与“应试教育”关系问题的诠释，这就是他们正在实践着的“有理念、须具体、可操作、要扎实”的“全课程教育”。

我所理解的“全课程教育”，就是充分利用并有机整合各种教育资源以便更好地服务于先生的全面成长。从这个“河图洛书”般的“全课程教育”的理论创立与具体实施中，我们似乎能解读出当今基础教育改革所应具备的一些必要条件。

教育改革的先决条件是要有一批怀抱坚定教育理想与信念的“真正懂教育的人”。苏霍姆林斯基说，对于学校的领导，首先是教育思想的领导，其次才是行政领导。在“全课程教育”改革中，关键人物是洛龙区教育局的张欣局长。他在 “多读书”、“多交流”、“多思考”、“多写教育随笔”和“多实践”的教育过程中，“逼”着自己形成了积极的“学习观”，转变了陈旧的“学生观”，接受了先进的“评价观”，养成了“做真教育的行者”的内在素质。在他的带领下，“无论是教育局的领导，还是基层学校的校长，一律是从教育教学一线成长起来的行家里手。”正是这样一批有教育理想、有教育思想、能教育实践的敢于“叫板应试教育匡正素质教育的团队”带领着洛龙区的广大师生甚至家长，在“全课程教育”改革中“上下求索”，才保证了“全课程教育”改革的全面实施。张欣局长和嘉兴市秀州区教育局张刘祥副局长可以并称为中国基础教育界的“二张”，他们有着共同的追求，在探索新区教育的现代化道路上辛勤耕耘并硕果累累。

当今中国基础教育改革的一个不能不做的事情就是要解除套在教师们心头的“应试教育”的“魔咒”。在当今“素质教育”与“应试教育”之争“乱花渐欲迷人眼”之时，洛龙区的教育领导们却惊世骇俗地宣称：“应试教育有其合理成分”、“素质教育的提法缺少理论支撑，我们不搞什么素质教育”。他们借助东方民族擅长形象思维的优势，以独特的视角和求实的精神，用“水果和香蕉”的比喻赋予了“素质教育”和“应试教育”的关系以形象生动而又独到深刻的诠释：“所谓的素质教育就是水果，所谓的应试教育就是香蕉”，国家“让我们大力种植（也就是发展）水果生产，也就是所谓的素质教育，而我们现在只在大力种植（也就是发展）香蕉生产，也就是所谓的应试教育”，“上级叫我们种水果，我们只种香蕉，是片面的，香蕉是水果的一部分，种也没错，大力发展也没错，但只种香蕉是不能发展水果生产的，也就是我们不但要种香蕉，还要种苹果、梨、葡萄，这样去做不就行了吗?”深入浅出的比喻带着草根性的教育思想者的特有的智慧，却“四两拨千斤”地解开了当今基础教育的“死结”:“我们要理直气壮地告诉社会上那些说我们教师穷得只剩下分数的人，我们不但会教那点分数，还会教孩子需要的一切，就好像一个经验丰富的果农说:我不单单会种香蕉，我还会种苹果、梨、葡萄。其实，我们的教育就这么简洁。”

是啊，我们的基础教育如果讳言“升学”，“妖魔化”“应试”，那么，在当今社会里，我们的教育就很难生存，更不用提什么发展了。教育理论的宏大结构是容易搭建起来的，“应然的”理想的教育也是容易想象的，但我们又怎能对教育的“实然”状态视而不见呢?“教育学要赢得尊严，就必须真切地关注真实的问题”，“教育学的思想空间必须依托于千百万人最真切的教育实践，必须从最鲜活的、由实践提出的问题出发，进行理论的探索，必须摈弃‘营造体系’的癖好而回到真实的教育之境来”。

教育改革的实施一定要有一套“有理念、须具体、可操作、要扎实”的完整而适合的课程体系。“其实素质教育就是课程教育”，张欣局长语出惊人的表示，“我们为了追求可操作的原则，在我们洛龙区不再提什么素质教育，只提等量代换或概念代换后的全课程教育，全面实施课程教育”，“就是把教育学生的一切活动内容都当作课程看待，换言之，就是用课程的眼光来看待与教育学生有关的一切活动”。当“课程论”的学者们还在为厘定“课程”的概念绞尽脑汁时，我们的教师们已经把“课程”的内涵具体化了，把“课程”的外延生活化了。于是，我们能看到在“(应试)学科课程”中，老师们“大张旗鼓地去追求分数，只是不片面追求”;在“非(应试)学科课程”里，老师们“让天籁之音浸润着孩子的心田”，“给孩子插上想象的翅膀”，并力争“让中国的孩子写好中国字”;在“时间性非学科课程”中，通过点点滴滴的教育活动，营造着良好的校园文化，建立了和谐的师生关系；而最值得一提最有特色的是，在“非时间性非学科课程”里，提出了“家本课程”概念和实施方法。当我们还在提倡“校本课程”时，他们已把课程的视域扩展到了家庭。眼界决定境界，方向决定方法。当你浏览《首届河洛跳绳节家本课程》时，你会惊叹师生的想象力和创造力；当你看到一万多家庭，三万多家长和孩子一起在洛河畔跳动起来的时候，你的心会和黄河的波涛一样汹涌起来。

打开电脑，输入“全课程教育网”，百度一下，靓丽多彩的界面扑面而来，赏心悦目；丰富、多元、深刻的内容令人击节赞叹，又引人回味反思。“走进全课程，幸福您一生”，这是“全课程人”庄严的承诺吗？

“若问古今兴废事，请君只看洛阳城。”如果我们能够解读出中国基础教育改革的“河图洛书”，那我们也将能如伏羲一样开启新的文明，如大禹一样创造新的世界。我们憧憬着！

（王三阳著：《教育的希望之光》，天津教育出版社，2008年。）

用文化引领学校

“文化” 是一个内涵十分丰富的概念，你难以尽述什么是文化，却很容易指称“非文化”的对象。不同的学者在不同的层次和侧面来使用这个词，在“文化”概念谱系的最大一极，即是与“自然”相对。

“文化”是人的世界的基本特征。

“文化”一词《辞海》中解释为：“①从广义来说，指人类社会历史实践过程中所创造的物质财富和精神财富的总和。从狭义来说，指社会的意识形态，以及与之相适应的制度和组织机构。文化是一种历史现象，每一社会都有与其相适应的文化，并随着社会物质生产的发展而发展。作为意识形态的文化，是一定社会的政治和经济的反映，又给予巨大影响和作用于一定社会的政治和经济。在有阶级的社会中，它具有阶级性。随着民族的产生和发展，文化具有民族性，通过民族形式的发展，形成民族的传统。文化的发展具有历史的连续性，社会物质生产发展的历史连续性是文化发展历史连续性的基础。无产阶级文化是批判地继承人类历史优秀文化遗产和总结阶级斗争、生产斗争和科学实验的实践经验而创造发展起来的。②泛指一般知识，包括语文知识在内。对个人而言，‘文化水平’，也是指一个人的语文和知识程度。③指中国古代封建王朝所施的文治和教化的总称。南齐王融《曲水诗序》：‘设神理以景俗，敷文化以柔远。’”“教育文化”、“学校文化”等都属于“文化”概念的范畴。近年来，国内外有关的教育理论工作者对此研究的比较多,随之出现了一些新的教育理论成果,引发了人们对今天各种教育现象、教育问题的思考。

其实,文化不是一个静态的概念,而是一个动态的过程,它的内涵是一种精神性的创造,是对人的精神创造物的一种探究、承载与沿传。其内涵也可以说是人的生存方式,人怎样生活就会成为怎样的人。大凡有文化之人,都有修养,有理想,有灵活的头脑,有适应社会的能力,有自己的生活方式,他们的精神生活往往很富有,懂得享受完美的人生。就文化本质而言,广义的文化不等同于社会。文化与社会是性质不同的两类现象,体现着人类两种不同的本质。狭义的文化不是严格意义上的文化,“文化”最为突出的两种特质或特性为非自然性以及现实性与经验性。

社会文化作为社会精神生活与心理活动的重要的环境因素和背景,是影响学生个性成长的十分重要的因素。比如,在中国文化中,人们更易形成谦卑、内敛、不直率等个性品质。我们关于文化过程的理解愈深,我们发现真、善、美的概率就愈高,我们就能获得自由。

教育过程是个体心理遭遇人类文化的历程,在人类文化的背景中展开个体心理活动的过程。

人类文化是一个有机体,作为人类活动的产物,伴随着活动过程本身,世世代代生长着。文化作为我们行为的规定性因素,制约和影响着我们的行为——我们如何对待儿童?我们如何对待我们内心的冲动?我们如何解读一个历史文本?这在很大程度上都取决于我们获得的“文化修养”。

著名的教育家梅贻琦说:“学校犹水也,师生犹鱼也,其行动犹游泳也。大鱼前导,小鱼尾随,是从游也。”学校之“水”,即校园文化。高品质的校园文化是学生发展和人格陶冶的重要力量。而校园文化是可以自觉创生的。

文化是人类文化与科学的象征和代表,是人类美德和智慧的表现。学校是人类文化绵延传承的主动脉，是文化得以传递、丰富、多彩、熏陶世人的主要阵地。文化注定要融入学校之中，学校必定是文化的传播载体，二者唇齿相依，一脉相连。教育文化包含几个方面：学校文化，反映教育的总目标。学校育人的取向文化，反映办学特色。校长文化，反映组织文化和制度文化，是学校的魂。教师文化，是学校的基本保障。校园文化，是无声的歌，无处不弹响育人的音符。学校文化作为一种文化现象，其产生是与学校的产生同步的，学校形成过程中也包含着学校文化形成的过程。学校文化，广义地讲，指学校在办学过程中所创造的物质财富和精神财富的总和。狭义地讲，指学校特有的精神环境和文化氛围，是学校办学理念、办学目标、学校传统、校风校貌的综合体现。

学校文化是置身于现代社会大背景的一种具有自身特点的亚文化现象，是以师生价值观（学生为主体，教师为主导）为核心以及承载这些价值观的活动形式和物质形态。包括学校的教育目标、校园环境、校园思潮、校园行为风尚、校风学风以及学校教育特点的文化生活、教育设施、学生社团组织、学校传统习惯和学校的制度规范、人财物管理等内容。

总之，学校文化是社会文化的有机组成部分，它以学校群体成员为主体，是他们在教育教学和管理实践中逐渐共同创造生成的体现时代特征和社会进步的价值观念、思维方式、行为规范及其活动结果。

马学林老师在北京师范大学研究生进修班深造之前，已从事过多年的高中语文教学和担任过多年中学校长，具有厚实的专业理论知识和学校管理的经验，先后四次参加过国家级或省级校长班进修培训，并且系统地攻读了教育经济与管理专业研究生课程，是一位具有良好学术背景和人文素养的校长。作为教师，他系统地教完过中学阶段的专业学科课程，对初、高中语文学科课程有了较为全面而深入的把握和研究，确立了语文学科的教学思想；作为校长，他从初级中学校长到完全中学校长(县一中)，努力追求职业型校长的专业坚守，是一位有个人魅力，有育人思想，有未来眼光，有杰出工作能力和对事业有浓厚热情的校长；作为教学研究者，他以宁静的心态，潜心读书，苦心修炼，心血相融，滋兰养蕙，力做学习型、实践型、服务型、发展型的研究员，为撰写教育科研这本“书”，倾注了心血。他的这本《现代学校文化管理漫论》，是他多年从事教学与管理实践的很好总结，是十多年中学校长生涯中的阶段性感悟，既有理论性创新的特点，又有较强的实用性，对基层学校具有较强的指导性和可操作性。作为一名基层的教育工作者，在繁重的工作之余，能完成二十余万字的教育论稿，实属不易。

正如一位哲人所说的：“教育的根是苦涩的，但其果实是香甜的。”的确，教育是面向未来的事业，需要每一个教育工作者一步一个脚印地耕耘，实实在在地做好奠基性的工作，只有每一位教师、校长都耕耘好一方茵茵绿洲，发掘好一泓汩汩清泉，才能打造好基础教育的一片朗朗晴空。而一所学校注重文化管理，就是追求“低耗时、高效益、轻负担、高质量”的管理。本书虽属“漫论”，但始终围绕着一条红线来展开，那就是把学生的成长与发展作为学校文化管理的追求，把教师“教”的质量和学生“学”的质量作为学校教育文化的价值取向，寻求教育的内涵式发展，在对传统理论的诠释中，阐发了新的观点，自行设计出了一些切合基层学校实际体现人文思想的质量管理指标，这些都是值得肯定的尝试。

教育是兴国之基石。校长肩负着重要的历史使命。当前，我国社会正处于由计划经济向市场经济的转型时期，市场的威力是巨大的，它将计划经济时代的“职务”逐步演变为“职业”，校长职业化正发展成为一种必然。今后学校的校长必定也要产生品牌。据专家预测，不久的将来，校长很可能也要在竞争中面临优胜劣汰。在全国普通中等学校的十多万校长中，希望有更多的校长，能够

“心怀丘壑”，坚守校长的专业，把学校的发展作为自己毕生的追求，并为此奉献出自己的一切智慧和力量。毕竟，我国目前仍然是凭借个人经验管理学校的校长多，而学习型、研究型、学术型的校长少，具有学习、研究、学术底子的校长是中小学校中稀缺的宝贵的教育资源。

愿我们有更多的校长能够“艳压群芳，脱颖而出”。

是为序。

（马学林著：《现代学校文化管理漫论》，群言出版社，2006年。）

引领教师“终身成长”

——读冯卫东《走在研究的引桥上》

读冯卫东老师的《走在研究的引桥上》，感觉不仅是站在他所说的“引桥”上看到了“主桥”上的“风景”，更感到这座“引桥”就是冯老师用自己的“思想和行动”精心“搭建”起来的，还能想象到一定有着浩荡的人流正走过这座“引桥”去建设“主桥”，构成了当今教育的壮丽风景。

如果要找本书最重要的关键词或者说本书的中心思想，那我认为非“终身成长”一词莫属，确切地说是“中小学教师”的“终身成长”。冯老师从杜威“教育即成长”的观点出发，结合当今世界最为流行的“终身学习”的教育思想，提出了中小学教师“终身成长”的命题，并且倾尽全力深入研究、扎实践行。这是他对教育真义的领悟，也是对教师职业特征极其精确的把握！

冯老师在《“拔节”在生命的每一天——怎样才能“终身成长”》的演讲中提到“年近七旬”的李庚南老师时，他说，“近几年与她接触，让我清晰地听到了她成长的脚步声，听到她‘拔节’的声音”，然后针对有些人可能对此的“误解”，他极力赞美道：“想想看，有什么比说一位老人还在‘成长’更能引起人们对生命的赞美、憧憬等一些美好的情愫啊！”(第97页)接着，他对“终身成长”进行题解：“杜威说：‘教育即生长’。既然教育是不断生长(成长)的，那么，作为‘教育人’，如果不秉持‘终身生长(成长)’的理念，如果不付诸‘终身生长(成长)’的实践，那么必然成为教育的落伍者，必然成为教育的‘出局人’”(第97页)。于是，综观全书，冯老师的所有努力都是为了能够促进中小学一线教师的“终身成长”：“无论是从教育事业发展的需要出发，还是从学生、学校和谐与可持续发展的需要出发，抑或是从改善、优化教师的生存状态、生命质量的需要出发，我们都有必要提出‘终身成长’的理念，追求‘终身成长’‘止于至善’的境界。”（第97页）

是啊，在“当下不少教师出现职业倦怠的心理状态和生命状态”之时，作为肩负着“价值引导”使命的中小学教师的“终身成长”应该成为当今教育重大的命题。冯老师所致力于的就是与教师们探讨如何才能做到“终身成长”，而使每一个教师都能“拔节”在生命的每一天！

“终身成长”首先奠基于自身文化内涵的养成。冯老师的《在读书中生活和生长——我们应有怎样的“读书观”》一文中，极力推介南通市教育局举办的“潜心读书、丰富内涵、促进发展”的教师主题读书活动，并以自己“在读书中生活和生长”的人生经历，具体详尽而又生动活泼地阐述了自己因读书而“终身成长”的故事。“闭门即是深山，读书随处净土”的读书“时空观”应能让整天忙忙碌碌于具体琐事的老师们静下心来反思教育的真义；在“杂家”的基础上做“专家”的读书“结构观”定使老师们心中有了“终身成长”的方向；沿着冯老师“多本齐读”、“沿波讨源”等读书“方法观”的路径探索的老师们，必能寻到落英缤纷的“桃花源”。而对李吉林老师的教育经历和教育思想的研究，更使老师们能够从“博知、陶情、炼意、笃行”四个方面去学习李吉林老师的“成长”精神和“成长”经验，让每一个老师的“大学”生涯都能在自己所任教的“小学”和“中学”里得到延续。冯老师还特别推心置腹地与那些“战斗在”“应试教育”“最前沿”的“重点中学教师”探讨应该怎样处理好“应试教学”与“人文关怀”、“埋头拉车”与“抬头看路”以及“学科素养”与“综合素养”之间的关系，让中学教师在自身文化养成与专业成长中真切地感受到“原来生活可以更美的”。同时，为了教师们更好地“终身成长”，冯老师也要求校长们能够或者如南通师范二附小“以一项重大的科研成果为引擎”，或者似海门市东洲中学“以一种崇高的教育精神为引擎”，或者像栟茶中学“以一股优异的校风力量为引擎”，努力营造较为完备的教师“终身成长”的校园环境。这样，教师的自身努力就能与学校所创造的“终身成长”的环境与氛围相互融合，教师就一定能在“入职”之初、“成熟”之中、“造极”之后、“别岗”之前的各个阶段都能得到“终身成长”，都能像李吉林老师、李庾南老师一样“拔节”在生命中的每一天！

“终身成长”在新课改的课堂中。课堂作为教师“生命的舞台”，是教师“终身成长”的大地。于是，冯老师与教师们一起探讨如何使课堂“互动”起来，让课堂“充满活力”，从而构建“和谐课堂”，提高教学效率，使师生在“对流”中迸发思想的“光电”，最终“开创师生一起成长的美好景象”。只有课堂“互动”起来了，才会有课堂的“生成”。冯老师又针对新课改中的某些弊端，琢磨怎样使课堂的“生成”更“优化”。他提出的课堂生成的目标问题、价值问题、效率问题、可能问题以及氛围问题，都为我们优化课堂的“生成”提供了丰富生动的实例，并在课堂“预设”与“生成”的关系上提出了值得我们深入思考的问题。冯老师真切地希望老师们在新课改中“胸中有沟壑”，最终引得课堂“活水自然来”。也只有这样使我们的新课堂“互动”起来，使我们的新课堂的“生成”更优化，才能“辩证地理解和有效实施课堂管理”。冯老师提出的“新课堂”管理的“四个维度、八个方面”，启发着老师们深入思考：“课堂管理是一个充满辩证意蕴的话题；‘新课堂’管理不要搞二元对立，而应在新课改的多彩时空中，在不无冲突和撞击的多种理念中，寻找一个平衡点，走出所谓的‘灰色地带’”(第163页)。冯老师以其深厚的中国文化修养为基点，独具慧眼地看到了我国民族传统教育和教育传统中蕴涵着的丰富纷繁的“新课程基因”，带着我们进行着教育的"寻根"之旅。我们可以从他充满深情的描绘中，憧憬"新课改"在"回家"的路途中必将呈现出无比绚丽的风采。

"终身成长"有赖于学校教育研究氛围的整体形成。于是，冯老师四处奔走，呼吁"校本教研"风气的形成。他从"校本教研"的现状简描中分析出现存问题的症结所在，指出"校本教研"要处理好的几个辩证关系，特别是他在教育教研的实践中摸索出了"实践反思"、"同伴互助"和"专家引领"三大类的"校本教研"模式，以及"反弹琵琶"、"我石攻玉""滴墨渐染"等九种"校本教研"方法，更是便于老师们学习、模仿和创造。如同强调课堂"生成"的优化一样，冯老师同样强调教科研的"最优化"。他以"读、想、议"课堂教学课题为例阐述了"最优化"的教科研应当是"相对于学校客观条件并且以此为基础的'最优化'"，以李吉林老师的"情境教学"为例诠释了"最优化"的教科研应该是"相对于中华民族教育传统并且以此为基础的'最优化'"。这对于那些总是抱怨教科研条件不太好的学校和教师应该是颇有启示的。冯老师认为，只有学校教育研究氛围的整体形成，才能提炼出一个学校的文化精神，才能培养出具有"五洲视野，本土情怀"的优秀教师。

当然，"终身成长"的关键还在于教师自身要努力去扩展"成长"的空间，努力去践行"成长"的理念。冯老师花了大量的篇幅来叙述教师该如何进行个人的教育研究。他认为，中小学教师最好的"成长"之道，就是"讲述我们自己的故事"、"我手写我心"，也就是写好自己的"教育叙事"。他在《登高，从"第一级台阶"开始——怎样写好教育叙事》一文中，详细解释了"教育叙事"的内涵、意义以及方法。他从老师们的创作实践中总结出"教育叙事"要学会用敏锐的眼光去"努力发现'意义事件'"，然后以深层地思考去"认真发掘'事件意义'"；要学会从自身的教育生活出发，善于从故事中"提纯"出一定的教育哲理，争取写出以教育思辨为主的有高度与深度的随笔，并宣称这样的论文，其实"是教师的教育宣言"。接着，他在另一篇文章中阐述了“论理随笔”的三个阶段，并不厌其烦地从标题、内容、结构、语言等方方面面，如同教他的学生一样，耐心而又细致地讲解教育科研论文的写作方式与要求。作为教研员，冯老师觉得他有责任与义务帮助教师们的“终身成长”更加健康、更加高效。于是他在各种场次的演讲中几乎是手把手地教一线教师如何进行研究的选题，怎样使课题申报、方案文本更为完美，怎样实施微型课题研究等，并附录了几篇规范的课题申报书和微型课题研究简案，让一线教师在教育研究中有本可摹，有法可循，最终达到“内涵发展，科研兴教”的目的。

本书的内容本为不同场合给一线教师所作的演讲，看似散漫，但针对性极强，可说是“形散神聚”，始终有中小学教师“终身成长”这根主线贯穿。本书原为演讲辞，又是面对广大的中小学一线教师，故其语言明白晓畅、鲜活灵动，有白居易诗歌“老妪亦解”的特色；又因其语文教师的背景，其语言又百般锤炼，极富文学色彩，深含文化意蕴，有王维诗歌“高者似禅，卑者似僧”的特征（意指王维诗中有诗意禅意，又非常地贴近人的生活）。冯老师在《后记》中坦言，在编此书时，“有一个隐在的考虑和追求，就是尽可能使全书有那么一点‘教育科研初步教程’的意味”，“是为大家（一线教师）‘量身定制’的”。看来，冯老师的这个意图显然是较为完美地实现了。本书就是这样的一本能够促进当今中小学教师“终身成长”的书。

冯卫东老师作为南通市教育科学研究所（分管）所长，“普及与推广教育研究是他的本职工作”，因此，他乐此不疲、不遗余力地推出、推广、推行他的“中小学教师终身成长”的思想和行动，为的正是让更多的中小学一线教师踩着他用全部身心搭建起来的“引桥”走向教育研究的“主桥”，继而展现千军万马共建中国教育“大桥”的宏大景象！

（冯卫东著：《走在研究的引桥上》，江苏教育出版社，2007年。）

跳出课堂看课堂

——喜读《叩问课堂》

什么东西性价比最高？一本好书。

我们极有可能用一次短程的乘车费用，或一份普通的快餐支付，就可换取一种美好的际遇，在书中跟随作者遨游思想的海洋，贪婪地汲取精神的食粮。

翻开周彬先生的《叩问课堂》一书，跃入眼前的是一张书签，书签正面是一幅油画——一位少年枕书而睡，背面则是卡莱尔的那句名言："书中横卧着整个过去的灵魂。"其实，书中不仅横卧着过去的灵魂，更跳动着当下的脉搏。

当下，不论教育实践领域，还是教育理论界都聚焦于我们的基础教育，关注于师生相遇的地方——课堂。课堂是学生的生命得以展开的场所，是教师职业生活的前沿，也是怀揣教育梦想的人实现其理想的地方。然而，由于各自角色的不同，关注课堂的人，要么游离于课堂之外，要么深植于课堂之中，总有一种遗憾。正如周彬先生所言："如果远离课堂，似乎就无法畅谈教育；如果置身课堂却又无法直面教育。"

那么，如何走出这两难之境呢？

周彬先生的回答是："跳出课堂看课堂。"他在文章中写道："跳出课堂看课堂，让我们离课堂远一点，再远一点，我们就能把课堂看得更加清楚与明白；跳出课堂看课堂，让我们消除对课堂已经充溢的感性，培育更多的理性，或许这样才能把课堂从感性的海洋中营救出来。"其实，"跳出课堂看课堂"不仅是为了避免

"不识庐山真面目，只缘身在此山中"的近视的盲目，也是为了消除"雾里看花，水中望月"的遥远的朦胧。而恰到好处的视角便在与课堂有一定距离但又并非遥不可及的地方。作者将理论研究视角比喻为阵地战的"司令部""指挥部"，它不能建在浴血奋战的阵地上，因为身临其境的紧迫与琐碎不利于我们冷静地思考和抉择；也不能躲在离战争很远的地方，遥远而抽象地纸上谈兵终究于事无用，只有把握好这个距离，才可能"运筹于帷幄之中，决胜于千里之外"。

作者正是以恰好的距离，透过旁人司空见惯的现象，叩问课堂问题的背后根源。全书按主题分为五辑："莫把课堂当秀场""让学生学习走出迷失之境""课堂教学中教师的进退之道""课堂教学何以为师生共享""考试成绩究竟是谁的命根"。从教师、学生和考试的角度，把脉课堂的病症，以其深刻的思辨和流畅的行文，给人以"山穷水尽疑无路，柳暗花明又一村"的感觉。

有人说，讲台如舞台，好的教师就是好的演员，果真如此吗？笔者曾在中学观摩过一堂语文课，印象最深的是教师的讲演。这位教师很有气质，姿态优美，声音动听，表情丰富。听课时，笔者没有注意讲课的内容，却冒出这样的念头："如果这位老师去做演员或主持人，既可算是偶像派，又属实力派，定将大红大紫。"如此看来，教师和演员确有相通之处：都要有较强的表达能力（通过口头语言、肢体语言来表达）和感染力，将教学内容或剧本的精妙之处展现得淋漓尽致。然而，教师并不等同于演员。"教师和演员最大的不同之处，就是教师教学的目的是帮助学生学习，而演员的目的是要得到观众的欣赏，至于观众是否学会了演出技巧，那完全是另外一回事，与演员的演出功能没有直接联系。"因而，在书中的第一辑，周彬先生以"莫把课堂当秀场"为主题，劝诫教师不要"为自我的虚荣而演"，而应"为学生的求知而教"，因为"教学"是一个偏正名词，"教是为了不教"，教师的教是为着学生更好地学。

为有助于学生学习，首先就应解读学生，解释为什么学生无心于课堂学习。在书的第二辑中，作者告诉我们，要以学生的名义解读“学生”，在学生的眼里，“学生首先是一个独立的人”，他们有独立的情感追求和利益选择；“学生是一个日常生活的个体，而不是未来生活的工具”，不能因尚未确定的未来而丧失学生当下的真实生活；“学生就是学生，他们并不是成人的缩影，更不是未成熟的成人”，他们有自己的完整性，也许他们并不成熟，但他们的成熟并不是成人眼中的成熟，他们的将来也并非是对父辈生活的复制。以学生的名义解读“学生”，有助于我们解答学生为什么不喜欢读书的问题。读书能给学生带来什么？从长远来看，读书有利于学生将来的发展，可是这离学生过于遥远，他们往往理解不了或者等不及；从短期来看，取得好成绩可以获得教师和家长的表扬，包括一定的物质奖励，但获得这些利益的成本较大或者学生并不稀罕这些“小恩小惠”。在文章中，作者重拾马斯洛的需要层次理论，逐一分析了如何满足学生在课堂中的安全需要、尊重和爱的需要、自我实现的需要，从而让学生爱上教师，喜欢课堂，帮助学生走出迷失之境。

人们常说，考试是教师的法宝，分数是学生的命根。通过周彬先生的分析，我们发现，考试不只是教师的法宝，也是学校管理者用以检阅和督促教师工作的法宝；分数不仅为学生的命根，也已然成为教师的命根、学校的命根和家长的命根。“正是考试分数主体多元化，考试分数功利化与教育教学眼前化等现象异化了当前的教育教学”。课堂教学不单是教育的问题，其背后还存在着大量的管理和利益问题。虽说“一切为了学生”，但教师可能只为自己的职业收入，学校可能只看本校的升学率，家长可能只为自己一厢情愿的期望，使得教育浸染了功利色彩，学生异化为学习的工具。

诚然，要褪去学校教育的功利色彩，消除课堂中的“做秀”成分，需要学校、家长和社会的多方努力。但就教师而言，应讲求教学的进退之道，以实现课堂的师生共享。孟子云："人有不为也，而后可以有为。"教师在课堂教学中也应有所为，有所不为。周彬先生认为，"当教师在课堂上展现个人才华时，这时的教师无疑是幸福的。问题在于教师应该追求什么样的幸福，是一位教育者的幸福还是一位演员的幸福？""演员的幸福在于自己能够做到别人做不到的"，而"教育者的幸福在于自己能够教会别人做到自己能够做到的，甚至能够帮助别人做到自己所不能做到的"。因而，教师在课堂教学中要有明确的定位，既不能"越位"，使课堂成为自己的"独角戏"；也不能"缺位"，对学生放任自流、缺乏引导。在"进"与"退"之间，如何权衡才能游刃有余呢，这值得我们深思。而要实现课堂的师生共享，教师除适当"退位"之外，还应做到"因材施教"。因材施教这一原则古已有之，但在如今一位老师面对几十位学生的课堂中，教师要因每个个体而教则无疑是一种奢望。周彬先生指出了课堂教学的共享点，即教师"从适应个别学生而转向适应特定层次的学生群体，在特定层次中的学生则向该层次中平均水平的同学靠拢"。虽然，这并不是对"因材施教"的最好诠释，但在当前情况下，不失为一种现实的好办法。

综观全书，不仅有独特的视角、严密的推理，更有生动而形象的比喻、实用而中肯的建议。如果说，读书是对书籍本身的回报，那么，书籍给予我们的便是灵魂的滋养和行为的指导。《叩问课堂》一书可谓一份丰盛的课堂理论大餐，也是一则细致的教学行动指南，对于教育理论研究者和实践工作者而言，读之都不无裨益。

（周彬著：《叩问课堂》，华东师范大学出版社，2007年。）

回归生活世界的教育求索

——读郭元祥《生活与教育》

什么是教育?教育是为了什么?这两个问题,一个是从本体论的角度对教育的追问,一个是从目的论的角度对教育的追问。明了了前者,才能让教育"是其所是";明了了后者,才能使教育在风浪穿行中始终不迷失航向。二者共同构成了教育理论和实践发展的基石,共同决定了教育的发展路向。

在教育发展的历史长河中,人们对教育本质和教育目的的追问始终没有停歇。两百多年前,伟大的哲学家康德老人说"人是目的",此后,"人"——逐渐成为各国教育的终极目的所在。然而,人的什么是教育的目的?教育是为了人的什么呢?有人说自由是人之为人的根本,因之而倡导教育的目的在于实现人的解放,"教育即自由";有人说过美好生活是人之为人的根本,因之而倡导教育要回归生活世界,"教育即生活";有人说生命是人之为人的根本,因之而提出教育的终极使命在于成全生命……虽然着眼点不同,但都表达了教育的人学发展路向。

《生活与教育——回归生活世界的基础教育论纲》一书,是华中师范大学郭元祥教授从生活的维度对教育发展路向的一次追问和探索。正如作者所说:"我想通过展开我的思绪,表明一个基本的教育信念,那就是:人的现实生活和可能生活的建构,以及引导儿童自主思考并规划人生,是基础教育的永恒追求。""回归生活世界,关注儿童的生活方式,关注儿童的现实生活中的地位,赋予教育生活意义和生命价值,成为基础教育改革的必然要求。"

在将近一个世纪前，面对学校教育与儿童生活及社会生活相脱离的状况，面对学校教育对学生与社会的无为，伟大的教育家杜威先生发出了“教育即生活”、“教育即生长”的呼声，希冀使学校教育真正成为儿童生活与社会生活的契合点，从而使学校教育既能满足儿童的需要和发展，又能为社会发展做出贡献。这呼声表达了对教育本真和对教育发展路向的独到见解，更表达了对教育返璞归真的渴望。这呼声曾一度惊醒了迷茫中的探索者，曾一度使教育充满无比的生机与活力。然而历史悠然走过，教育却依然游走于各种外在的需求而无法返璞归真，也无力践履其成全人生的终极使命。一个世纪以来，教育的“人学空场”依然存在，教育的“生活空场”依然存在，教育的“生命空场”依然存在……

《生活与教育——回归生活世界的基础教育论纲》一书，正是郭元祥教授针对教育中的“人学空场”、“生活空场”与“生命空场”，对教育回归生活世界所做的一种思考和努力。

全书分为上、下两篇。上篇从基础教育远离学生的生活世界看到了基础教育的危机，并由之而对教育与生活的关系进行了历史的梳理，对教育与生活的真谛进行了理性的叩问与追寻，由此而揭示了教育的生活意义和生活的教育意义，从而对教育为什么要回归生活世界以及回归怎样的生活世界进行了严肃的理论思考，也为教育回归学生的生活世界打下了坚实的理论基础。下篇则从教育对象、教育目的、课程、教学等方面提出了回归生活世界的教育之道，并对回归生活世界的基础教育进行了理论展望。

让教育回归生活世界；使教育不仅仅只着眼于儿童的可能生活，而且眷注儿童的现实生活；使教育永远焕发生命的蓬勃与活力，使教育永远充盈生活的多彩和真切……这不仅是一种美好的教育理想，更是一项艰巨的使命，一次艰难的探索。

眺望着理想的高地，回溯教育的本真，我们需要更为真切地品咂“教育回归生活世界”的意蕴。

从我们的求学历程来说：自从我们踏入学校校门的第一天起一直到从学校毕业，我们整个学生时代、我们学生生涯的整个时光都是与学校教育有着内在、一致的紧密联系的。

我们在教育中生活、在教育中成长；我们在教育中经历人生的喜怒哀乐；我们在教育中度过我们金色的童年、风华正茂的少年与意气风发的青春岁月。我们理应在教育中获得知识与智慧并学会学习、学会生存；我们理应在教育中懂得向善并学会做人、学会做事；我们的德行、品格、身体、情感、修养，我们的个性、人生理想、学习与生活方式，我们的人生观、价值观……都应是在教育中得以健康发展并得以有益的涵养、陶冶或指引。

然而，我们的童年能否带给我们金色的回忆；我们的青春能否有着意气风发的蓬勃与豪迈；我们能否"学会学习、学会做人、学会做事、学会生存、学会关心"；我们是否有着在多维的价值向度中把握好其间张力的价值自觉能力；我们的个性能否得以顺其自然的张扬、我们的身体能否健康茁壮地成长……难道不正是全赖于我们生活于斯、成长于斯的教育吗？

可见，教育的过程就是我们成长的过程，教育的过程就是我们生活的过程，教育不仅仅是"成人"的手段，教育不仅仅是成就美好生活的手段，教育本身更是我们的一种存在方式，是我们的一种生活状态和生命形式。因此，我们的教育怎能无视生活？因此，我们的教育应当为创造美好生活做出怎样的努力？我们的教育本身如何成为美好生活的典范……我想，这应是"教育即生活"的原始命意，也是教育之所以要回归生活世界的根本缘由。

教育要回归生活世界，不仅在目的上、在主题上要回归，而且要融渗和浸透在教育的方方面面，从教育的目标导向到课程设计；从各学科教学的方式方法到教育教学评价；从人性观、学生观到师生关系与交往方式；甚至从作息、饮食等其他生活内容的管理与服务上，如此等等。我们的教育在每一个环节上都与生活有着内在的一致，我们的教育在每一个环节上都应承当保卫与成全生命的使命！

因此，教育回归生活世界，不仅是方向的，而且是方法的。方向决定方法，方法成就方向。使教育回归生活世界，使教育根植于学生的现实生活并成为联结其可能生活的桥梁，这是《生活与教育——回归生活世界的基础教育论纲》一书自始至终都在思索并致力于回答的问题。

（郭元祥著：《生活与教育——回归生活世界的基础教育论纲》，华中师范大学出版社，2006年。）

教育学教材的新气象

提起教材，大家都并不陌生，但也都确无好感。人们对教材的印象大多是：单调、陈旧、枯燥、晦涩、刻板……如果不是课程设置的需要，也许大多教材早已没有了生存的空间。尤其是在图书出版业如此发达的今天，古今中外的各类经典书、精品书、新书……已然应接不暇，教材类书籍日益趋于边缘化也是大势所趋。教育学教材也不例外。

公共教育学是为师范院校和举办教师教育的其他院校学生所开设的一门具有奠基性质的专业必修课。其对于即将步入教育领域的学子们来说，无疑是具有引领、导航意义的。因而，一本好的教材，一本反映时代声音的教材，一本体现该学科整体研究成果的教材，对于学生们在较短时间内“通观全局”且“有所倚重”，是尤为重要的。

近十年来，教育获得了空前的大发展。教育学研究也呈现一派繁荣景象，可谓“百花齐放，百家争鸣”。许多思想、理念、观点被实践证明是正确的，是“人心所向”的，并且已经在一定程度上有力地推动了实践的发展。然而，这些可喜的成果在“教育学”这一基础性教材中还没有得以体现。传统的教育学教材依循着固有的模式，不敢越雷池一步。虽四平八稳，却显然已落后于时代的需要。

顾名思义，《公共教育学教程》是一本专门为“公共教育学”这一课程精心设计的教材。这也是一本迄今为止能促使我一口气读完并觉趣味盎然的教材，是一本令人感到“有意思”的教材。这确是一本教材，然而却又是一本“不一般”的教材，或者说，是对传统教育学教材的超越：鲜明响亮的教育宣言、熟悉亲切的时代气息、浓郁厚重的人文味道、生动鲜活的“小插曲”或发人深思或拓宽视野……应当说，这的确是《公共教育学教程》一书的几大特色，一本教材能做到如此地步，可谓难能可贵。概括地说，具有如下几个特点：

1. 鲜明响亮的教育宣言。可以说，传统的教育学教材带有浓厚的“中庸”色彩，因其囿于四平八稳而成为没有自己声音、没有自己个性的教材。而《公共教育学教程》则不然，翻开目录，我们的眼睛会为之一亮，单从其目录体例的设计上，就让我们看到了一个立体的、个性鲜明的、有自己声音的教育学。它旗帜鲜明地树立了自己的教育宣言，诸如：“教育观——以人为本的教育观”；“学生观——主体性的学生观”；“教学观——发展、交往、生成的教学观”；“评价观——旨在促进发展的评价观”等。

这种旗帜鲜明有两重意义：其一，醒目、夺目。一目了然的体例设计、明快凝练的价值取向夺人耳目，给人较强的视觉冲击力和鲜明、深刻的印象。其二，它促使我们带着一种“声音”或“印象”抑或说“问题”，迫不及待地想去揭开那层神秘的面纱，并促使我们在细细品读中去用心体悟之。比如“什么是发展、交往、生成的教学观”，“在教学中如何体现发展、交往、生成”等。在看书之前，它已经催生了这些问题，并促使我们带着这些问题去阅读、去思考。

2. “唯精唯一，永执其中”的智慧与精神。“唯精唯一，永执其中”的精神是中国人做事时特有的抓核心、抓本质、抓重点的思维方式与智慧。

学生和教师是教育活动的主体；教学、课程是教育活动的核心，也是师生交往的主要形式和媒介；评价，是衡量教育活动成效的标尺;研究,是教育活动得以可持续发展的机制保障;加之教育的意蕴、目的、理想等本体论的思考。此七者,乃教育不可或缺的"七翼"。也是任何一个从事教育活动的人,都必然会面对的课题。

作为一本教育"导航图",《公共教育学教程》一书打破了传统教材编写的固定格局,而从教育活动的本体、主体、中心出发,从教育观、学生观、教师观、课程观、教学观、评价观、研究观七个单元引领初学者穿越教育的迷雾,高屋建瓴地把握了教育的几大主阵地。充分展现了编者"唯精唯一,永执其中"的教育智慧。

3. 生动鲜活的"小插曲"。《公共教育学教程》一书的另一大亮点就是,一改以往教材板起脸来说教、平铺直叙的风格,而在必要的地方都附以生动鲜活的小案例、小故事。

这些"小插曲"或者形象生动从而能帮助我们加深对理论问题的理解,诸如:《一张贺卡》的案例,使我们深切体会到了"日常教育评价:以真实为基础,高扬人文性"的真谛;《优秀教师成长的启示》一文中,特级教师的现身说法使我们真实而生动地领略了教师成长的一路风采。

这些"小插曲"有的正是源自我们的教育生活,这些真实的故事,或沉重或无奈,却无不发人深思。诸如《对话之形与对话之实》、《一名"差等生"的心声》等,促使我们对一些教育现象或问题进行深入、全面的思考,也促使我们精细地咀嚼理论,从而使其真正内化为自己的行动。

这些"小插曲"或者是别国的做法或别人的经验,从而有助于拓宽我们的视野。诸如,《我们是怎样开发与利用课程资源的》一文,使我们冲破理论的樊篱与局限,引领我们真实地领略课程资源开发的多姿多彩。

正是这些"小插曲"使得该书抑扬顿挫、丰盈灵动、趣味盎然。

"子规夜半犹啼血,不信东风唤不回"。《公共教育学教程》一书,浸透了以余文森教授为代表的教育学人致力于提高"公共教育学”这一教育基础课实效性的努力，代表了他们对初入教育殿堂的后辈儿们的关切、呵护与殷殷期望，也展现了他们与时俱进的精神与气魄。

（余文森主编：《公共教育学教程》，高等教育出版社，2004年。）

做个好书的鼓吹者

在亲历中探索教育的真谛

——读李希贵《为了自由呼吸的教育》

捧起李希贵先生的《为了自由呼吸的教育》一书，细细品味，反复思量，只觉一阵春风扑面而来。看多了目中无“人”，满是学术概念堆砌的教育学专著，能找到这样一本亦师亦友的原生态教育书籍畅读，实乃让人无比惬意舒心之事。李希贵先生以不加粉饰却饱含智慧的语言，用自己切身的体验与感悟，为我们诠释了一幅幅真实动人的教育图景。通读全书，大道理少之甚少，但字里行间都充盈着一位教育工作者对教育事业深深的忧思、无尽憧憬与真挚的爱。如果我们有心，我们会在书中随处发现思考的轨迹，智慧的火花，革新的勇气……

说起李希贵，教育工作者们也许都不陌生。他从高密四中这样一个贫穷落后的乡村中学一路走来，用自己的智慧与双手开创了一个又一个教育界中的神话；他始终站在改革浪尖上，在教育体制尚不完善，人们的教育观念依旧落后的高密，带活了一个又一个中学，甚至打造了一个崭新的教育强市。这样的成绩不能不说是骄人的，可是骄人的成绩背后，则是一个普普通通，有血有肉的教育工作者在无数次失败和挫折中成长的人生历程。于是，李希贵先生便将自己成长的点滴故事，让自己感动的林林总总，无数的经验教训记录在此书中，读来平实而亲切，如与友人促膝谈心，细嚼则是意味深长，如师长谆谆教诲。

李希贵先生在楔子中用一颗感恩的心追忆了自己贫穷却幸福的少年时代——爱书的爷爷在自己幼小的生命中播下了热爱

读书、热爱文化的种子，幸福和睦的家庭给了自己一份幸福的原初体验，小小的连环画点燃和释放了自己心灵深处探求新知的欲望和阅读文字的兴趣，老师的一句认可和鼓励给了自己莫大的力量与勇气，挚友的砥砺切磋足以成为自己一生的财富……这一切，难道不是教育么？这一切“不是教育的教育”难道不值得珍惜么？李希贵先生非常敏锐地捕捉到丰富的情感与体验在教育中的重要意义，而这些恰恰是许多中国的教育工作者所忽视的。细细品味以下他的这段文字，我们也许会重拾起那些教育中失落的珍宝：“美好人性的塑造，并不需要什么高超的教育手法，融洽的氛围、和谐的人际关系、成年人的善良、民主、宽容、仁爱，这一切，都是美好人性生长的最适宜的土壤。失去了它们，任何教育都将是徒劳的。”

在全书中，李希贵先生用三条主线将若干取自生活、源于实践的小故事串联起来，每个故事中都融入了自己对教育独特的感悟与思考，那点滴心语，可谓画龙点睛。这三条主线分别是教育线、教学线和管理线，而统领这三者的便是一种“人”的精神，一种尊重人、欣赏人、珍爱人的可贵思想。

在教育主线中，李希贵先生深刻反思了自己学生观的渐变过程，那是一个在无数次错误和失败中摸索的过程，也是一个不断与大师对话，从阅读中汲取养分的过程。正是一颗好学又善于省思的心灵让李希贵一步步将“以人为本”的思想全面地融入自己的学生观中。他眼中的学生是天真可爱的，有灵性，有梦想的一群；他们会常常犯错，常常摔跟头，但在错误中成长、在摔倒后爬起来是他们必须学习的功课；他们的心灵美丽而稚嫩，需要我们去呵护，去理解；他们有自己的生活空间，有自己的喜怒哀乐，容不得我们贸然闯入……他们的身上都流淌着渴望尊重、渴望认可、追求公平、追求自主的血液，而这些恰恰是教育得以萌芽的种子。

在教学主线中,李希贵先生以自己的语文教学实践与改革为依托,为我们展示了一幅非常动人的语文教学图景,但最可贵的则是其中闪耀的人文思想的火花。正如他所言,“长期以来,用数理化的教学方式来进行语文教学,已经严重违背了语文学习的规律,训练代替不了积累,没有大量的诵读、涵泳、感悟和体验,语文水平便不可能提高。”他指出:“不好‘读书’,而好‘甚解’正是当前语文教学的最大弊端。”想想我们的中小学生手中捧着的那几本少得可怜的语文课本和那无数让人眼花缭乱的应试辅导,我们就能感受到如今的语文教学科学化、标准化到了一个什么样的程度。这是在培养学生的语文综合素养和人文精神吗?还是仅仅为一个考试的高分做准备?中国的语文教学已经误入歧途久矣,而李希贵先生富有创见的教学改革却实实在在地为已经僵化的语文教学打开了一个缺口,我们终于嗅到了一点点语文的鲜活气息。他的“每天十分钟”让阅读成了孩子们生命中的一部分,他的“语文实验室计划”让孩子们切实拥有了语文学习自主权和阅读选择权,他还提倡“说你想说的,写你想写的,让写作成为情感的一种自然的表达方式,成为生活的一种真实的需要。”李希贵的语文教学改革虽然冒着极大的风险,但最终还是成功了,因为他相信:“一项改革只要触及了教育的真谛,只要接近了学生成长的规律,它没有理由失败!”

在管理主线中,李希贵先生将西方企业管理中的一些新思想、新点子创造性地运用到自己的教育管理实践中,并取得了很大的成效。首先,他明确指出,“教育不需要‘目中无人’的管理”。他提出了“让每一个人都感到自己重要”的管理信条,同时探索出一系列诸如“制造一杆公平秤”,“将竞争的机制引入学校”,“让聘任制软着陆”等管理原则。李希贵先生非常强调体制的重要性,也一直致力于完善教育管理体制,将教育领导者真正地从繁琐的日常事务中“解放”出来,使他们将智慧和时间投入到其真正的职责——"'经销'希望"、"组织才华和开发才华"之上。对于一位校长而言,成就教师与成就学生一样重要,因为"教师以什么样的心态理解生活,就将以什么样的方式对待教学",在当代的中国,让师生们在考试的重压下自由的呼吸、自主的发展才是一位校长需要永恒探索的课题。

这样的三条主线勾勒出一位有血有肉的教育工作者生活的真实形态,李希贵先生因教育事业感悟了人生,找到了适合自己的人生坐标;又在人生的漫漫旅程中,不断丰富完善自己对教育的理解。正如他在后记中所写的那样,"每一条线几乎都是充满遗憾的射线,但也幸亏是射线,才使我有机会去延伸和弥补。"而不懈地阅读、思考、实践、革新正是他不断延伸和弥补的动力源泉。

最后,让我们从李希贵先生对教育的解读中回归教育的本真形态吧。"教育是农业,不是工业。工业的特征是流水线,是标准化,而农业的特征是生态化,多元化。学会用生态的多元的观点来看我们的孩子,我们就会发现大树有大树的风采,小草有小草的魅力。地球正因为生物的多样性,才显得如此生机勃勃、如此美轮美奂。"而我们的教育就如同那阳光和水,无私地照耀着,温柔的润泽着这些"大树"、"小草"、"野花"……使他们能够自由地呼吸,幸福地成长,这,便是"为了自由呼吸的教育"之真义所在。

(李希贵著:《为了自由呼吸的教育》,高等教育出版社,2005年。)

中国教育赖以生长的文化之源

——读《中国教育的文化基础》

文化，一种亘古绵久的社会现象，它与教育相伴而生，相随而长，在漫长的历史长河中，互为前提，互相砥砺。文化给教育以社会价值和存在意义，教育给文化以生存依据和生机活力，两者血肉相连。正如顾明远先生所言，“教育有如一条大河，而文化就是河的源头和不断注入河中的活水，研究教育，不研究文化，就知道这条河的表面形态，摸不着它的本质特征，只有彻底地把握住它的源头和流淌了5000年的活水，才能彻底地认识中国教育的精髓和本质。”这便是我们教育研究者研究文化的要旨所在，也是顾先生十年积玉之作——《中国教育的文化基础》一书的写作缘起。

本书作者顾明远先生是中国教育学界的领袖人物。顾先生是在20世纪80年代就开始关注教育与文化问题的研究。顾先生不仅对中国教育学的发展作出了卓越的贡献，而且对中国教育的发展提出了许多富于远见的政策性建议。他在古稀之年仍能笔耕不辍，这对于教育学的后学来说，本身就具有重要的教育意义。当我看到《中国教育的文化基础》一书的出版时，对顾先生就有了一份更深的敬意。

“中国教育的文化基础”是一个重要的学术研究主题，因为任何一国的教育都离不开文化的基础，文化形塑着教育并溶渗于教育之中。揭示出我国教育的文化基础，对于进一步认清当前教育的现状，系统地把握我国教育的优势和劣势，从而理性地、切实地推进素质教育无疑有着重要价值。

毋庸置疑，中国教育的文化基础是复杂的、多元的。但其最本质的内核还是那博大精深、源远流长的中华民族文化传统。“如果不了解中国文化对中国教育的影响，就不可能了解中国教育的特质，就不能把握在教育现代化过程中如何进行教育改革，特别是传统教育观念的转变。”正因为如此，顾先生花了大量篇幅，以其固有的平易而又深刻的语言为我们勾勒了一幅活生生的中国传统文化剪影。在顾先生笔下，我们真切地看到了那绵延几千年的中国传统文化，它如血液般在中华民族的肌体里汩汩地流淌，哺育着、滋养着一代代华夏子孙。它如此悠远，却从未中断；它几经变迁，却仍灿烂如初；它是那么的博大而包容，对异质文化慷慨地敞开胸襟；它又是如此的保守而顽固，儒家思想一统千年；它极具统合力和稳定性，周身散发着同化万物的豪气；它又是那么的多样化，区域文化和民族文化异彩纷呈……

那么，如何从本质上把握中国传统文化呢？“中国文化从总体上来讲是伦理型文化”，而“宗法制度则是中国伦理型文化的社会基础”，这是学界的共识。顾先生则进一步指出，中国古代社会的组织结构是宗法制度，整个社会用“君臣、父子、夫妇”之间的宗法原则组织起来，形成了“家国一体”的组织形态，并在漫长的大一统的历史发展过程中，建构了一套成熟的封建伦理道德体系，以此来规范个人的行为，从而保证封建社会的稳固。在此基础上，顾先生深入浅出地剖析了中国传统文化的两面性。“天人协调”、“自强不息”、“贵和尚中”、“矢志爱国”、“敬老爱幼”、“勤劳节俭”、“慎独自爱”……这些民族精神一直持久而强烈地影响着我们每个人，烛照着我们的当代教育；但同时，植根于封建专制社会的腐朽落后的思想观念和思维方式，诸如“因循守旧”、“讲‘名分’重等级”、“重伦理轻技术”、“重整体轻分析”、“重归纳轻演绎”等，仍在我们很多国人头脑里挥之不去，甚至演变成了某种“情结”……仔细想想，这些观念上的毒瘤给我们的孩子带来了多少苦痛，为我们的教育带来了多大的灾难！

具体来说，中国传统文化究竟如何影响着中国教育呢？顾先生明确指出，以儒家思想为核心的中国传统文化铸造了传承儒家文化的中国传统教育，并对中国当代教育不可避免地产生了或多或少的影响。比如，重视教育，把教育作为利国利民之本的传统教育价值观就一直延续到今日，其中隐含的"教育工具论"观念和浓重的功利主义色彩直到今日仍没有散去；几千年以伦理道德为核心的传统教育正是导致我们近代科学衰落的主要原因；以"四书五经"为主的教育内容和经院主义的教学方法，也能在中国现代"填鸭式"教学中找到蛛丝马迹；而如今"升学的竞争，重视普通教育，轻视职业教育，追求高学历，不是与科举制度的学历主义一脉相承吗？今天的中考、高考与科举考试何其相似"。顾先生的一席话着实值得我们掩卷长思啊！

中国绵延至今的教育传统中不仅流淌着中国传统文化的血液，而且也是在与西方文化的碰撞与交融中发展起来的。东西异质文化的冲突和融合是一个充满痛苦的历程，但中国教育的近代化就有赖于此。始于明末清初的"西学东渐"，大大冲击了中国的传统文化，为中国人打开了一扇世界之窗。自此，我们终于废除了延续千年的科举制度，引进了崭新的西方学制，西方教育理论也源源不断地涌入我国。从赫尔巴特教育理论经由日本辗转地传入，到杜威实用主义教育理论在我国的风行，再到设计教学法和道尔顿制在中国的传播，直至马克思主义教育思想在中国的诞生……顾先生为我们勾勒了一幅清晰而生动的"西学东渐"之教育图景，让我们在历史中重温了那段"痛并快乐着"的岁月……

然而，1949年后，我们的教育并没有踏上坦途。我们开始盲目地学习苏联，而忘了教育的本真意涵；之后的"文化大革命"更让我们的教育雪上加霜……那是一个黑暗阴冷的年代，我们的教育也进入了漫长的冬眠期……直到改革的春风吹醒了大地，中国教育界终于苏醒了：我们发现，我们已经太落后了，于是，反思开始了，国门打开了，各国的教育思潮也蜂拥而至。但是，我们自己的教育，路在何方呢？顾先生在本书结束语中，为我们指明了方向：文化的交融难免痛苦，但我们应敞开胸怀，勇敢地反思我们自己的教育传统，正确对待外来的教育思想和经验，努力实现在教育观念、教学方式和教育制度等方面的创新，勇敢地向教育现代化的方向迈进。

也许，我们的前行之路依旧坎坷，也许，我们还会犯错，会摔跤，但我们一定会感到从未有过的自信。因为，我们有深厚的文化积淀；因为，我们开始学会了在文化之源"叩问"中国教育；因为，我们充满了勇气，而且，我们的教育才刚刚步入希望之途……

（顾明远著：《中国教育的文化基础》，山西教育出版，2006年。）

怀抱梦想　踏上旅程

——评张刘祥《追寻理想的教育》

张刘祥，作为浙江省嘉兴市秀州区教育文化体育局的副局长，是我走遍中国见到过的为数不多的优秀局长。他代表了中国基础教育"草根阶层"的领军人物和先行者。怀抱着对教育的理想，充满事业的激情，脚踏实地而热血沸腾地走在通往"新教育"的路上。一路洒满汗水，劈开荆棘，眺望远方，憧憬着一片中国基础教育的新天地。若说国际之间的竞争是综合国力的竞争，不如说是国民素质的竞争，而国民素质的提高依赖的是国家的基础教育。中国的基础教育任重而道远，需要许许多多像张刘祥一样优秀的基层教育领导者。

《追寻理想的教育——走在新教育的路上》是一本教育纪实性的随笔，是作者在接触"新教育"、开通"教育在线"网站主题帖之后记录的点点滴滴的教育纪实生活。记录了大约一年的时间里作者的"行者"历程，其中饱含了作者的所见、所闻、所想和所思。智慧和心灵一起成长，在书中不曾见到华丽的辞藻和溢美的表达，只有朴实的语言和纪实性的反思，真正反映了一个普通教育工作者的教育工作历程和成长历程，深切反映了我国基础教育的一些现状和由"新教育"带来的收获。作者将自己一年来的收获进行了整理，把全书分为六辑，分别为：追寻理想、聆听大师、走进学校、分享快乐、且行且思和与书为友。全书可理解为怀抱追求理想的教育的梦想，追随大师，带领着一支期盼教育雨露滋润的人员踏步在追求理想的教育的路上。作者从新教育实验的开展、校长的成长、教师的专业化发展、学生的生活世界和丰富多彩的校园生活中汲取精华，经过自己的思考汇集成思想的海洋。在序言中作者用了一则美国土著人的故事来反思自己一年来的收获——“等一等自己的灵魂”。难道灵魂还需要等待么？是的，灵魂也有懈怠的时候，也需要休息和调整，需要不断地时时地反思。等一等自己的灵魂，让理想之路变得不再遥远和崎岖。人生不怕任何艰难险阻，怕的是没有理想的人生。没有理想的人生无异于漂泊在大海上的浮萍，随风浪四处游移，终究不能到达一片新的天地。对于作者而言，接触“新教育”无疑为他的理想插上了腾飞的翅膀，在小试飞翔之后发现在自己以前的生活之外更有一番天地，有一番他要为之奋斗一生的事业。

中国基础教育缺乏的不是理论的指导，也不缺乏真正能够实干的教育实践工作者，缺乏的是在教育理论和实践工作之间搭桥的工作。艰涩的教育理论往往使得一线教师望而生畏，而一线教师通常也只是在自己多年的教育经验中加以总结，或者相互学习其他教师的工作经验。然而，经验终究不是理论，得不到理论指导的教育实践工作只能停留在缓慢摸索的水平，难以适应快速发展的社会变化。中国迫切需要能在这两极牵线搭桥的一批教育工作者，能够为中国的基础教育带来一丝甘露、一丝微风、一丝期盼。在“新教育”的指导下，一大批搭桥的教育工作者出现了。他们一方面与高层教育理论工作者相互接触，学习深奥的教育理论，探讨、研究教育；另一方面深入学校，广泛接触一线的校长、教师、学生，对他们的教育工作进行指导并出谋划策。他们的身影出没在全国各地的教育工作会议室里，出现在学校里，出现在办公室里，出现在来回奔波的路上，出现在通往教育理想的路上。

在张刘祥先生的这本书里，作者从自身的生活实际出发，对普普通通的教育实例寄予了浓烈的感情。不管是从对一线教师的专业成长的关注还是对大师的推崇上，都深深体现了作者对教育深切的热爱。平凡的纪实性的教育生活,记录了作者心灵开启的路程,也记录了作为基层教育领导者的反思历程,同时还记录了一个作为追寻理想的人的生命旅程。苏霍姆林斯基在《怎样培养真正的人》中写道:“你作为一个人生了下来,但要成为一个大写的人。真正的人要有一种精神,这种精神会在信念与情感、意志与追求之中,会在对待他人和自己本人的态度上,会在分明的爱与憎,在善于看到理想并为之奋斗方面表现出来。”追求理想的过程并非是一帆风顺的过程,它是一个充满了迷惑、彷徨,充满了诱惑,充满了矛盾的过程。在作者追求理想的过程中,体现了一种强烈的信念,一种对教育,对“新教育”的矢志不渝的信念,而正是这种信念伴随他快乐而幸福地走在追求理想的教育的路上。

朴实的风格、细腻的笔触、诚挚的感情是本书的最大特色,如同一个娓娓道来的先行者向读者坦露着自己的心胸,叙说着自己一路沿途的风景,憧憬着自己的梦想！若说“新教育”带来的是教育理念的转变、教育方式的变革、教学内容的改变以及学习方式的改进,倒不及认为它带来的是心灵的撞击、思想的震撼和信念的坚定。作者心声的流露溢于言表,语言是思想的表达形式,没有丰富的思想是没有丰富的语言的,而表达之深切在于将心融入语言。用心写出的文章才是自己灵魂的表达,用心写出的文字才能感动自己,用心记录事情才是一个真正“行者”的风范。

在万厦书系中,见到理论工作者和学者的书籍是件平常的事情,犹如是理所当然的事情。但对于一名普通的基层教育工作者或者是基层教育领导者来说,他们的思想能够呈现在广大读者的眼前却是件很不简单的事情,因为他们需要更大的勇气和付出更多的努力。而能将一种思想或一种理论付诸实践凭借的不仅仅是努力,更多的则是一种过人的智慧,一种勇往直前的精神,一种“力拔山兮气盖世”的豪迈情操。作者将自己对实施“新教育”的实际历程和心灵旅程结合起来,把自己深切的体会贯穿在点滴的教育生活之中,真正做到了理论与实践的完美结合。在充满了理想主义色彩的情境中，作者化身成了一个追寻理想的教育的追梦人。完美的教育本身就是一种理想,而其本来就是为了追求理想而出发的,虽知路途遥远,然而路就在脚下。正如作者所言,“当生活没有了理想,生命的意义也就结束了;当教育没有了理想,教育的希望也就消失了。”正如:

“深知
今夜故人不来,
但我
仍在风中伫立。”

因为怀抱梦想,所以不懈追求;因为追求理想,所以踏上旅程!

(张刘祥著:《追寻理想的教育》,天津教育出版社,2007年。)

用心亲近一个人的成长史
——读刘良华的《教育自传》

面对纷繁复杂，变化多端的世界，永不满足的好奇心驱使着我们不断探询和思索，力图用夸父追日，西西弗推石般的勇气与决心，爬出湮没真理的洞穴，揭开隐着本质的面纱，好让智慧之光涤荡万灵。于是，“理性”、“客观”、“本质”等几近成了人们标榜人性甚至顶礼膜拜的词汇，“感性”、“主观”、“现象”等则似乎理所当然地遭遇冷落，沦为“低级”与“肤浅”的代名词。

为了脱离低级与肤浅之嫌，许多领域人文社会学术研究都受到近现代科学研究的影响，追求量化、抽象化、精密化和系统化。教育学也一直在寻求其“科学化”的道路，从讨论什么知识最有价值，分析人的心理发展规律，到探究教育的规则和模式，我们力求接近真理。那么，我们所信赖的理智和所依赖的抽象思维是否能让我们更接近真相呢？当我们被所谓的“宏大叙事”过滤于具体细节之外时，令人费解的是教育中的真问题还是为言说而言说的文字游戏？

关于教育的话语不只是以思辨形式存在的“宏大叙事”，还包括关注个体和群体内在世界和经验意义的“经验叙事”，后者便是近年来备受瞩目的教育叙事研究所关注的。罗兰·巴特曾言：“有了人类历史本身，就有了叙事。”人，本身就是故事性的生物，生活在一定时段中，在各种情境中与各种人和物发生互动，因而，人可以通过叙事来“讲述”世界，通过叙事来“理解”世界。教育叙事，简而言之，是一种以叙事的方式开展的教育研究，可以叙述他人，也可回顾自我，后者便是“教育自传”。教育自传不是杂乱无章的资料库，那么，哪些事情值得回顾呢？

刘良华先生在其著作《教育自传》中，认为“教育自传”是回忆自己做孩子、做学生的故事，以及自己做家长或做老师的故事。因而，该书的结构便依序为《我的生活故事》、《做学生的故事》、《做老师的故事》以及《教育自传选读》。总之，是以教育生活为线索的著作。

书是很好读的。这是一本不用正襟危坐，不会味同嚼蜡，不必担心消化不良，也不要害怕头昏眼花的学术专著。可在清晨读报时随意翻翻，可在茶余饭后偶尔看看，也可在夜晚入睡前任意读读，不论何时何地，只要打开此书，遇见书中淡如兰芷而又不乏诙谐幽默的文字，眼前就仿佛在放映精彩的电影：一个调皮捣蛋、留级打架的孩子在偶然而又必然的环境中，在跌宕起伏而又妙趣横生的故事中变幻为健康智慧、为人厚道的专家学者，那身边闪现的幅幅重要意义他人的肖像如静谧而热闹的老照片，颤动在生命的影集之中，不用浓艳笔墨，只需人物的几句口头禅或几点好恶便使至亲、至爱、至友的形象跃然纸上，言行入木三分，可爱至极。

然而，刘教授的趣旨似乎多在叙述，有时甚至只顾不温不火、慢条斯理地素描，迫近高潮却又戛然而止，正如评书中的“且听下回分解”，然而，等君迫不及待地翻至背页时，除了读者们的几点感想外却再无只字我们早已习惯以至于“期待”的大道理，欲言未尽后只留下一片空白。刘教授在前言中曾说：“自传的意义在于：人是生而陷入枷锁之中的，但却可以自由回忆和自由想象。”可见，自传不仅是作者的自由回忆、沉淀、忏悔的私人空间，也是读者任意遐想、交流、反思的公共舞台。掩卷后，文字和情节袭来的乐趣渐淡时，空白之处便诱使我们情不自禁地去挖掘故事背后的种种。正如康纳利、克莱丁宁所言，“写得好的故事接近经验，因为它们是人类经验的表述，同时它们也接近理论，因为它们给出的叙事对参与者和读者有教育意义。”而这种教育意义在于与作者的碰撞共鸣，更在于读者基于各自背景的独特反思。

好的教育自传，让人读后还有一种动笔写点什么的冲动。写和想、和说都是有差别的，想与说可以是天马行空但也难免因此而不够深入和精致，写则大多不是一蹴而就的。积攒平日的细腻感受，在脑海中激荡，又慢慢沉入心底，酝酿着露水般淡定却又潮水般汹涌的分泌物，最后凝结成圆润精滑的颗颗珍珠，用传记的绳子串起来，便是一生最美的艺术。美的东西可以精致，也可以简约，传记的绳子不论是金丝玉缕还是麻绳棉线，都可以将思想分泌的珠儿贯穿成链。因此，无论满腹经纶还是平凡无奇，只要有心观察，有意思考，专家学者、教师学生均能在自己的天空创造艺术。

而用这种艺术的方式来做研究又是多么幸福的事！它基于经验感受而又引人探究洞悉，让人怀着熟悉而不麻木，新奇而不茫然的感觉深入庐山之中，描绘山的萃萃生灵，拍摄林的摇曳多姿，原生态的微妙在切身的记录中留下了自己的痕迹，剩下的全凭读者、观众以自己的眼睛自在地阅读、赏析。因为有了自由才有选择，有了选择才有多样，有了多样才有这大千世界。

只缘身在此山中，我们呼吸着草露泥土的芬芳，经历着雪舞风唳的黑寒，仍然守候蝶舞花飞的季节；只缘身在此山中，我们不会忘记种子破土前的殷切期盼，不会不知蜂儿酿蜜的千辛万苦，不会错过破茧成蝶的惊艳瞬间。

只缘身在此山中，我们欣喜，我们失落，我们祈祷，我们等待，我们安然地行走在这大地上，日落而息之时，可以用叙述的语调低吟诗意的生活。

（刘良华著：《教育自传》，四川教育出版社，2006年。）

教师:儿童发展的促进者

——读《教师与儿童发展》有感

如果说儿童是拔节生长的树苗，教师就是那孕育树苗的土壤;如果说儿童是含苞待放的花朵,教师就是那与花朵血肉相连的枝叶;如果说儿童是振翅飞翔的小鸟,教师就是那目送其远去的鸟巢……没有儿童的幸福成长,教师就失去了其最可贵的存在价值;没有教师的自我发展,儿童就失去了更有力量的精神引领与灵魂感召。儿童与教师,他们共同呼吸在学校这片放飞梦想的蓝天之下,他们共同成长于课堂这个充盈灵性的舞台之中。促进儿童自由全面地发展是教师最伟大的使命,而他们自身的教育意识与能力又在儿童身心特征的巨大影响下,在与儿童双向互动的反思性教学实践中不断地得以提高。那么,教师在儿童发展中的重要作用体现在哪些方面?教师究竟如何影响儿童发展?如何才能有效地发展教师的教育意识与教育能力?这些都日益成为当前国内外教育研究与实践密切关注的重要问题,也是北京师范大学庞丽娟教授主编的《教师与儿童发展》一书旨在解决的三个核心问题。

该书全面概括了国内外相关领域研究与实践的最新成果,并在此基础上多角度、多层面地揭示了教师与儿童发展的内在关系及其教师素质提高这一复杂课题的丰富内涵,尝试建构出一套比较成熟的教师与儿童发展的理论框架。全书极具新颖性、前瞻性,强调理论研究、实证研究与实践指导的紧密结合以及儿童发展研究与教师发展研究的紧密结合,逻辑清晰,结构严谨,对于教师与儿童发展理论的丰富以及实践的深化都具有非常重要的价值。

毋庸讳言，教师，作为继父母之后儿童发展的又一重要他人，构成了儿童成长环境中最重要的组成部分，同时也是推动儿童发展最具动力性的因素。因此，如何科学、深入地理解教师在儿童发展中的重要作用，厘清教师角色的内涵与功能，便是本书首先要探讨的问题。本书前两章，从当代个体发展的主要理论观点入手，探讨了教师在儿童发展中的重要作用，并从教育哲学、教育社会学、教育心理学、发展心理学与社会心理学等不同角度阐述了教师角色的复杂内涵及其在特定时代、社会条件下的变迁，着力勾画了世纪之交我国教师角色丰富而饱满的内涵——儿童学习的支持者、儿童发展的促进者、教育实践的研究者、教育生活的同构者、教育价值的思考者。教师若能将这些崭新的角色融入到自己的教育教学生命之中，就一定可以成为一股促进儿童发展的巨大力量。

那么，教师究竟是如何作用于儿童发展的？其影响是经由何种途径、怎样的过程作用于儿童发展的？教师各方面特征又是如何对儿童发展产生影响的？这就是本书要探讨的最核心的问题。本书第三章到第六章，从双向互动影响的观点出发，系统、全面地阐发了教师对儿童发展的影响、儿童对教师的影响以及师生互动的内涵、过程、机制及其影响因素等重要问题，力求多角度、多侧面地展现教师与儿童的双向作用。作者不仅对教师影响儿童发展的机制与原理进行了深入细致的分析，而且全面探讨了教师的教育观念、教育行为、教育期望、教育监控能力、自我效能感等特征对儿童发展的影响；不仅从教师、儿童两个方面进行相对静态分析，而且从师生互动的角度进行了动态的探讨。

当然，教师对儿童发展的巨大影响必然建立在其自身教育意识和能力不断提高的基础之上的。“为了在学生眼前点燃一个知识的火花，教师本身就要吸取一个光的海洋，一刻也不能脱离那永远发光的知识和人类智慧的海洋。”只有永不停息的开创性学习,只有不断积累的教育智慧,才能赋予教师一个广阔的精神空间,才能为其教育教学实践提供无穷的创造源泉。那么,如何才能有效地发展教师的教育意识与能力,使其成长为一名现代意义上的教育者呢?本书第三部分,便从教师自身素质、儿童发展指导与环境优化等多角度深入探讨了这个问题,对教师的自我发展有着重大的指导作用。

一名优秀的现代教师,一定有着崇高的教育追求、坚定的教育信念、丰富的教育智慧、博大的教育情怀;一定有着不断完善、不断生成的教育观念与教育行为;一定有着持续不断地反思、调节自身教育教学实践的能力——即教育监控能力。这几点也正是教师自身素质的重要组成部分。本书第七章就是从教师的事业心、教育观念、教育行为和教育监控能力等几个方面着重阐述影响教师自身素质的因素以及提高教师自身素质的策略。

教师教育意识与能力的发展不仅表现为教师自身素质的提高,而且也体现在其能否有效掌握并运用科学的儿童发展指导方法,能否为儿童创设出最适宜于儿童发展的优良的物质环境与精神环境。本书最后两章,分别就如何提高教师指导儿童学习、行为、交往与情感发展的能力,如何改善师生关系、同伴关系及教师与家长的关系从而为儿童创设优良的成长环境这两个问题作了非常详尽的分析与阐述,旨在帮助教师研究者、教育管理者和教师自身进一步思考如何促进教师发展,如何使教师成为现代意义的教育者,即儿童发展的促进者。

教育,将教师与儿童的幸福成长紧紧地连在了一起。教师与儿童,血肉相连,息息相关,以至于我们根本无法剥离一方的影响去孤立、片面地研究另一方的发展。本书便是创造性地应用系统与互动的观点,在多学科、多视角的背景之下,深入剖析教师与儿童发展之间错综复杂的内在关系,既可作为教育理论研究者进一步研究的理论向导，亦可作为教育实践者推进当前素质教育改革的行动指南。每一个理论观点都值得我们仔细研究、反复玩味，每一种行动策略都需要我们在实践中深入反思、不断改善。

（庞丽娟主编：《教师与儿童发展》，北京师范大学出版社，2006年。）

玩味经典　润泽教育

——读《经权解读教育智慧》

翻开这本《经权解读教育智慧——〈学记〉今读》，仿佛进入了一个“时空隧道”。在“隧道”这头，我与韩经权先生探讨着当今的教育问题；在“隧道”那头，我向白发苍苍的历史老人探求问题答案。在“隧道”那头，我掬一捧教育之源的智慧之水淋过我昏沉的头脑；在“隧道”这头，我把双脚踏入现代教育的潮汐中感受着时代的涛涌。捧读此书，历史与现实在这里交织相会，古老智慧与现代文明在这里碰撞融合。

韩经权先生的这本书至少给了我们三重启示。一是韩先生“与经典为友”的意义。韩先生竟然能在当代心浮气躁的环境中以“古典的心情”来学习古老的经典，一个教育局局长竟然能在如此急功近利的社会里以从容的气度来琢磨经典。实在难得，令人唏嘘，令人感佩。

古老的经典可读吗？虽然《学记》是我国第一部，也是世界第一部教育经典，但它毕竟遥远得如同冥王星。我们翻读此书，却发现启发诱导、长善救失、为人师表、因材施教等教育的道理古今无别。细读之下，才知教育是关涉人的工作，而“人同此心，心同此理”，自古皆然，教育的智慧也就古今亦然了。因此，我们可以说，教育的智慧，大多是一些古老的智慧。古老的教育智慧存在于如《学记》之类的经典中，于是“古老的经典”可读！

古老的经典该读吗？《学记》作为中华民族教育智慧的结晶，经过此前百万年的积淀，其后千百年的淘洗，历久弥新。当你读过韩先生对“化民成俗，其必由学”的“今读”，你能说古老的教育目的与功能已过时，而当今的以“应试”为主的“精英教育”却更具有“现代”意义吗？当你看完韩先生用《学记》中“豫时孙摩”、“教之所由废”“教育不刑之由” 等词句来解读当今教育成功与失败的原因，你还会说古老的经典在“现代”教育中毫无作用吗？ 在“古老”的《学记》面前，一切所谓的“现代”、“后现代”教育著作都显得那么稚嫩、苍白与贫乏。是的，我从不认为这些“古老的经典”就是“古老的”，而那些“现代的著作”就是“现代的”。经典往往比时尚更接近真实，因为它经过了岁月的洗淘和一代又一代人社会历史实践的检验。所以“古老的经典”该读！

二是韩先生“今读”“古老经典”对教师们的意义。韩先生从小学教师到教育局局长，他能亲身感受到大多数一线教师对古老经典“心向往之”，然而又视古文为畏途，不免敬而远之。韩先生深知，既然教育的智慧大多是一些古老的智慧，那么，任何改革都不能急于求成。韩先生首先自己沉浸在《学记》之中，咀嚼、玩味、琢磨，反复“虚心涵泳”，从《学记》的微言中领悟教育之大义。然后以“切己体察” 的方式，结合当前的教育问题，“入乎其内，出乎其外”，深入浅出娓娓道来地解读这些古老的教育智慧，让老师们不仅理解《学记》的内容，更在阅读的浸染中益其心智，在日常的涵养中怡其情性，在教学的尝试中变化气质，在改革的深化中滋养人生。在这“与经典为友”的历程中，把《学记》中古老而永恒的教育智慧转化为千千万万教师的信念和行为。我们可以想见，多了古老经典“浸润”的教师，在课堂上定能显出一种博大与深厚，在生活中定能展示一种儒雅与高贵。韩先生对《学记》的“今读”，意义不可谓不深远！

三是韩先生“经典”“今读”的方法论上的创新意义。韩先生“把经典中的教育智慧加以总结与梳理，做出现代意义的解读与链接”，于是你能看到“比物丑类”的教育心理学的论述，解决着现代国内外教育学所研究和应用的“识记”和“创造性思维”的教育问题；你能比较“长善救失”与巴班斯基“教育教学过程最优化”的异同，启迪你对古今教育智慧关系的思考。“经典”对于我们的意义在于“守经达变，返本开新”，既要坚守、守护那些永恒的真理、古老的智慧、不变的“伦常”，又要以此对时代的变化所带来的挑战给予回应与创新。

翻着古朴的书页，那些行书草书隶书篆书幻化成了先民们沾满泥土的绳结；那些精美的阴文阳文的篆刻仿佛是镌满各种符号的龟甲兽骨；那些神态各异面容慈善的教育家画像分明是黄土红土黑土烧制的彩陶上的云纹水纹，而链接的那些琅琅上口的箴言格言名言你不觉得是刻在竹简画在布帛写在宣纸上的古老而永恒教育的象征吗？韩先生以古典的心情，以从容的气度，玩味着《学记》这部古老的经典，而我以为，他其实是在“玩味着”中国千百万年的教育历史与智慧！

（韩经权著：《经权解读教育智慧——〈学记〉今读》，知识出版社，2006年。）

生逢其时的理解

——读熊川武的《理解教育论》

大凡书总不过四类:第一类是读来轻松,但是读罢即悔,因为毫无价值;第二类是读来难受,但是读完受用;第三类就可算是极品了,读来也轻松,读罢想回味,甚至一读再读,遍遍觉新;第四类书最是垃圾,读时艰辛,读完无味。熊川武教授所著的《理解教育论》这本书,从书名即可知是理论性很强的专业性著作,没有一点理论基础和理解层次的人读来一定觉得有点艰涩,必须用学习的心态用力读下去才行。虽然一路读来颇为不易,但是读完确实觉得受用非常。现在的学术书籍很多还停留在第四类书的水平上,能够达到第三类书的学术书籍更是寥寥无几。在我看来,《理解教育论》是属于第二类书籍的。读这本书,无论是从体例上,还是从感受上,我都有一些自己的认识。简略地谈谈这些认识,但愿能够呼朋引伴,共同研讨此书。

本书作为第二类书沿袭了大多数学术书籍的著述体例:从理解教育的历史渊源说开来, 详细分析了理解教育的理论体系,最后和实践结合起来,把理解教育在实践中的具体用途和宗旨进行了梳理。这样的体例给读者的感觉是很系统的,而且也比较符合读者的读书思路。即使是一个对理解教育不甚了解的人也能从这本书中对本书的主旨有一个较为概括的了解,所以说这本书是一个理解教育普及的好教材。也正因为如此,这本书就显得不够深入,对于那些还想进一步研究理解教育的人来说,这本书就显得有些浅显。

在普及理解教育思想的层次上，这本书有它明显的优势。优势有三：一是话语不失理论性，但是兼顾大众，具有一定的相对通俗性；这正是这本书的优势所在，在今天理论大潮席卷教育科学的势头下，写书人唯恐自己的书理论性不够强，结果写的文字艰涩难懂，饶舌乏味，不仅教学一线的教师看不懂，有的书甚至连从事理论研究的研究人员也看不明白。教育需要普及，不是置之高阁。二是理论联系实际，没有一味空谈理论，本书的后几章节都是对实践中理解教育怎样实施的具体论述；这一特色奠定了这本书的普及性，使本书可以为广大的一线教育工作者接受。三就是此书具有很好的启发性，看后使人遐想联翩，大大拓展了教育的思考空间。

其实，学习教育学以来，我遇见上学的孩子就常爱问一个问题——你上学开心吗？至今为止，没有一个孩子真心地回答过“开心”。追问为什么不开心，很多孩子说不出个所以然来，看着孩子们那种抓耳挠腮找答案的样子，我就明白在他们的心灵深处，学校中的一切都弥散着让他们不喜欢的东西，我想或许就是这样像瘴雾一样的东西使他们连教育的真面目都没见到就恨上了所谓的“教育”，这实在是教育和全人类的一种大悲哀。至于这层弥漫以及横亘在人和教育之间的东西是什么，是我一直以来也没有想明白的，及至看了《理解教育论》这本书，这个一直滞留在我脑中的黑匣子才仿佛射进了一道光，正是这道光为我认真思考教育深层次的问题提供了一条道路。

这本书首先使我意识到我们的教育中是缺乏理解的，也就是说真正的教育是沟通无限的，这种理想虽然不能成为绝对的现实，也起码应该是教育的一种诉求。因为教育是通过人和人之间的沟通进行的一种人的培养过程，没有理解，就堵塞了甚或畸变了这种培养过程。在中国现在的教育现状中，非但没有理解的容身之所，甚至是不求理解的。一入校，孩子就变成了学生，变成了学生就意味着其任务就是学习，只要没有完成好这项任务的就不是好学生，不是好学生就不可理喻，所以就首先失去了获得理解的资格。这就是主导我国教育的实质铁律。这条铁律排除了理解的生存空间，即便在这夹缝中尚有理解，也是需要建立在学习任务完成基础之上的理解，这样的理解是有条件的，已经不甚完整，又怎能通达人类的魂灵而获得教育的延展？庆幸于这本书使我意识到这一点，使我又打通了教育的一条奇经八脉。

当我们准备抛弃粗放型教育而接受精致型教育的时候，理解就成了教育发展的一条重要道路。正像书中所说，“精致型教育是指通过增加内涵性投入（主要是情智投入）如开展创造性教学活动、发展教师的德行与情智等提高教育质量的教育。”作者认为在粗放型教育阶段，我们的学校教育存在着许多的误解、不解和狭解。误解是理解的不完全吻合；“不解是做过理解的尝试，但不懂其中的奥秘”；“狭解是恪守原意的理解，猜想的成分相对少一些”；理解教育坚持的是正解、试解和泛解。我想教育作为特殊的事业，要求的是一种知识和智慧在人和人之间的传达，这种传达绝不是硬生生地灌输。今天教育中许多的大问题，无论是学校教育还是家庭教育，大多是缘于没有理解的正常空间。

总之，我认为这是一本值得教育各个阶层广泛阅读的书。“作者带来符号，读者赋予意义”，一本好的书，作者带来的符号虽然有限，但是读者却可以常读常新。

（熊川武著：《理解教育论》，教育科学出版社，2006年。）

一本写给父母的书

——读孙云晓《我的家怎么了？》

我们创造了时代，同时，时代也在浸润着我们的知、情、意、行，潜移默化地影响着我们的思维方式和行为方式，从而悄然改变着我们的生活样态。这种改变既是发展的契机，同时也不可避免地带来一些问题，反映到家庭中就是父母与孩子之间原本暖意融融、一团和气的关系，在时代的冲击下正走向消解，取而代之的是彼此间的疏离、抱怨和不解，父母对孩子充满困惑，孩子对父母满是疑问。“我的家怎么了？”成了盘旋在父母心头的疑团和迫切需要解决的问题。孙云晓先生的力作《我的家怎么了？》正是对这一时代问题的积极应答。

科学始于问题，无论理论多么艰深，也总要以生活为源头，以现实为立足点，以问题为直接指向，只有发现了问题才有可能去自觉地解决问题。孙云晓老师深谙此理，在开篇就凭借自己丰富的实践经验和敏锐的洞察力，以“父母对孩子的十大困惑”即：“为什么今天的孩子这么难教育？”“为什么今天的孩子总顶牛？”“为什么孩子会疯狂追星？”“为什么孩子会早恋、早孕？”“为什么孩子会离家出走？”“为什么孩子这么能花钱？”“为什么孩子不会交朋友？”“为什么孩子爱‘煲电话粥’，狂发短信？”“为什么孩子上网成瘾？”“为什么孩子痴迷电视？”和“孩子对父母的十大疑问”即：“爸爸、妈妈为什么不给我自由？”“爸爸、妈妈为什么总逼我考前十名？”“爸爸、妈妈为什么非要让我上特长班？”“爸爸、妈妈为什么说话不算数？”“爸爸、妈妈为什么不陪陪我？”“爸爸、妈妈离婚了我怎么办?”“爸爸、妈妈为什么把我推给爷爷、奶奶?”“爸爸、妈妈为什么对我的朋友说三道四?”“爸爸、妈妈为什么总是训我?”“爸爸、妈妈凭什么老玩不让我玩”的形式,对在父母与孩子身上所存在的问题进行了归纳与梳理。

但这些问题的选取并不是随意的, 而是作者长期深入生活、体验生活、观察生活的结果,具有其典型的特征:

(1)这些问题具有很强的普遍性,几乎在今天每一个孩子、每一位家长身上都有所体现;(2)具有很强的针对性,作者不是简单地重复旧有的问题,而是着力揭示随着时代的发展而出现的新问题,如:“为什么孩子会疯狂追星?”“为什么孩子爱‘煲电话粥’,狂发短信? ”“为什么孩子上网成瘾? ”等等,都为我们当今时代所独有,即使一些看似旧的问题,也被赋予了新的时代意义;(3)具有迫切性,这些问题都是父母面临的较为棘手的、需要迫切解决的问题,对这些问题的处理恰当与否直接影响着父母与孩子的关系及孩子的身心健康成长。

然而,问题的出现也并非总是坏事,每一问题都有其产生的必然性和存在的合理性,正如作者所言孩子追星是“实现同伴认可”、“自我确认”的需要,因此对于孩子身上所出现的问题必须深入分析,理性对待,努力追寻、探察其产生的根源,从而正确全面认识所存在的问题。在揭示了当前孩子及父母身上所出现的问题之后, 孙云晓老师又对这些问题进行了条分缕析地深入剖析,指出了问题产生的原因,明晰了问题的症结所在,从而进一步深化了人们对问题的认识。

对问题的分析最终是为了引向问题的解决,而正确恰当地处理问题,则需要具有生活的智慧与艺术。在对问题进行深入分析的基础上,学识渊博、富有生活经验的孙老师又“向家长支招”,提出了相应的解决办法。而办法总是具体的、现实的、融于生活之中的,作者对于解决办法的述说也绝不是空洞的说教,泛泛而论,而是将其具体化，“对症下药”，具有很强的针对性和可操作性。如孩子“顶牛”的原因多多，类型多多，不可一概而论，作者在对每一类型进行深入分析的基础上分别提出了相应对策。

然而，教育不是抛撒在生活中的零星碎片，而是一项系统工程，基于此，在本书的最后一部分，作者又以“教子成功的十大招数”的形式，从教育方法、教育使命、教育秘诀、教育理念、教育前提、教育核心、教育根本、教育心态、教育基础、教育必修课等十个方面对当代家庭教育进行了完整诠释。但这也绝不是空洞的说教，作者依然是从现实入手，从问题出发，在对问题进行分析的基础上，阐释教育，给父母支招，指出父母的当为与不当为。

总而言之，《我的家怎么了？》是本写给当代父母的书，它以“是什么”（揭示问题）、“为什么”（分析问题）、“怎么样”（解决问题）为基本路径，全面系统地阐释了当代家庭中在父母与孩子身上所出现的问题及解决办法，这对于父母对孩子进行家庭教育，构建和谐、融洽的亲子关系，为孩子的成长营造良好的家庭环境具有重要意义。

（孙云晓著：《我的家怎么了？》，长江文艺出版社，2006年。）

好作文是怎样炼成的

——高考之后读《作文，不过如此》

我对于“高考状元”的提法是不赞成的，但文章写得好却是一个人综合素质的反映。高考过后，就今年高考的作文，又是一番众说纷纭。有叫难的，多为一线的教师，尤其针对福建、湖北等地的作文出题，出乎意料之外，像这样开放性的发展，教师如果不潜心多读多写，怕是今后不会教作文了。有叫好的，多是长期以来鼓噪高考作文改革的业内专家，他们认为不少地方题出活了，福建紧随上海将作文提高到70分，这将渐成趋势，对作文的重视隐含着对整个民族文化修养的重视；有不以为然的，批评这种书斋式命题太“形而上”，是否非要把人逼成假把式的哲学家，高考作文到底要塑造什么样的人格，等等。在这种时候，我们建议老师和同学都来了解由北大、清华“高考状元”撰写的“作文秘笈”，似有“马后炮”之嫌，但“未知”总胜“无知”，尤其对还在中学阶段的学生，这个时候重新来认识一群有实际经验，又有很好的写作能力的“曾经的高考人”，他们不但能解答社会上的种种质疑，形式不一的思考，而且——这一点尤为重要，他们将告诉中学生，如何写出高水平的作文。这本书真正的作用就在于，当读者读过用过之后，能以这样的口气来说作文：作文，不过如此。

其实，对许多进入考场的考生，如果他们平常没有写作方面的积累，不管出的是书斋式的还是体验式的命题，都难免有考倒之虞。清华学子吴雪怡特别在《以自己的方式写作》中言道：“积累一切你所感兴趣的东西。”此外，她指点迷津：“我觉得作为高中生，为了做到更广义上的积累，我们应该尝试着思考一些问题。”今天的学生并不回避思考问题，也不讨厌发表议论，但如何变成够分量的文字，实现一篇“形神兼备”的好作文，仍是一个不小的难题。不过，北大学子崔婧在《青春风采，笔间飞扬》一文中，先给出一句隐喻的说法：“第一个在雪地上留下你的脚印。”继而传授“创新” 的高招：“创新并不意味着你一定要做所有人都没做过的事，而是可以在大家都做同一件事的时候，用不同的方式——甚至只需小小的不同，就能取得很好的效果。”继而她以所举的例子，告诉大家在写作创新方面，有时就是因为角度的不同，让一个很平常的事情，呈现出让人“眼睛一亮”的效果。

作文写作提倡学养，追求真情实感，只不过对广大学生而言，终日忙于繁重的作文，在条条框框里接受所谓的规范教育，一旦进入写作的时候，统一性的暗示便无处不在，本来就无法发挥想象力和创造力，现在更是不懂得怎么写了，只是照搬一些约定俗成的写法，让作文写作陷入死胡同，尤其在写作的语言上让人感到面目可憎。针对这一点，清华学子陈艺伟自有解救之法，请看他的《你说，我说，孔子说》：“在作文训练中，我们可培养自己的语言风格，没有必要刻意地去摹仿别人，而应说自己的话，力求自然、流畅。”他还列出几种“语言”方式，可谓精彩纷呈，相当实用。不论是平常还是上考场，这些学而有成的“高考状元”都在其现身说法中告诉大家“作文之诀窍”，一曰乐之，唯乐之方使之善；二曰勤之，苦于读书，勤于积累，方有源头之活水；三曰思之，思其变通维新，思其独立特行而不落于造作。“此三者，岂不足以应对区区高考耳？”

就好作文的标准，知名作家曹文轩还特别提到在“有意义”的同时，要强调“有意思”。他说：“有意思的一路，在我看来却是非常非常重要的，它在价值上绝不亚于有意义的。有意思，其实是一种智慧。”这就回到文前提及的高考之后的讨论，不论是哪一方的意见，都是一种教育者的泛意识形态的见解，而非仅围绕于作文写作本身。作文写作本身的特殊性和创造力，并不因出题的指向而削弱，只要是学生掌握了必要的技巧，或者说在平常的训练里得到“全真的功夫”，他就不会只顾着“有意义”，自然懂得怎样才能写出“有意思”来。在这本书中所附的高考作文中，我们分明看到了这一点。北大黄慈鉴的《再多活一天》，北大魏健的《镜子在左，玻璃在右》，清华鄢文杰的《关羽重义抗军令　曹操忆旧出华容》，清华李名扬的《诚信、成熟与成功》等，无不展露这些深得写作之三昧的学生的才能和智慧，怪不得他们谈起如何写作文如此津津乐道，深入浅出。在他们炼成一手写好作文的本领之后，现在轮到我们了，不妨说，有志者事竟成！

（朱永通主编：《作文，不过如此》，华东师范大学出版社，2006年。）

教育理想的真情守望

我对教育随笔情有独钟,因为它不仅是传播教育理想与信念最好的文体,也是广大教师写作的最好文体。捧起刘铁芳教授的教育随笔《守望教育》,心中不由得涌起一种恍然的感动,在一个喧嚣的时代里,还有人以一份难得的执著守望着心中的教育理想。书中这样写道:

“我们今天的世界确实需要雷厉风行的教育改革家,需要意气风发的行动开拓者,他们站在时代的潮头,引领着现实教育的走向。但这个世界同样需要默默的思想者,他们把目光停驻在喧嚣的背后,寻思现实和历史中那被热闹、浮华所遮蔽、遗忘的问题之域,在无言中追索他们心中的朴素和静谧的思想之路。他们可能常常被名之为实际的脱离者,时代的落伍者,但他们依然在寂寞中执著地思索。他们同样是可敬的!”

无疑,铁芳君是属于后一类型。在教育学日益成为显学、教育问题逐步成为公众关注的焦点问题之时,他始终坚持着个人独到的问题关注,关注当代教育被遮蔽的人文幽怀,比如乡村教育、社会弱势群体,比如远离故事的教育等。铁芳君是生活的有心人,当然也是教育的有心人。他习惯于从生活而不是从空洞的理念和一些常人皆知的小事出发,洋洋洒洒,别开生面的微言大义很快就展现出来,比如,他对马加爵事件的解读。他在教育随笔中挥洒出来的对生活、对教育的敏锐悟思和细腻的感受,以及优美、流畅的话语风格、不拘一格的文体,读来倍感亲切,令人耳目清新。

林林总总的教育学话语，往往研究者自身被排除在话语之外,话语中间看不出研究内容与个人的实际性关涉。社会底层出身的刘铁芳教授习惯于一种低调的言说姿态,总是从个人的切身经历或感受入手,他始终都是以一种局内人——而非把自己排除在言说对象之外,“隔岸观火”——的姿态来面对复杂的教育世界,面对我们的教育赖以生长的社会,把“自己也烧在这里面”,真情实感油然而出。

有些灯火/是孤独的/在夜里/什么也不说

刘铁芳教授在其教育随笔《守望教育》中引用顾城的诗,莫不是也在言说他自己?

(刘铁芳著:《守望教育》,华东师范大学出版社,2006年。)

心灵阅读的身体力行

——读闫学《教育阅读的爱与怕》

常常,我感叹于生命的有限,与广袤无垠的宇宙相比较,我们每一个人宛如微不足道的一粒灰尘,生命的开始与结束似乎是那样的寻常,又是那样的悲壮。也许你觉得我是否是过于悲观,因为生命存在的过程是如此的美妙和多姿多彩,任何事物都是有生有灭的,自然的规律照样映照在人类的身上,这一切不过是顺其自然而已。而我,偏要于有限之中寻找遥不可及的无限。曾经,我是多么害怕生命的消亡,个体生命的逝去再也不能够重新再来,彼时,我是多么深刻地理解了为何古代的帝王如此渴求长生不老之药。肉体的消亡曾经给人类的精神造成了巨大的创伤,而在这种创伤中却有无数的人抛却了肉体的桎梏,达到了精神的永恒。行走在初春的大地上,冬天的羁绊已经悄悄溜走,微风轻轻地吹拂过田野,嫩绿的小草已经悄无声息地钻出地面,河边的杨柳微微泛出淡青色摇摆在早春的风儿里。四季的又一个轮回开始了,新的生命又开始了。逝去的岁月哪里去了呢?去年的柳叶如今在哪里呢?也许早已化作泥土了吧。当我沉思于岁月的流逝,怅惘于花开的凋零,忧伤于躯体的死亡的时候,当我追寻往日的时光、曾经的欢乐、古老的智慧的时候,当我试图去接受自然规律,理解生命的有限性,体味世界本身的不完美性的时候,一个声音在我耳边悄悄响起,"去读书吧,去从书中寻找无限!"

当目光转向书籍,智慧的光芒如同阳光刺痛了眼睛;无数已经作古的智者面带微笑,向我娓娓道来……读书的过程是一个如同品茶的过程,淡淡的芬芳轻轻飘进你的心里,滋润着你的心田;读书的过程又如同和一位老友谈心的过程,不用千言万语,只在心灵的流露;然而,读书的过程更是一次独自旅行的过程,沿途的美丽风景和瑰丽景象只有自己才能够感受得出,也只有自己才能够切身体会。精神的漫游比身体的舒适更令人惬意,无须耗费心力去找寻什么,只需思想同作者做一次奇特的旅行,正如海涅所说:“每一个人就是一个世界,这个世界是随他而生,随他而灭的。每一块墓碑下面,都躺着一部整个世界的历史。”读一本书就是经历一个世界,这个世界的主角是他,他的悲欢离合,他的才华横溢,他的一颦一笑都深深地牵动着你的心,触动着你的每一根神经。历史就是由无数个人的历史造就的,世界也是由无数个人的世界组合而成的。在通往永恒的路上,经历无数个体的世界如同进入了永恒。

然而,什么样的书才是好的,是值得阅读的呢?夸美纽斯说:“这种书本要是可以正当地称为智慧、德行与虔信的源泉的。”好书在简洁的叙述、平实的语言与明快的节奏中蕴含着深刻的哲理、对生活的信念和高尚的道德情操。在功名利禄、利欲熏心的时代,能够静下心来读一本好书着实难能可贵,在抱着无数个目的去读书的时候,读书的心境自然大打折扣,读书的收获也颇少。闫学——提倡读书,提倡广泛阅读,荣获2006年“年度中国十大读书人物”的特级教师在她的教育教学生涯中把阅读当成一种生活方式,将读书看作是心灵旅行的一种途径,于理论与实践之中搭建起一座桥梁,融入生活、工作和学习的阅读成就了她对教育的理想和信念,也创造了她对教育的追求和梦想,在缺乏阅读、疲于应付教学的中小学校中开创了一股清新的风气。在阅读中成长,在阅读中慰藉心灵,在阅读中品味生活是作者一贯的追求和持之以恒的风格,从事教育工作是闫学挚爱的事业,而其终极的目标在于对教育的执著追求和无限信念。她试图从阅读中找到通往真理和幸福的道路，而在找寻的过程当中，万千的感慨和无数的智慧折服了她，使她在这条路上越走越远，也彻底超脱了单纯为教育教学而阅读的境界。实际上，阅读的过程就是不断反思和怀疑的过程，也是不断坚定的过程。在阅读中，我们要寻找的就是能够引起自己共鸣的东西，读到高潮之处，我们不禁拍案而起、赞叹嗟吁，更有一种从平凡中悟出大智慧的感觉，从而便从尘世的世俗事务中超脱出来了。

曾经身为语文教师的她天生有着文学的修养和丰富、细腻的感性色彩，更兼有女性主义的关怀和饱含悲悯的人间情怀。她能够从教育工作中发掘出深刻的教育理论，而更能在理论和实践之中建构一座桥梁，正如闫学自己在其《教育阅读的爱与怕》中所说："理论是灰色的。在这些灰色的文字里沉下去，你会发现那些思想的闪光，认识到理想与现实的连接从来都是教育研究的主题。你更会真切地感受到，教育就是一种力量，一种信仰。"阅读使她获得了对教育的深刻理解，教育教学的实践使她得到了对教育教学更为透彻的认识。在《教育阅读的爱与怕》这本书里，令人感受最深的不是她那精美绝伦的文字，也不是她那流畅的笔调，更不是她构造的那种充满诗情画意的场面，而是她对教育教学问题的一些独到、深刻的认识，基于自己教育教学的实践，从实践中反思，在理论熏陶下质疑，不盲目随大流，敢于指出教育教学中的一些弊端，纠正理论的偏颇。拿起这本《教育阅读的爱与怕》，一种沉淀的感觉油然而生，因为阅读不是一蹴而就的过程，而是一个漫长的精神之旅，需要多少次心的心路历程才能够积淀一点智慧，激发一种感悟，开拓一片视野。作者将书的标题定为教育阅读的爱与怕，那么爱的是什么，怕的又是什么呢？我想，爱的是教育阅读过程中那种豁然开朗的心情，爱的是阅读过程中那种共鸣的情感，爱的是阅读所给予人的那种成熟与豁达；而怕的是从阅读中体味到的那种无可奈何，怕的是理想和现实的相距甚远，怕的是自己不能体会到作者的思想和境界。我确信，只有真正的心灵阅读才能滋养我们的心灵。这本书向我们展示了作者细腻、纯净的内心所看到的优秀读物中的思想之美、情之真挚，它召唤着我去作一次没有终点的精神之旅！

文字是思想的外衣，内心情感的表达。《教育阅读的爱与怕》充分显示了作者广博的文化视野、坚深的理论素养和诗意的情怀。作者将全书分为五个大的部分，分别是教育是一种信仰；捧起第一次的茉莉；是激流，也是火焰；立尽斜阳；教育这条路你能走多远。第一章和最后一章专注于教育教学中的问题，对阅读教育教学领域的一些名著所作的感想和对教育教学方面问题的评价；中间三章则侧重于对文学名篇及著名作家的感悟，从中感悟出有关人生、生活哲学和教育问题的独到见解。优美的文字和诗意的表达是全文的行文手法，而在感性中也不乏理性的表露，正所谓刚柔并举、文采飞扬而又不缺乏深思熟虑。其全文正映照了作者一贯追求的作为一个真正的优秀教师所应该具备的知识结构，即精深的专业知识，深厚的教育理论基础和开阔的人文视野。

在阅读中，思想的火花才得以撞击；在阅读中，人才可能去经历另一种世界；也只有在阅读中，人才可能找到一种永恒，那就是精神之火的延续。我们不能期望肉体的永存，永生的希望只能寄托在思想的曼妙之中，书籍永远是我们相知相伴的伴侣，是陪伴我们超脱今生的唯一武器，然而，我们从阅读中获得更多的是对未来的信心和生存的信念，正如诗人所写的那样，“当蜘蛛网无情地查封了我的炉台／当灰烬的余烟叹息着贫困的悲哀／我依然固执地铺平失望的灰烬／用美丽的雪花写下：相信未来”。“未来不是我们要去的地方，而是一个我们要创造的地方”，当教育能够给儿童带来光明的前程，当教师能够安静地徜徉于书海之中；当学校飘荡出书香的气息，我们的教育之梦就永不破灭，教育的理想终会实现，教育就能够创造未来。

在躁动不安中静下心来，在终日计较中摆正心态，在繁琐事务中重整心情，不妨泡一杯淡茶，趁着午后柔和的阳光，坐在缠满绿藤的后院的小凳上细细品味一本书，你会发现，《教育阅读的爱与怕》是值得阅读的，这个世界是美好的！抛却生命的躯壳，我们会留下很多……

（闫学著：《教育阅读的爱与怕》，华东师范大学出版社，2007年。）

去教育的后花园寻找美

——评《有一种美，叫教育》

从古至今，关于教育“真”与“善”的言说不绝于耳，但人们却极少谈及教育之美。直到近二十年来，美育才从岩缝中探出头来，并一度成为与德育、智育、体育和劳动教育并列的一大重要的教育领域。然而，这种传统的美学观，将“美”局限于艺术领域一隅，并将其与其他四育割离开来，未能发掘出“美”与教育本身的内在联系，因此也受到了越来越多的非议。

本书敏锐地捕捉到传统美学观的种种弊病，开篇就提出了令人耳目一新的新美学观。作者陈建翔博士一针见血地指出：“传统美学观只是把教育所利用的外部对象的美放在自己的视野之内，而将教育自身的美遗漏在视野之外；它们考虑了用各种各样的美来培养人，唯独没有考虑教育自己应该怎样做才美这个根本问题。”作者认为，当教育按照“美的规律”来实施的时候，它就达到了一种自由创造的境界，它就变成了美育。真正的美育，就是对自觉遵循“美的规律”（使主体的目的性与对象的规律性在劳动过程中达到高度的统一），自身具有美的规定性并且必然地能够产生美的产品的教育的一种美称。它应成为合目的性与合规律、善与真相统一的实践活动，并能培养出具有美的品质，能够创造美的个人。

围绕引言中提出的新美学观，作者将全书分成了三大块。在上篇“拜谒历史——一俯一仰论古今”中，作者引领着我们在历史的尘烟里找寻若干思想家、教育家的足迹，为我们展开了一幅精彩纷呈的美育概念的“构造图”，并通过对历史人物点滴美育思想的挖掘与比较，对“美育规律”这一概念进行了颇具特色的阐发。他指出，美育规律，是“美的规律”在教育实践中的特殊表现，即随着活动主体的顺利转移，活动对象得到了再造，创造美的过程得到了复演，“美的规律”在新的活动中得到了重现。作者反复强调，教育作为实践的特殊性就在于，它的对象是人，是具有与教育主体一样的本质需要，可以自主活动从而创造美的个人。因此，教育就绝不是教师直接塑造学生的过程，而应成为教师创造学生学习活动的过程。所谓“以美造美”，就是要“以教师创造的教育活动美，来促使学生通过学习活动创造出教育产品美”，而这，正是美育的精髓所在。

随后，作者笔锋一转，开始“亦啐亦啄说教学”。他结合我国当代教育现状，创造性地运用心理学、物理学、信息科学等相关理论，提出了七个与教育教学相关的论点——教育服务论，量子教育论，“体悟”教学论，教学关系论，全面学习论，学习变革论，学习审美论。这七个论点，从不同的角度揭示了不少教育教学规律，新颖独特，颇具启发性。例如，传统教育是“工业化教育”，类似制造业，而新教育则是“信息化教育”，类似服务业。而作者，正在为新教育摇旗呐喊——“为学习服务”；“量子爆破”启发作者将物理思维的触角伸向教育学，从而革命性地提出了“量子教育学”的概念，并首次将“限度”、“不确定性”等物理词汇引入教育理论，值得玩味；“体悟式教学”和“全面学习论”都强调将肢体语言引入教学过程中，让学生真正地活动起来；而“学习审美论”则立足于学习主体天然的“趋美冲动”，倡导在立美引导下的审美学习，以帮助学生减轻课业负担……

教育活动中最重要的要素莫过于学习者个人了，于是，作者用整个下篇来“半痴半醉话天人”。首先，作者从裴斯泰洛齐的“要素教育论”的一点缺憾出发，将美育的基本要素定为人的生命节奏,主张从节奏出发去看待人的生命特性,强调综合节奏感的培养;“人性统一论”主张感性与理性的统一,“自”与“我”的统一,人与自然的统一;“父性教育论”则创造性地倡导为孩子提供充满父亲角色特性的教育,以便孩子人性的健康发展,进而弘扬民族的阳刚之气; 最后作者还从心理学的角度谈及了人的右脑优势,探究了创新的秘密,并在哲学层面上为我们揭开了个体神奇的时间之谜……而这些理论,都可以帮助我们更好地了解孩子,理解孩子,从而更好地“立美育人”。

本书每篇之后都有补缀,里面收录了作者若干别具一格的教育美学思想小品,文笔自然流畅,清新别致,小故事里蕴含着大智慧,可谓大餐后的小吃甜点,别有一番风味。

教育的后花园里,有真,有善,亦有美。美,正是教育的存在方式,而美育,则是教育的最高境界。发现美,体悟美,创造美,都应成为我们每一个教育者的职责所在。

细细的品完此书,便生发出一个美丽的心愿——带上一双发现美的眼睛,去教育的后花园寻找美……

(陈建翔著:《有一种美,叫教育》,四川教育出版社,2006年。)

为了生命之花更好盛开

——评《中小学生命教育论》

人是以生命的方式存在的，没有生命的存在也就没有人的存在。生命存在是实现人生价值和理想的前提条件，离开生命一切将无从谈起。然而，社会急剧发展所产生的消极因素日益严重地损害着青少年的生命，尚缺乏成熟意志力的青少年对自己的生命生出越来越多的困惑甚至做出轻贱生命的行为。如何才能够让青少年善待"生命"，更好地"生活"和获得身、心、灵的全面发展？这是对国家的挑战也是对当代教育的巨大挑战。

泰戈尔说，"教育的目的是应当向人类传送生命的气息"；杜威说，"教育即生活"；生命教育的本质在于让人们处理好人生中"生命与生活的紧张"，使人们尤其是青少年深刻地意识到自我生命内涵的多面性、丰富性，从而能够正确地体认生命的可贵，确立生活的正确态度与目的，去追求人生的更大价值与意义。真正做到"珍惜生命、尊重生命、热爱生命、承担生命"，让绚烂如花的青春生命美丽绽放、健康成长。一般而言，生命教育包括健康教育、死亡教育、合作教育、亲情教育、磨难教育、感恩教育、消费教育、环境教育、安全教育等内容，不同的国家地区有不同的选择重点。

生命教育不是停留在口头上的空喊，而是要去服务于师生共同的善好生活，要真正在学校落实的。生命教育的价值和理念自诞生之日起就被迅速理解接受，但是生命教育在学校的落实状况却不尽如人意，这多少让人有些沮丧。实施生命教育对教师的综合素养要求很高，很多中小学教师离这个标准还有很大的差距，这大概是生命教育落实受阻的一个最重要原因。然而只要努力，我们就有希望克服所有的困难。毕义星老师的著作《中小学生命教育论》让我们看到了这种希望。

《中小学生命教育论》(天津教育出版社出版）全面而概括地阐述了生命教育的意义与价值、生命教育在国内外的整体状况、生命教育的原则与内容、生命教育的实施途径与策略方法以及生命教育与教师素质。这本书理论创新不多，但是全书都饱含作者的教育真情，字里行间流露着作者来自实践的真知灼见。尤其第九章"中小学生命教育与教师素质"，作者的阐述非常到位。"先进的教育理念，深厚的人文功底，良好的知识结构，熟练的教育技巧，丰富的人生经验，闪亮的人格魅力"，具有这些素质的教师不仅能够精彩地演绎生命教育课程，能够精彩地绽放自己的生命，也一定能够巧妙地打开学生生命的花朵。作者结合自己的亲身实践，用一些典型的案例，具体而生动地说明了学校实施生命教育为什么需要教师具有这些素养。这种方式使全书的论证充分而具有说服力，让读者更容易接受。我们有理由相信，这本书有助于广大中小学教师更好地了解生命教育，更好地实践生命教育。

生命教育能否在学校有效落实，核心在课堂，关键在教师。"教师不仅仅是一种职业，教书也不再是'谋生'的手段，而是生命存在的一种方式，一种使人类和自己都变得更加美好的生命存在的形式"，生命教育的这种理念使教师的生命价值成为影响学生生命价值和意义能否实现的重要因素。开展生命教育，教师自己必须具有强烈的生命意识，崇敬生命、热爱生命，关注自我的幸福体验，关注自我的生命质量，关注自我生命价值的实现；教师能够用丰富的生命实践去锻炼学生，尊重、正视每一个生命，让学生在生命发展过程中享有完整的、发展的、愉悦的、健康的生命。教师通过自己的努力带给学生更多的感动，更多温暖的关怀，让学生形成一个积极的、光明的内心世界，这是生命教育的重要课题。提升教师素养有很多方式，鼓励教师写作是促其成长的重要方式之一。鼓励教师多写一些具有真情实感的文章、促进教师用生命的情怀来工作和生活对生命教育的实施具有重大的意义。

作为一名基层教育工作者，作者既要担负繁重的教育教学工作，又要处理繁杂的日常琐事。然而繁忙之余，他仍然笔耕不辍，成果不断，这充分说明作者具有浓厚的生命情怀。作者这种热爱生命、珍惜生命的态度本身就是对生命教育最好的宣扬。作者具有丰富的一线教学经验，经过他解读的生命教育理论必定能够引起很多中小学教师的深刻共鸣。本书是中小学教师探索生命教育的开创之作，非常值得一读。

如果，我们的国家能够多一些这样热爱生活、珍惜生命的勤奋教师，如果我们的国家能够多一些像作者这样的能够深刻领会生命教育内涵的教师，生命教育的旗帜必将在中国更广大的土地上树立起来。"我们的每一个教师和学生心中都有更丰厚的、更美好的生命的情怀，对生命有更多的眷恋，学会了过精神生活，我们有了更和谐、更美好的人际关系，我们的校园更生动了，我们的幸福指数提高了"，这样的教育，这样的社会，是我们每个人心中真诚的期待。这本书是我们前行路上的重要参考工具。

（毕义星著:《中小学生命教育论》，天津教育出版社，2006年。）

一种教育创新的鲜活形态

——读《邱学华与尝试教育人生》有感

在书房柔和的灯光下静静地捧读《邱学华与尝试教育人生》，一种由衷的敬佩之情油然而生。在江南水乡这片人才辈出的热土上，邱学华老师用他的毕生精力与全部才思所培育出来的尝试教育，像燎原之火一样，推动着我国基础教育的创新、改革与发展。

建基于对教育的无限热诚，依据尝试的教育信念，在长期的一线教育教学的实践探索中，经过理论升华，邱学华建构起了自己的基础教育教学理论——尝试教育。他坚信，学生能在尝试中学习，在尝试中成功，在尝试中创新，只要敢于尝试，学生就能在已知的基础上自主探索未知并最终获得新知。按照这一认识论，邱学华数十年潜心研究，以其不倦的躬亲实践，乐此不疲地进行尝试教育的实验，并最终取得了成功——使尝试教学法成为当今中国著名的教学流派之一。

由他所创立的尝试教学法目前已经遍及全国各省、直辖市、自治区以及港澳台，参与的教师达70多万名，受教的学生约3000万名，成为全国乃至世界上最大规模的教学实验之一，影响力不可小觑。他走遍全国中小学，为师生作了700多场报告，听众高达50多万人次。他所编著和主编的著作多达270多本，并在国内外发表了论文500多篇。他所撰写的尝试教学法的论文还被翻译为日文、德文和英文等在国外杂志上发表。

坚持原生性的创新，是邱学华尝试教学法的这一理论建树的一大特色。在国内教育领域崇洋之风盛行的当今，邱学华的这一立足于我国的本土实践，从实践出发提炼教育理论，着实让我们所感动与敬佩。尽管邱学华没有那些理论知识素养与思维功底深厚的象牙塔中的教育学研究者的权威背景，然而邱学华凭借对教育的信仰和执著的坚持，在博采众长的基础上，结合我国教育教学的实际，创造性地提出了尝试教学法这一崭新的教学理论，并成功地推广开来，使众多师生受益匪浅。这样的草根式的不懈努力，正是我国目前教育界所缺乏的。

邱学华的尝试教学法主张把“先导后试”和“先讲后练”的传统教学模式转化成“先试后导”与“先练后讲”的新模式，让学生在尝试练习的过程中，通过教师的指导自学课本，引导学生讨论，然后再由教师有针对性地为学生讲解问题与答疑解惑。这样的教学法，有助于让学生在自主尝试中学习，并鼓励他们开动脑筋来充分发挥其学习的积极性、主动性和创造性，从而获得更佳的学习效果，并最终提高学生自主学习与建构知识的能力与综合素质。这种教学法紧紧抓住学生是学习的主体这一学习的要义，以尝试的形式，解放学生的心智，促发学生自主思考，从而达到创新学习方式与获得学业成绩提高的最终目的。多年来，经过大量的教学实践，已经证明了邱学华尝试教学法的科学性——实验中学生的成功率一般都在90%以上。

邱学华尝试教学法所倡导的“先试后导”与“先练后讲”立足于“三为主”(以学生为主、以自学为主、以练习为主)，重视“七个作用”(学生的主体作用、学生间的互补作用、教师的指导作用、师生间的情意作用、课本的示范作用、教学手段的辅助作用、知识的迁移作用)，培养“三种精神”(尝试精神、探索精神、创新精神)。这些精髓都非常符合目前我国政府从上到下所大力推进的基础教育新课程改革的理念与精神实质，也与建构主义的教学理论在许多地方有着契合。邱学华说，这种教学模式改变了学生接受现成知识的被动性，让学生在尝试中主动探索，为学生提供了独立思考与大胆创新的机会和空间，更加适合于当代教育所肩负的造就21世纪所需要的新人的培养需要。

诚然我们从邱学华尝试教学法中也能够明显地看到国外现代教学理论诸如美国布鲁纳“发现学习”、施瓦布“探究学习”、德国根舍因的“范例教学”理论、苏联巴班斯基的“教学过程最优化”模式与赞科夫的“最近发展区”理论以及认知心理学派学习理论的或显或隐的影子，但邱学华尝试教学法绝不是生硬地照搬国外的这些理论，而是一种在充分继承了前人如我国孔子的“不愤不悱，不启不发”与美国杜威的“五步教学法”的思想遗产基础上的深具原创性的我国本土性的教学理论创新。

邱学华深信实践出真知这一颠扑不破的真理。在风风雨雨的数十载教育教学的丰富人生历程中，他不但深入教学实际，而且还自己亲自参加教学实验，在教学第一线获得了尝试教学法的许多第一手的宝贵材料。在从事尝试教学法的实践探索的过程中，他从未停止过对其进行理论探究，理论与实践相得益彰的完美结合，结出的硕果便是广为各家各方所称赞的尝试教学。正如他所云的，“我深信，教育实践是教育理论的源泉，因而我始终没有离开讲台。我的许多新方法、新思想，都是在教育实践的过程中萌发出来的。”在当今这个浮躁与理论虚华的时代，这是一种非常值得我们学习的难能可贵的教改精神。

《邱学华与尝试教育人生》一书忠实客观地全程记录了邱学华与尝试教育的风雨旅程。但愿我们的国家能够涌现出更多的如邱学华式出类拔萃的原生教育创新者——此乃学生之幸、教师之盼、国家之福。

（邱学华著：《邱学华与尝试教育人生》，北京师范大学出版社，2006年。）

教育思想和实践的巨大宝库

——读《陶行知教育名篇》

陶行知先生对于今天的教育研究者来说，是一个再熟悉不过的名字。先生的很多教育主张如："生活教育""平民教育""农村教育"等，都已经成为了耳熟能详的词汇。但人们在脱口而出的同时，往往少了些咀嚼和玩味。在信息急速膨胀、泡沫化的今天，认真读书的人少了，一些教育工作者也不能例外，很多都是二手知识。而且今天的出版市场非常混乱，各种书籍鱼龙混杂，许多想读书的人把时间都花费在选择和寻找上。在这种情况下回归经典就特别显示出其意义和价值。对于中国当代教育来说，陶行知先生的教育思想和实践是一座巨大的宝藏。

读书的关键不在于记录些文句以供作文，增广些见识以作谈资，而在于针对自身的状况，"虚心涵泳、切己体察"。学习别人的教育思想必须要能与建立某个教育理论的专家的精神共鸣，而非对其著作的一些细枝末节的琐碎的无实际意义的解释和引用。从古至今教育家的思想中都有一条或明或暗的主线，那就是对人类的爱，对美好生活的追求，对平等个性的向往。

随着经济的发展，对人才的要求越来越高，教育越来越多地吸引着人们的眼球，很多人都对教育抬头仰望，失去了平衡的心态。再加上知识经济、学历社会的压力，学习成为了终身的事情，甚至成为了一个人一生中最重要的事情。但在这里缺少了一个度，因为学习只是生存的手段，而不是生存本身，用陶先生的话来讲："学以厚生则可；学以伤生则是断断乎不可以的。"今天的教育无疑是有很多伤生的行为存在，这是教育的深层次问题，已经不只是一个以人为本的问题，要求研究者和实践者能够开展更深一层的思考。

今天的教育研究者和教育工作者往往会围绕教育来谈教育，缺少大气象，大气度。陶行知先生的教育思想之所以能够在当时引起巨大的反响，在今天还时时为人们谈起，就是因为他思想的立足点在于改造社会，服务民生。陶先生讲教育要能够做到："处处读书，人人明理"，从先生讲此话距今已经过去了几十年，但是还是不能够实现。而且在很多情况下教育还存在为了教育而教育的味道，偏离了它原本的目的。

学校是教育的重要场所，一个好学校的标准是什么呢？今天面对生存的压力，家长已经把学校当作孩子未来命运的筹码，学校已经成为了人们关注的焦点，学校自身也以此自得，因为它已经成为了一种必需品。但是如果抛开今天就业方面的学历要求，试问还有多少人会主动到学校中来呢？陶行知先生说："我对于学校的要求并不高，只希望大家把学校办到一个地步——情愿送亲子弟入校求学，就算好了。"这个要求似乎很低，但细想一下，有几个办学者能够做到让家长情愿送孩子来读书呢？

学校中师生关系一直是一个非常重要的话题，但人们谈及师生，更多地是提到他们的不同，而很少涉及他们的共同之处。"学校是师生共同生活的处所。他们必须同甘共苦。甘苦共尝才能得到精神的沟通，感情的融洽。……学校里的师生应当相依为命，不能生隔阂，更不能分阶级。人格要互相感化，习惯要互相锻炼。"这是陶先生的师生观，也是师生观脱去一切外衣以后的剩余物，"同甘共苦"，教师如果能够真正地体会了这四个字，师生就能做到血脉相连。

陶行知先生一生著述繁多，对于广大的一线教育工作者来说，通读其全集是不可能的，所以就需要专业的人员来出一个选本，既要能够充分体现陶行知先生的教育思想的全貌，还要能针对今天的教育状况。由教育科学出版社出版的方明先生主编的《陶行知教育名篇》无疑是众多选本中的佼佼者。在今天的出版市场上，专业书籍相对冷淡，选编这样一本书，充分体现了编者和出版社的魄力和眼光。

（方明主编：《陶行知教育名篇》，教育科学出版社，2006年。）

变化的世界呼唤创新

——评《新课程课堂教学改革丛书》

“万物皆流”,变化总是永恒的。我们所处的正是一个日新月异、波澜迭起的时代,是随波逐流,还是逆流而上,一切取决于改革的决心和力度。上个世纪末至今,在国际国内社会翻天覆地之时,承载着人类发展和个人幸福的教育也开始紧锣密鼓地奏响变革之曲。

“活到老,学到老”。如果说教育是流淌一生的长河,那么课堂教学便是水中朵朵浪花,圈圈涟漪。而现实中,不少课堂却是波澜不惊的“死海”,昏昏欲睡的“念经堂”,甚至是挥舞鞭子的“驯兽场”,师生同处一室,却没有真正的心灵触碰。课堂教学,作为教育的原点,其变革必然关系着整个教育改革的成败。

为着回归课堂生活,研究课堂问题,创新课堂教学,由戚业国教授领军,携同钟海清、代蕊华、沈玉顺诸位学者,共同编著了《新课程课堂教学改革丛书》。该丛书分别从课堂管理、教学模式、课堂设计和课堂评价四个维度构想,最终酝酿成《课堂管理与沟通》、《教学模式的选择与运用》、《课堂设计与教学策略》、《课堂评价》四本精心之作。

“课堂是生命相遇、心灵相约的场所”,我们如何来营造这样一个灵动的时空呢?在《课堂管理与沟通》中,戚业国教授首先引领我们从社会学和文化学角度,全面解读现代课堂的构成要素,并且深入分析了影响课堂教学的诸多因素。其中,介绍了大量国内外相关研究成果,丰富了我们的视野。之后,便对课堂中的主体——学生和教师进行科学定位。教学中，如果仅重教师，课堂可能成为“讲堂”，教师一人发表言论，无视学生的在场；倘若只见学生，而将教师置于可有可无之地，课堂也就成了“游乐场”，虽然可能有教育意义，但却抛弃了学校教育的专门职责。因而，对课堂中的教师和学生及其关系的理解是把握教学的关键。把握课堂教学还需要具体技巧的运用，该书接下来的大量篇幅便是探讨教学中的沟通和管理技巧。作为现代教师，不是照本宣科的“教书匠”，而应是教育教学的研究者，在本书末章，戚业国教授特别列举了切实可行的课堂研究方法和建议，为教师的教学研究和工作改进出谋划策。

课堂教学需要模式，但切忌模式化，因为课堂教学有其内在逻辑性，有规律可循，但又是一个瞬息万变、多姿多彩的动态过程。现代教学模式种类繁多，且各有千秋，钟海清教授在《教学模式的选择与运用》中，将各类纷繁的教学模式按功能分为基于信息加工的课堂教学模式、基于人际关系的课堂教学模式、基于人格发展的课堂教学模式、基于行为控制的课堂教学模式四大类，为读者理清了经络。不仅如此，还对每个模式的理论基础和教学目标进行了详尽分析，用生动的案例来阐释教学模式的操作程序，并且还明晰了每一模式的实现条件，各自的优劣之势。行文简约，深入浅出，使人读后如亲身实践，亲切自然，为教师在实际教学中的灵活运用奠定了基础。

教学是科学，也是艺术，需要精明的策略和精巧的设计，任何看似自然随意的课堂都应有蓝图的描绘和智慧的安排。有人把课堂比作舞台，将教学视为表演，精彩的戏剧需要导演，精彩的课堂也需要教师。课堂是开放的、生成的，但并不意味着毫无逻辑和章法，教师在走入课堂之前要在脑海中和书面上对“教谁”、“教什么”、“如何教”作预先选择和演练。代蕊华教授编著的《课堂设计与教学策略》便告诉我们如何描绘教学蓝图。书中首先介绍了我国基础教育课程改革的基本理念，然后从国内外学习理论、教学理论、现代教学原则和模式四方面构建了课堂设计的理论基础，再分别从教学目标、教学内容、教学组织、教学方法、教学行为、教学机智、教学资源全方位探究教学设计和策略。构思清晰，易于操作，是研究者的丰富的理论参考，也是教师们实用的工作手册。

“教师为什么要评价学生？”在沈玉顺教授编著的《课堂评价》一书中，开篇便提出了这个值得反复思索的问题。评价自然有甄别功能，也有诊断功能，为着改进课堂教学，最终为着促进学生的发展，但在实践中由于种种缘故，我们往往忘记了评价的初衷，为了评价而评价，乃至将它作为为难学生的工具。思想指导行为，树立正确的评价观成为课堂评价改革的第一步。然而，并非就此停步，我们仍然要不断探索公正、合理、真实的评价方法和技术。《课堂评价》用大量实例介绍了课堂评价的设计和实施，并且特别讲解了国内外最新的研究成果。对具有代表性的档案袋评价、情感评价、标准化测验、多元智能评价等一一作了客观而具体的阐释。作者分析了每种评价方法的优点和缺陷，强调了这些方法的适用条件和注意事项，没有理论的说教，而是提供多样的选择，突出了“多元评价”的主旨。

“世界在变，创新不变”，面对不断生成的世界，教育不仅要“随机应变”，而且要通过教育的创新，来实现人，社会，乃至整个世界的创新。《新课程课堂教学改革丛书》紧密地把握了我国基础教育实践创新的脉搏，综观全书，有开放、多元、务实之感，为教育工作者提供了丰盛的课堂理论食粮和细致的教学行动指南。

（戚业国主编：《新课程课堂教学改革丛书》，北京师范大学出版社，2006年。）

后　记

四卷本的教育随笔总算有了一个基本的骨架，尽管以后增删替换、润色打磨的任务还相当艰巨。我自1980年从事教育学的学习与研究以来，已有二十多年，这四卷本的随笔集要算我所做工作的一点总结。这二十多年，主要就是学习、积累教育学领域古今中外思想的成果，以及对此的通俗化与普及，虽然这其中也或多或少有我自己的一得之见。

下面这两段文字分别是我的硕士论文《教育与文化》和博士论文《主体性道德人格教育》的《后记》，相信读者不难读出我的心路历程。

> 我们要创造什么样的文化？我们要造就什么样的人？自从开天辟地以来，自从人类在洞穴岩壁上记载着自己的奇妙梦幻以来，问题从未如此具有挑战意味，如此咄咄逼人。我们既然不相信超验的神灵在主宰人类，就势必要对这些问题作出回答。而这一回答将决定人类往昔所付出的一切努力、所经历的一切艰辛——那世世代代无穷无尽的苦难、那千千万万的牺牲——是否会化作南柯一梦。如果这本小册子能为那些关注人类命运的人们寻求上述问题的答案多少具有些参考价值的话，那便是我最大的收获了。
>
> 人类文化发展的势态向我们昭示：在未来的岁月里，教育在社会生活中的地位将日益突出，教育学的学术地位亦必将空前提高。正如一位专家所指出的：21世纪的教育学——

研究人的全面成长和发展、自觉探究一代新人的形成和塑造的科学，可能成为未来社会的最主要的中心学科。在一个更广阔的理论背景上，建构出一个观照教育的本质与职能及其发展规律的新的视野，将有助于拓展教育的学术研究，更新教育观念。我们将欣喜地看到：一幅幅壮丽的图景在教育科学研究领域的地平线上升腾而起！

当我匆匆地完成这部书稿时，似乎才真正体味出"道可道，非常道；名可名，非常名"这句古老格言的深刻意蕴来。文化，作为多层次的、无穷维的、有机的整体，而教育，作为这个整体中的一个部分，二者之间存在着的繁复关系，就其人类理性所能把握的程度来说，恐怕是一块永远可以无止境扩张的疆域。在这样一个广阔、深邃的研究领域中，我只能是"始于迷惘，而又终于更高水平的迷惘"。

记得有位哲人说过，人必须先说很多话然后保持静默，我想，现在是该我静默的时候了。我虔诚地恭候着读者的批评，期待着探索这一课题的高水平的学术著作问世！

肖　川

1986年12月于北京师大

十多年前，一位老先生就语重心长地告诫我：待人待事当"如履薄冰、如临深渊、战战兢兢、临事而惧"；当时不觉有何奥义，而今已为人父，几近不惑，才深深地体味出这十六个字所饱含的人生忠告的深厚意蕴。在论文的写作过程中，我一直诚惶诚恐、勉力不懈，唯恐有所疏忽而有负于那些给予我关爱与扶持的师长和亲朋。所幸宽容已成共识，学术探索与个性的张扬都有了非常广阔的天地。

读研究生时，师从孙喜亭先生研修马克思主义教育原理，留校任教后，又多次讲授《马列教育论著选读》这门课。我虽谈不上对马克思主义经典著作有多么熟识,更不敢自诩为马克思主义的信徒,但对马克思主义的思想宝库的确是情有独钟、深深敬服的;难怪就连萨特也不得不承认:今天我们所思考的问题,不是在马克思的巨大怀抱之中,就是回到马克思以前去。

如果说这篇论文还可以作为继续探索的基础, 那么,首先应该感谢我的导师,他的包容,他的严谨,他对问题的洞察力都给了我终身受用的影响;我还要感谢许许多多的师长和朋友,我从他们那里学到了很多的极有价值的东西。在这里,我当利用这个机会向在我生命历程中给予我关爱与扶持的师长、亲朋、同仁表达我深挚的谢意;但我不打算列举他们的名字,并非知恩不报,窃以为真正诚挚的情谊是不事张扬的;任何人给予我的关爱和扶持,我都将视为人性的光辉而珍藏于心底。

在一定意义上,任何理论探索都是对话,与前辈的对话,与同辈的对话。在论文的写作过程之中,我参考了大量的学界同仁的研究成果,我力图一一注明,但仍恐有所疏漏,只能祈望同仁们的宽解了。我力图凸显问题意识和对话意识,并努力将思想建基于扎实的学术积累之上,使思想与学术有完美的统一,但终因学力不逮,只能留待今后继续努力了。

肖　川

1997年12月于北京师大

后来《教育与文化》和《主体性道德人格教育》这两本书分别由湖南教育出版社(1990年)和北京师范大学出版社(2002年)出版,前者在我的故乡,后者在我的大学。人生的机缘经常难以言说得清清楚楚。

我多次读到过如下文字:“梁启超知道陈寅恪的家世和学问,

所以他推荐给清华大学校长曹云祥。曹问他陈寅恪有什么学位?梁启超说他没有学位。又问他有什么著作?梁启超说也没有著作。曹云祥当时很奇怪,说又没有学位,又没有著作,这不是叫我为难吗?梁启超说,我梁启超有什么学位?曹云祥当然知道没有。梁还说,我的几百万字的著作,没有他的几百字的文章有价值。梁启超讲话,总愿意推到一个极致,但讲的是实情。曹校长一听没有办法了,于是就请陈寅恪来做清华国学研究院的导师。"对这一文本作怎样的解读,自然是见仁见智的。这段文字强化了我的一个观念:一个人的作品重要的是含金量,而不是篇幅的大小。

写作者并不是机械地由意识形态、阶级或历史所左右的。相反,写作者更多的是参与他们所在社会的历史。他们"在形塑着(shaping)历史和自我社会经验的同时也为之所形塑(shaped)"。([美]迈克尔·W.阿普尔著,阎光才等译《文化政治与教育》,教育科学出版社,2005年,《前言》,第1页)有识之士认识到:一个人接触哪方面的学问,跟他的个性和精神状态有很大关系。一个学者,他选择什么样的方式来表达自己的学问,或者把什么样的学术方式作为自己的生命存在的方式,这不完全是个人的选择,是由各种机缘促成的。对于一部学术著作形式的选择,也是由各种因素造成的。

我自视为公共知识分子。公共知识分子就是关心政治,但不一定参与政治,对社会具有责任感,具有文化敏感度而且有责任感的人。差不多千年前的苏洵(1009—1066)就曾睿智地指出:"为文必中当世之过。"从社会的长远发展来说,批评性的意见往往是最富建设性的意见。因此,深入内里的揭露,切中时弊的批评,才是津梁,才是鞭策,才是肺腑之言。

尽管我是一个在用字上锱铢必较、异常讲究的人,但我个性耿直,遇到不平、不公、不快之事"如蝇在食,吐之方快",所以总是大胆放言，丝毫不会令人感到闪烁其词、不知所云。我用心对待每一个字，尽管还有许多地方需要不断地推敲和完善，但我自信任何一位用心的读者翻阅之后都能有怀瑾握瑜的收益。

肖　川

2008年3月28日

附录一：

新形态的教育学

周颖

当远古“人猿相揖别”之时，属于人类的教育就产生了。此后薪火相传，人文积淀，教育渐兴。而办学之人，思想各别，养教之路，各有异同。孟子性善，以致良知；荀子性恶，化性起伪；内发外铄，争辩不已。而西方亦有“古希腊罗马”与“中世纪”教育之异同。近代以来，受自然科学巨大成就之影响，终使赫尔巴特创“教育学”为“科学”学科。然而其后以至当前有着把人“物化”、把教育活动程式化和模式化嫌疑的“唯科学化”的倾向却导致了本该生动、鲜活、充满生机和意蕴丰赡的教育学，本该富有感召力和雄浑浩博的哲学气质的教育学变得琐屑、平庸、贫乏和沉闷了。

北京师范大学教授肖川先生深知“教育学”的追求和品性深刻地影响着“教育”的方向，他为这种“唯科学化”倾向可能导致教育的贫血而感到深深的忧虑。于是他要大声疾呼：“作为人文学的教育学必须深切地关注人的现实，关注人的命运与未来，关注儿童的心灵世界，关注教育者的欢乐与痛苦……关注人的自由全面发展的教育学，就应该倡扬一种社会的理想、人生的理想、教育的理想，应该始终飘扬着一面大写着‘人’字的旗帜。”（《作为人文学的教育学》）

因此，肖川先生坚定“教育的理想与信念”倡导“人文的教育学”，点燃“教育的智慧与真情”弘扬“生命的教育学”，他把创立

“教师的教育学”作为自己“教育的使命与责任”，更把“教育的情趣与艺术”植根于“诗意的教育学”。在肖川先生的著作里，我们分明能感受到这另一种风致的“新形态”的“教育学”已萌发出了春天般的勃勃的生机。

人文的教育学

何谓“教育”？对这个教育学最根本的问题至今仍是“仁者见仁，智者见智”，而每一种对“教育”的理解都会导致形成相应的教育学思想。

肖川先生一语见的地勘破 “教育” 的本质：“教育是一种文化—心理过程”。(《教育的意蕴》)源于深厚的哲学心理学社会学基础，他阐释着对“教育”的理解：“将关注个体生成与发展的教育用‘文化—心理’这一术语来指称就是力图表明教育是社会的价值引导与个体的自主建构相统一的过程。或者说，当我们把‘关注个体生成与发展’的教育用‘文化—心理过程’来意指时，就已经内在地包含了它的两个基本点，就标志着教育必然是牵涉于社会文化(传统)与个体精神生活、内心世界之间的一种活动。”(《教育的意蕴》)

基于对“教育”本质的深刻的洞察，肖川先生用了一段极为精确而又生动形象的文字来表述他对于“教育”完整、独到的理解：

“建基于价值引导与自主建构相统一的教育，从学生的成长过程来说，是精神的唤醒、潜能的显发、内心的敞亮、主体性的弘扬与独特性的彰显；从师生共同活动的角度来说，是经验的共享、视界的融合与灵魂的感召。”(《教育的意蕴》)

我以为，这一段对“教育”的深刻而又生动的描述是肖川先生“人文的教育学”思想的核心所在。在这一言说中，唤醒、显发、敞亮、弘扬、彰显、共享、融合、感召，这些词使用的背后是对于作为万物之灵的人的潜能的高度尊重和珍视，对人的尊重和信任，倡导一种主体的、人本的、有尊严的、充满对人的信任和乐观的期待的教育品质，坚决反对教育中的灌输、欺骗、蒙蔽、操纵、控制、奴役、规训、模塑、愚弄、歧视等。只有当我们将学生视为潜能丰富的独特的人，我们才可能真正发自内心地去信任作为个体的学生，并且尊重每个个体存在的价值与尊严，我们才可能想方设法去激励和充分发挥每个学生的主动性、自主性、创造性和独特性，使完整的个性得到全面涵蕴与自主生成，在教育中努力彰显一种民主、平等的教育精神，使教育活动充盈着积极、乐观、明朗向上的精神气质。

“价值引导”和“自主建构”这八个字可以说是肖川先生对“教育”本质的最深刻而又最精练的概括。“价值引导与自主建构相统一”的表述消除了自古以来“内发论”与“外铄论”两方面顾此失彼的偏颇而又涵盖了双方有价值的意蕴：否认“价值引导”就是否认教育，就是消解教师的作用，就是放弃教师的责任，就是自然主义的教育观、“内发论”的教育观；没有价值引导的自主建构，就不成其为教育过程，就必然缺乏超越性向度和足够的发展性；而不承认矛盾的另一面，即学生的“自主建构”，价值引导就有可能蜕化为强制、外铄、粗暴灌输，就是“外铄论”的教育观，就是把学生当成没有生命的物，而不是有自由意志、有丰富明敏的内心世界、有独特判断需要与能力的活生生的人。

“眼界决定境界，方向决定方法”，只有基于对“教育”内在本质的深刻体悟，才能有其后教育思想的延展与发扬，才能占据“教育”的制高点，达到“会当凌绝顶，一览众山小”的教育境界。

“价值引导与自主建构相统一”的“教育真义”决定了“教育学”的内涵一定是“人文的教育学”，我们因此也就能清楚地分辨出什么是“真正的”教育：

“我们根据什么将‘教育’与‘摧残’、‘愚弄’、‘欺骗’、‘蒙蔽’、‘操纵’、‘宰制’、‘禁锢’、‘束缚’、‘奴役’、‘洗脑’、‘灌输’、‘宣传’、‘戕害’、‘蛊惑’和‘教唆’等等区分开来？而所有这些都可以以‘教育’的名义和‘教育’的形式出现。”(《教育情境的特质》)

“教育即解放，意味着教育是探索，是启蒙，而不是宣传和灌输；是平等对话和自由交流，而不是指示和命令；是丰富认识，而不是统一思想；是尊重和信任，而不是消极防范。”(《教育即解放》)

也就是说，如果我们不能辨明教育的“真”“伪”，我们就会失去教育的“方向”，那我们的教育就会“总为浮云能蔽日”，就会如同今日愈演愈烈的“应试教育”一样遮蔽了“教育”的本真，我们的所有努力都将“南辕北辙”。“真”“伪”教育之辨启迪我们的教育工作者要能“拨云见日”，让“真正”的“教育”露出她原本就温暖灿烂的阳光般的“人文”面目，使我们的教育最终能“不畏浮云遮望眼，自缘身在最高层”。

洞察“教育”意蕴，明辨教育“真”“伪”，才能深思：“我所能想到的最重要、最有价值的事情，莫过于受到良好的教育。因为只有良好的教育才能使我们秉有渊深的学识、清明的才智、通达的情性、宽广的胸怀和高贵的教养。”(《什么是良好的教育》)

“良好的教育一定致力于引领学生用自己的眼睛去观察，用自己的心灵去感悟，用自己的头脑去判别，用自己的语言去表达。良好的教育使得一个人成为真正的人，成为他自己，成为一个不可替代的、立于天地之间的大写的人。”(《教育的力量》)肖川先生执著地相信，良好的教育一定能够给人带来希望、带来力量、带来自信，最有可能造就幸福人生的创造者和美好社会的建设者。

肖川先生“良好教育”的理想源于这样一个价值预设：人性向善。因为从此出发，良好的教育必然内在于一个人文的世界，必然是尊重和信任，而不是防范与责罚。肖川先生摆脱了历史上“性善”和“性恶”的逻辑或者说是事实争辩，直接站在哲学的高度来审视“教育”的本质：“‘人性向善’不是一个需要去证明的事实，而是一种价值承诺，一种有待实践的理想，是教育信念确立的基础和前提。”(《教育的期待》)他希望能以“人性向善”为价值预设的“良好教育”引导受教育者营造明丽的内心生活，建构坚实、丰富、光明的精神世界，引导年轻的心灵对人生的意义和价值作深切的体认，引导人生对世俗功利和有限性的超越，唤醒、弘扬、提升人性深处对正义与光明的期待。

基于对“教育”本质的洞察，对“良好教育”的憧憬，肖川先生提出了他的“人文的教育学”的教育目的：“我们的教育究竟应该为一个怎样的社会培养怎样的人。我对这个问题的回答是：为幸福人生奠基，为自由社会培养人——为民主社会培养好公民。”(《教育的方向与方法》)

在《为幸福人生奠基》一文中，肖川先生指出“基础教育”的“基础”的含义如果仅仅理解为基础知识、基本技能，即所谓“双基”，那这样的理解不仅是片面的、狭隘的，在实践中也是有害的，而且不利于基础教育为学生幸福的人生奠基，不利于使基础教育服务于完整的人的造就。他所倾力追求的是：“基础教育不仅要对学生的升学考试负责，更要对学生一生的幸福人生负责。基础教育要带给学生希望、力量，带给学生内心的光明、人格的挺拔与伟岸，带给学生对于自我、对于生活、对于未来和对于整个人类的自信，以便使每一个学生都能够成为自由社会的建设者和幸福人生的创造者。”(《为幸福人生奠基》)肖川先生以此大力倡扬“生命教育”。

当然，教育除具有使个人获得发展——培养其生存、发展和享受的能力之外，教育还有其社会功能，即使社会安定、和谐并得以延续。在现代社会中，教育日益成为一个先导性、全局性和基础性的实践领域。而我们的教育要服务于何种社会，这是教育的方向问题，亦即教育的根本问题。“为自由社会培养人，这是教育的社会职能在现时代最核心、最根本的体现，因而是今天我们教育的重要使命。”“教育不仅要使个体识文断字，知书达理，有谋生之技能，可以独善其身并兼济天下，教育还要为一个理想的社会奠基，为理想之社会培养人。这个理想社会，就是自由社会、民主社会、开放社会、多元社会、法治社会。这是几千年来人类文明的最杰出的成就——一个尊重人、尊重人道和人性的社会。”(《为自由社会培养人》)为此，肖川先生大力倡导“公民教育”。

这种通过“生命教育”和“公民教育”培养的追求“幸福人生”和“理想社会”的“人”，在肖川先生的文章中被定义为“完整的人”、“自主发展的人”、“受过教育的人”以及“具有主体性道德人格的人”。

“一个自主发展的人，就是有清晰的自我认识、有积极的自我形象、悦纳自我的人；就是有明确努力的目标，有内在的学习需要与成长渴望的人；就是有良好的学习策略与学习习惯的人。”(《造就自主发展的人》)

“一个受过教育的人，或许他(她)没有英俊的外表或姣美的容颜，但是他(她)自然朴实，乐观自信，不卑不亢，能够平等地与所有人交往；或许他(她)并不高大，却有人格的挺拔与伟岸，有坚定的意志、强烈的责任感和不屈不挠的品格；或许他(她)没有机会去干大事，他(她)却能够以饱满的热情和全心的投入去做小事；或许他(她)既没有显赫的身世，也没有超人的天才，他(她)并不耀眼，并不引人注目，但他(她)悦纳自我、友爱他人，易于领导与合作，而难以奴役和盘剥……”(《受过教育的人》)

肖川先生用形象描述的这些似乎各种各样的“人”其实他(她)们的特征是相同的，正如肖川先生的博士生导师成有信教授所评述的：“在作者的概念系统中，具有‘主体性道德人格的人’，‘完整的人’，‘受过教育的人’这三个概念具有内在的、高度的一致性，都是指称具有时代精神的人，精神世界完整而丰富的人，独立自主的人，具有‘自由之意志，独立之人格’的人。这也就是我们今天的教育要着力培养的现代公民。”

明确了“教育的方向”,清楚了“所要培养的人”的特征,那我们需要选用什么样的教育内容和通过什么样的途径和方法来“造就”和“培养”这种“完整的人”、“自主发展的人”,使他们成为“受过教育的人”呢?

肖川先生深知教育的方向在很大程度上决定着我们对于教育的方法选择、使用和创造。你只有把握住了“教育”的当有方向,你才能高屋建瓴地游刃有余地挥洒自如地发挥你的“教育的情趣与艺术”,达到肖川先生所主张的:“教学必须服务于完整的人的成全”、“创造丰富的课堂,带给学生广博深厚的文化浸染”、“教学重要的是教学生学会学,并且帮助学生形成认知框架”、“教学必须为学生的发展提供机会”、“带给学生理智的挑战,以问题引导教学的进程,通过问题的解决而进行学习”(《我的教学主张》),以此充分展示你的“教育的智慧与真情”。他呼吁学校要给师生提供一种良好的校园生活,创造一个好的校园文化环境,做到“宽松、宽厚、宽容;温情、温暖、温馨;自主、自由、自信;成长、成功、成人”。在这样的人文的教育环境里,肖川先生在多篇文章里引导教育工作者思考“课程的意味”,倡扬“以改革的精神反思课程改革”,并以此来思索“课程改革的意义”:“这场改革对于中华民族的伟大复兴和建设自由、开放、多元、民主与法治的社会,有着极其重要的价值。”(《课程改革的意义》)而“学校文化”、“课程资源”、“有效教学”、“发展性评价”、“教师的校园生活品质”和“教师的专业成长”等词组就成为了肖川先生笔下出现频率颇高的关键词。

“教育”的“人文”本质决定了“教育学”一定是“人文的教育学”,对“良好教育”的憧憬以及对“幸福人生”和“理想社会”的追求决定了我们的“教育”必然以“生命教育”和“公民教育”作为自己的两大支柱,一定是充满人性温暖的教育!我们只有明确了教育的方向，我们“教育的理想与信念”才不会迷失于浮躁的尘世之中，我们“教育的使命与责任”才能赋予教育以高度与灵魂，我们“教育的智慧与真情”才能点燃与迸发，我们“教育的情趣与艺术”才能展现“教育”春天般的真正魅力。

生命的教育学

“在我的著述和言说中，高高地举着两面旗帜：一个是生命教育，一个是公民教育。”(《细数阳光：我的2006》)

肖川先生基于对“教育”的洞察，对“良好教育”的呼唤，提出教育的目的是“为幸福人生奠基，为自由社会培养人——为民主社会培养好公民”，对应于“为自由社会培养人”，他极力呼唤公民教育，而相对于“为幸福人生奠基”的教育理想，他则努力探索着“生命教育”的内蕴与实现的途径和方法。肖川先生所大力倡扬的“生命的教育学”是“人文的教育学”中最重要、最核心的部分，也是“人文的教育学”得以实现的途径之一。

在肖川先生的教育思想里，“完整的人”、“受过教育的人”、“自由发展的人”、“主体性道德人格的人”的概念反复出现，可以说在肖川先生的心目中，教育最重要最核心的概念就是“人”，教育的唯一目标就是“人的成全”。为了“人的成全”，肖川先生高举“生命教育”这面旗帜，不仅在理论上研究，而且在现实教育中努力地去实践这种教育理想。

何谓“生命教育”？“生命教育就是为了生命主体的自由和幸福所进行的生命化的教育。它是教育的一种价值追求，也是教育的一种存在形态。”(《咀嚼概念与命题》)

提倡“生命教育”首先是对“人”对“生命”的深刻的观照，“人应该是有尊严的生命存在”，人的生命特征的“独特性”、“生成性”、“完整性”、“自主性”、“神圣性”决定了“生命教育的宗旨就在于：捍卫生命的尊严，激发生命的潜能，提升生命的品质，实现生命的价值。‘关注生命，尊重生命，珍爱生命，欣赏生命、成全生命、敬畏生命’则构成生命教育的目标”(《生命教育的三个层次》)。于是“作为生命化的教育，生命教育强调用生命去温暖生命，用生命去呵护生命，用生命去撞击生命，用生命去滋润生命，用生命去灿烂生命。在生命的根基上确定起人的内在的不可让度的尊严，树立起生命神圣的观念”(《咀嚼概念与命题》)。

那为什么在今天的中国，肖川先生要大力倡导“生命教育”，把“生命教育”的传播作为自己的“使命与责任”，为“生命教育”不遗余力地“鼓与呼”呢？

“我们生活的时代是一个人类聪明才智充分发挥的年代，科学技术日益更新，人类在征服自然、改造社会的过程中似乎获得了从未有过的‘自由’。然而，也正是伴随着科技文明的迅速发展，人们越来越为由个人权利的无限扩张、伦理的破坏、理性精神价值的否定所带来的生存环境、生命价值的新危机而忧虑。教育本体的失落、教育本质的迷失、教育终极关怀的迷茫已成为全球性关注的问题。”(《论语文教育中的生命教育》)特别是在今日的中国基础教育中，“在应试教育日甚一日的今天，教育的真义被遮蔽了，教育的真正价值失落了，教育成为‘训练’的代名词，成为塑造‘单向度的人’的工艺流程。我们的教育无助于学生生命尊严的提升，有愧于学生生命尊严的失落。”(《生命教育的三个层次》)这样的教育背景有助于我们理解肖川先生倡扬“生命教育”的初衷。而且，由于我国当前的“道德教育”是社会本位、成人中心的，它假设“儿童是没有道德或者是不道德的”，强调外在规范，而不是着眼于儿童的内在需求。因此，肖川先生还主张用“生命教育”超越和提升现有的“道德教育”。

在这样的社会背景以及教育背景下，肖川先生四处奔走，从大学讲堂到中小学课堂，大力宣扬：“生命教育重要的是要培植学生的生命情怀。生命情怀是个体对自我生命的确认、接纳和喜爱，

是对生命意义的肯定、欣赏和沉浸，以及对他人生命乃至整个生命世界的同情、关怀与珍惜。"(《生命教育的三个层次》)

生命教育作为教育的价值追求，首要的意义在于，对人的尊重，必须落在对个体生命的尊重，对个体生命的独特性、唯一性的尊重。他为此提醒大家："一切以牺牲个体生命为代价而换取的所谓'大业'，所谓'圆满'，不管它冠以何种美妙的名字，其正当性都是值得怀疑的。一切以'虚幻的共同体'的名义，对于人作出牺牲的要求都是缺乏其存在的合理性的。尊重学生就意味着尊重学生的需要。"(《生命教育的三个层次》)

肖川先生不仅在理论上探讨生命教育，更在当今的中国努力地实践着生命教育："生命教育是一个有着明确的价值追求而又涵括着多种主题的教育实践领域，因而是地方课程与学校校本课程开发与建设的重要主题和领域。"(《生命教育的三个层次》)因此，在为地方教材和校本教材《生命教育》编写的内容中就包括了"安全教育；青春期教育；健康人格教育；感恩教育与生命情怀的养育；临终关怀与死亡教育；生态环境教育；敬畏生命与信仰教育"等多个主题和领域。在为《生命教育》中学版写的前言《幸福从此溢满心房》中，肖川先生极富深情地憧憬到："我们期待着通过生命教育这门课程的学习，使课堂焕发出生命的活力，提升师生校园生活的质量，并进而树立起生命神圣的观念，在生命的根基上确立起人的内在的不可让渡的尊严。"

为更好地在教育中践行"生命教育"，肖川先生大力倡导要把"生命教育"的理念贯注于每一门学科的教学中。

他以语文教学为例。语文本来是最具人文性的学科，但近年来，"唯科学"的倾向也使语文学科越来越"科学"了，当前语文教育界关于"工具性"与"人文性"的论争既是对语文性质的审视，更是对教育本体的反思。肖川先生认为语文课程具有丰富的人文内涵。如果我们在语文教育中过分追求科学化，醉心于数量化和标准化，这势必会背离语文教育的特点，降低语文教育的效率，而且也伤害了学生在语文学习中的兴趣和创新意识。因此他力主从“生命教育”的视野去思考语文的教育：“我们在语文教育中进行生命教育的探索，也正是对‘语文素养’的一种丰富。特别需要强调的是，人文素养是语文素养的应有之义。‘人文精神！’‘人文素养！’‘人文关怀！’‘人文情怀’这些词都有着丰厚的意蕴和深远的旨趣。而我们所倡导的人文素养无疑包含了对生命的敬畏、对人生价值的守护、对生活的丰富体悟，生命教育使得‘语文素养’的落实更加具体，不失为一个值得尝试的突破口。”(《论语文教育中的生命教育》）肖川先生倡导在语文教育中渗透生命教育就是要使学生在语文的学习过程中得到应该有的价值与情感体验，使“语文素养”真正成为有生命根基的东西。因此，在语文的教学中，老师们要“创设丰富的、高品质的语言环境”、“重视学生的自主阅读”、“引导学生进行发现学习”以及“倡导发展性评价”等教学策略来渗透“生命教育”的内涵。

在各学科教育中渗透“生命教育”的价值追求，无论是对于学生个体的发展(特别是精神的成长)，还是对于整个社会建设高度的精神文明，都有着至关重要的意义。教育是基于生命的教育。生命的潜能是无限的，教育要创造条件，去激活、去展示生命的灵动与飞扬，促进每个生命创造性地、富有个性地发展。这是整个教育特别是学科教育的重要使命。

不仅如此，肖川先生认为“生命教育”可以帮助激发一个民族的“创造”精神。我们的教育最为人所诟病之一的就是太注重知识记忆而缺少甚至压抑创造精神。之所以这样，肖川先生分析道：“理性霸权所孵化的知识暴力，挤压着我们的心理空间和精神空间，对知识的膜拜，压抑甚至泯灭着我们的创造力。隽逸奔突的才情、明睿深刻的洞察由于缺乏对自我足够的自信而不能得以弘扬和生发。”(《创造教育与生命质量》)这也使我们不禁重温起《学会生存》中的那句话:“教育既有培养创造精神的力量,也有压抑创造精神的力量。”(联合国教科文组织国际教育发展委员会编著:《学会生存》,教育科学出版社,1996年,第188页)

于是他要大声地“鼓与呼”:“对创造力的呼唤亦是对‘自由意志、独立人格’的呼唤,是对‘立于天地之间’大写的‘人’的呼唤,是对专制主义的蔑视和对机械唯物主义的超越!具有创造力的人往往是心灵可以素面朝天的,他们往往具有率性而为的真情性,往往能超越于世俗与功利的羁绊”,他欣喜地告诉我们:“创造不只是属于那些社会精英分子的专利,生活本身是值得我们去创造的。创造所带给的精神愉悦是任何物质享受和感官享乐所无法比拟的,那是灿烂的生命之花最深沉、最辉煌、最汪洋恣意的绽放。”(《创造教育与生命质量》)

我们的教育要培养能积极适应不断变更着的社会要求的人,就特别需要培养学生的创造意识和创造能力,而创造教育当然不能停留在创造技法的训练和谙熟这一层面,它同时需要有助于生命的舒展、生命的涌动的教育情境的创设,甚至是整个社会崇尚开放与多元的文化形态的创生。

教育在本质上是唤醒人的生命意识,建构人的精神世界,实现人的价值的生命活动。因此,回归教育的本真,追寻生命的意义,是我们的教育的必然追求,也是我们的教育学的当有境界。理想的教育必然是生命化的教育,“生命的教育学”也就必然会提升“教育学”的品味与品位。

教师的教育学

当许多教育学者们忙着建构体系严整规模宏大的理论大厦之时,一线的教师们却只能对着高文典册,皇皇巨著望而生畏。此时,作为北京师范大学教授的肖川先生却从学术的象牙塔中走出来,和中小学的教师一道分享对历史、对社会、对人生、对教育的感悟和理解,“教师的教育学”也就成为了肖川先生教育学思想的鲜明标志。

在《为教师而写作》一文中,肖川先生明确地坦言:“在今天的华夏神州,有1400万教师,这也是中国最大的知识群体。为他们而写作,是我今后治学为文的一个重要的追求。”

“为教师而写作”,是因为肖川先生清醒地意识到“教育的真正内涵,就是价值引导和自主建构的统一”,而“价值引导”的工作是要靠教师来完成的。“眼界决定境界”,教师教育学理论的高低也就决定了教育的高低。

因此,肖川先生心目中的教师应该是“有思想的”,并最终能成为“理想主义者”:“教育作为价值引导的工作,存在于立足现实而追求理想的过程中。教育的这一特质,要求教师是一个不折不扣的理想主义者。”(《作为理想主义者的教师》)一个“理想主义者的教师”有着什么样的内在特征呢?肖川先生在多篇文章里与教师们分享着他的思考。

从教育的内涵来解读,“作为理想主义者的教师,他(她)要告诉孩子这个世界的高度,即人性所能达到的高度。”(《作为理想主义者的教师》)在《对教师的期待》一文中,肖先生言辞恳切地告诫教师:“作为教师,您首先是一位教育者,其次才是一门课程的教师”,“更重要的是,要在学生的心中培植爱的情感。”

从社会历史的进程来考察,肖川先生认为“在今天,作为理想主义者的教师,应该是先进文化的代表者”(《作为理想主义者的教师》),“先进文化”应该是合乎人性的、有助于个人自由而充分发展的文化,也是有助于建设一个平等、民主、自由、公正、理性、和谐的社会的文化。这样就给“教师”这个概念赋予了新的时代的内涵:“所以在今天,我们的教师只有具有现代民主政治的意识,才是与我们肩负的责任相称的,我们才有望成为‘为大多数人带来幸福的人’”(《自觉培植教师现代民主政治的理念》),“这意味着教师应该成为具有丰厚的文化底蕴、谙熟人类文明历程的人，成为在自己的内心确立起并坚定地守护现代社会的核心价值的人，成为有思想、有灵魂的人。”(《教育信念确立的基石》)在肖川先生看来，一个“理想主义者的教师”，简而言之，就是能够大力倡导和践行“生命教育”和“公民教育”的教师。

那我们应该如何来成为一个“理想主义者的教师”，或者说如何实现“教师的成长”呢?

我们的中小学教师负担过重、劳动强度过大已成为不争的事实。焦虑、过敏、抑郁、偏执等特征与倾向普遍存在于一些教师身上，说我国中小学教师是全世界最辛苦的教师恐怕也并不过分。因此，肖川先生极力呼吁我们首先要做的是:“全社会从各个层面上来形成合力解放教师已是刻不容缓的事情。如果不这样，首先我们愧对教师，另外，这也是关系到国家与民族未来的大事。”(《教师的解放》)

当然，作为教师本人，我们不能消极地等待“别人”来“解放”我们自己，我们首先要学会自己“解放”自己:“作为理想主义者的教师，是充满热情和乐观精神的，有着健康和积极的心态。而这也是作为优秀教师最为重要的品质。”(《作为理想主义者的教师》)在《懂得尽可能多一点》、《给教师的建议》等文章中，肖川先生都反复述说着“理想主义者的教师”应该:“让心灵变得丰富和深刻”、“捕捉你生命中的每一次感动”、“给自己积极的心理暗示”、“给予学生更多真诚的鼓励”以及“有意味地言说”等。

只有心态积极了，才能“与经典为友”:“以古典的心情，以从容的气度，打磨经典。”(《与经典为友》)因为有很多的学习，其价值是十分间接的、潜在的，这就需要我们以宁静、闲适的心绪来对待。尽管古老的智慧、经典的知识，往往难以具有实际的功效，但都具有益人心智、怡人情性、变化气质、滋养人生的价值。这其实就是古人说的“腹有诗书气自华”。他不无憧憬地写道:“当我们能以古典的心情对待学习时，春日的鲜花、夏日的小溪、秋天的明月、冬天的残阳，都将以更为美好的风姿走进我们日臻完满的生活。”（《以古典的心情对待学习》）于是，我们在这种“古典的心情”中渐渐培植起深厚的文化底蕴。

有了文化底蕴，才会有教师的专业成长达至专业的成熟。肖川先生提出，教师的专业成熟包括“专业眼光”、“专业品质”、“专业技能”三个方面的内容，而“成熟”就是自主地、理智地热爱，“成熟”意味着心智的和谐发展、有效的自我表达以及对自己的行为负责。为了达到这样的“专业成熟”，肖川先生认为：“教师的专业成熟，其途径大体上有学历提升、各种形式的短期培训、校本培训、参与教育实验这样四种形式。”（《教师的专业成熟及其途径》）

肖川先生根据对当前的教育状况的深入考察，他积极地提倡“以校为本”的“校本培训”等教师培训途径。

肖川先生通过分析现状，认为教师所应具有的教育学与心理学等“条件性知识”是广大教师所普遍缺乏的，因此，在校本培训中，引导教师系统地阅读是极其重要的：“通过系统地阅读优秀的教育文献，在教师们的心中确立起关于教育的基本的问题、基本的概念与范畴、基本的原理与命题”（《教师的专业成熟及其途径》），而且“促进教师的成长，最重要的是要帮助教师养成良好的阅读习惯，系统地阅读，批判性地阅读”（《教师的专业成熟及其途径》）。

不仅如此，肖川先生在《校本教研与教师成长》、《校本培训的具体路径》等文章中，从当今的教育改革现实出发，有针对性地提出了通过诸如“教学叙事研究”等适合中小学教师的专业成长途径：“由于教师所肩负的巨大的职业责任，因而教师们成天埋头于如何教好学而无暇顾及自己的职业生命。而教学叙事正好是以教师历历在目的职业生活为基本的立足点，通过激发教师对自己的日常职业生活的描述与记叙以及整理和反思，从而使得教师亲身

体验到自己作为一名教师的职业生命之美和职业生命之乐。”(《校本教研与教师成长》)

同时肖川先生非常赞同“教育科研是教师专业成熟的有效途径”的理念,他认为:“学校中,教育科研的真正的价值不在于‘发现规律,建构真理’,而在于将先进的教育思想、教育理念变为教师的自觉的教育理想与教育信念。”(《教师的专业成熟及其途径》)因此,肖川先生希望广大教师踊跃投入到“新课程改革”中去:“课程改革有助于改造我们的国民性”、“课程改革的第二个积极意义是推动教师成为探索者”(《课程改革的意义》)。于是,肖川先生不遗余力地努力“培植教师的课程意识”,鼓励教师应该“以改革的精神反思课程改革”,积极开发“课程资源”,并且强调“教师本身是课程资源的重要组成部分,教师自身的成长是教育力量的源泉”(《教师成长的策略》), 他宣称:“课程改革是对教师人格的一种锻造。”(《以改革的精神反思课程改革》)

但鉴于“唯科学主义”在教育学中、特别是在“教育实验”中的影响,肖川先生认真思考着“教育实验的文化解读”:“教育实验是在教育活动中进行的, 而教育本身就是一种价值引导的活动,教育实验理所当然更应该彰显价值引导,它作为探索活动应该是在这样一个前提和基础上才能得以确立。从文化生态的观念上看,作为探索、研究活动的教育实验都只有在完整地关注全体学生的全面成长的前提下进行,才是健康的、合符教育道德亦即教育人道主义的。”(《教育实验的文化解读》)他极其郑重地宣言:“教育改革只许成功不许失败,这是教育人道主义的‘绝对命令’。”(《以改革的精神反思课程改革》)是的,在我们学校的上空,应该永远飘扬着一面“教育人道主义”的旗帜,这就告诫我们必须以积极而又审慎的态度推进课程改革。

“教师的教育学” 当然不会忘了教师团队中 “平等的首席” ——校长,而且由于校长的重要性,肖川先生对于校长的论述也是着墨颇多的，但肖川先生特别强调的是："一所成功的学校的领导者一定会坚信：对于学校的领导，首先是教育思想的领导，其次才是行政领导(苏霍姆林斯基)。"(《写给校长：成为卓越的领导者》)

因此，校长作为"团队的精神领袖"，首先应该坚守人必须获得自由、充分、和谐发展的教育理念："从理论上讲，校长主要应该关注和思考的问题是：如何创造学校文化，如何形成一个学习型组织以培养和提升教师，如何开发课程资源，如何提高课堂教学的质量等等。"(《校长的职责与境界》)面对当前现状，肖川先生不无忧虑地写道："今天更多的校长忙碌的却主要是为了应付各种各样的检查评比而进行的公关应酬，多方筹措经费以弥补办学经费的短缺，为课题立项而奔波等等。这是极其不健康、不正常的现象，尽管责任主要不在校长，但作为有境界的校长至少不应该推波助澜。"(《校长的职责与境界》)校长作为"教育思想的领导"应该更有"智慧与真情，眼界与境界"。为达于此，肖川先生建议校长应该有自己的阅读计划，以广泛的阅读，来充实广阔的精神空间，以此丰富和激活师生们的创造冲动。

同时，校长作为"卓越的领导者"应该坚信，当教师们把自己看做是对整个管理体系都至关重要的领导者时，他们会发挥自己的潜能，用自己的言行去影响孩子们的学习。他们将发现"教育就是服务"的真正含义。因此，肖川先生评判道："从工作角度讲，一个好的领导不是复制自己的强项，而是补充自己的弱点，增加自己的强项。不是找一个人去做和你同样的工作，而是来组织一个团队，做你所不能做的工作。如果能够这样选人来组织一个团队，就是一个好领导者。"(《写给校长：成为卓越的领导者》)

总之，在肖川先生看来，"一个好校长就在于：他有明确的办学思想和教育追求，有坚定的教育理想与信念，能够为学校提出富有感召力并且通过努力可以实现的奋斗目标；公正、廉洁，有责

任感和事业心，进而富于个性魅力和人格魅力；善于在教师中发现和培养领袖。”(《让精神的旗帜在校园猎猎飘扬》)

肖川先生在《我的2005年》及《细数阳光：我的2006》等文章里记叙了他这些年的行程，而走遍大江南北的背后是深入各地的中小学课堂，听一线教师的授课，与教师们交往与探讨，考察各地的教育状况的历程。“近年来，我也尝试着在基础教育界面对中小学生来上公开课。我先后在广州、深圳、厦门、福州、石家庄、赤峰等地尝试着从小学到高中的多门学科的教学，感受颇多，深知上好课的不易。我也非常愿意向中小学优秀教师学习。近年来，我每年都要听上百节课，不同学科和不同年级的课。”(《名师带给我们的启示》)肖川先生在《用整个生命去备课》的序言中曾如数家珍地概括了众多一线教师的教育教学特点。作为著名大学的知名教授竟然能如此关注中小学一线教师的教育教学状况，这令人感佩。肖川先生还经常为众多优秀的中小学教师的专著精心写作序言和书评，其对教师的拳拳之心与殷殷期望，让我们能读出字里行间所蕴藏着的源于心中教育信念与使命的宗教情怀。

因此，我们可以说，肖川先生的“教师的教育学”已不再是大学课本里那些故纸堆似的有关“教师知识”的“教育学”，而是带着“泥土气息”的有着真实现场感的“教师的教育学”。

诗意的教育学

青年学者刘铁芳教授这么评价肖川先生的教育随笔在当今教育界的意义：“肖川兄的教育美文的确在沉闷多年的教育大地上四处掀起清新的波澜，甚至可以不无夸张地说，肖川兄改变了中国数十万一线教师的教育阅读习惯。”

是的，肖川先生以独树一帜的令人耳目一新的“诗意的教育学”一扫人们心目中“教育学”干涩枯燥面目可憎的印象，把如诗如歌的“教育学”思想如一幅长卷的美丽的山水画缓缓展现在我们的面前。

肖川先生之所以用“诗意”来表述“教育学”，是因为他领悟到“教育学”之内涵本身就与“诗意”相伴相随，本身就是“诗意的存在”：“神秘光辉的照耀、英雄品质的渴求、理想境界的眺望，应成为教育赖以栖居的背景。诗意的生存，就是那种在生活里到处都能感觉到趣味和美的存在的生存。内在于教育情境的教师和学生都应是诗意的存在者。他们之间的诘难问疑，他们之间的对话与交流，唤醒着彼此心中的眷念与期待，带着理想，带着憧憬，带着对于生活的热爱与柔情，走出课堂，走出校门，走向更为宽广、丰富和多样的生活世界。”(《教育情境的特质》)而我们在讲求“功利”与“效率”的“唯理性”的社会里已经苍白了情感、枯竭了才思、冷漠了内心，远离诗意的教育已使我们“忘却”了“教育”的本真。

“教育学”的本质是“人文的”，因此，在教育学这一领域，任何缺乏彻底的人文关怀的探索，是注定走不了太远的。人文关怀与表达的诗意有着内在的关联。于是，“人性的教育呼唤诗意。教育中如果没有诗意和激情就没有召唤和启示，就没有美感，没有情性的陶冶和净化，没有灵魂的飞升和投入生活的热忱。”(《边想边说》)而且，“教育中呼唤诗意之所以可能，就因为诗是一切生命的永恒的超越性激情。这是每个心灵蕴藏的素朴的诗：它揭示了人性渴望不朽的冲动，揭示了人精神如渊海般的神秘与不可言说，揭示了人的内心深处对于永恒与无限的渴望。我们都向往一望无际的大漠，喜欢辽阔的草原，乐于亲近浩瀚的大海，反映我们希冀超越局限、走向永恒的内在冲动。”(《边想边说》)

于是肖川先生要用“诗意的形式”和“诗意的语言”的完美融合来表达出教育学“诗意的存在”的意蕴。

肖川先生精心选用来表达“诗意教育学”的形式就是“教育随笔”：“在我看来，教育随笔，得其真味的也许就是一个‘随’字：随和，随意，随缘。”(《自序：直抵内心的言说》)肖川先生“诗意”地表达着“随笔”的特征:“随笔,没有居高临下的霸气,没有正襟危坐的俨然,没有煞有介事的虚假,没有耳提面命的烦闷。像朋友之间的抵膝而谈,不求全面,不求‘客观’,不求严谨,甚至也不求立论的‘公允’,命题的‘科学’;只求遣一己之意趣,痛快淋漓地嬉笑怒骂。它不奢望成为重大决策的依据,也不企望成为学术积累的文献。它表达一种情怀,一种趣味,一种心境,一种追求。文章本由心生。也许,表达所产生的快乐是人们写作的真正动力,至少对我来说是这样。”(《自序:直抵内心的言说》)当然,“随笔是亲切的,却并不随便。在轻盈、轻巧之中,它透着一种内在的严肃与庄重。”(《自序:直抵内心的言说》)

肖川先生因此鼓励中小学教师大量写作教育随笔:“写真情实感的文字,会培养起一种率真的性格;写细腻的文字,则有助于培养一种注重细节的品质。对于教师来说,写作是一种非常有意义的事情,写作会使我们拥有一个充实而厚重的人生。”(《随笔与论文》)在肖川先生的心目中,随笔不仅是一种写作的风格,更是一种生活态度的自然流露。

所以,肖川先生对用“随笔”的形式来表达他的教育学思想情有独钟:“我力图创造出一种融哲学的理趣、散文的韵致和宗教的情怀于一体的表述风格。因此,我更愿意用‘心’来写一点文字,让读者读出启迪之外的一点激动,一点推动,一点感动;读出一种情怀,一种心境,一种胸襟,一种器局,读出一个完整的、活生生的、有血有肉的人来”(《自序:用一生写三本书》),“随笔是最自由的文体。它没有一定之规,想怎么写就可以怎么写,可长可短,可文可白,可叙事可抒情,可感叹可议论,可信马由缰驰骋八方,可逆水航船独行一路。在我的文字中,不仅表达着我的教育理想,也表达着我的社会理想和人生理想。”(《自序:用一生写三本书》)

如何写好随笔?肖川先生以自身创作的感触认为“随笔的写作从炼题、立意到起论、收尾,一招一式,闪转腾挪,都体现着作者的学识修养、艺术才情和人生境界。如果能够做到玩典故于股掌，出奇论于谐趣，阐玄机于数语，探幽微于物宜，于千字文中纵横捭阖，在方寸之地烹古煨今，有左右逢源之巧，无捉襟见肘之嫌；圆厚其身，曲尽其妙，那是十分难能可贵的。因此，要写好随笔，学识的积累和生活的积累就非常必要。这就需要所谓的'积理练识'，理之积，识之练，无他，学与悟耳。理积于博学，识练于物宜。只有观览之博，运思之精，体悟之深，方能自出积抒，别具一格，领异标新。"(《随笔与论文》)

当然，当我们以"诗意"的心情来阅读肖川先生"诗意的"教育随笔时，我们会发现，肖川先生的文章虽是随笔的文体，却也不缺乏学术专著的深沉厚重，更在轻灵明快之间闪烁着真知灼见的耀眼光华，彰显着作者精神品性对阅读者的无形牵挂。

教育学"人文性"的品格，教育随笔收纵自如的形式都决定了肖川先生用来表达教育学思想的文字一定是"诗意"的。肖川先生笃信："我们的思想愈深刻，我们的感受愈丰富，我们的情感愈细腻，我们借以表达思想、感受和情怀的语汇就愈需要丰富。内心的丰富会表现为语言的丰富，我们词汇的丰富和新颖(新锐)，也就在一定的意义上意味着我们思想的丰富和新锐。我们可以通过对语言的锤炼来提升我们思想的品质。因为，锤炼语言其实就是锤炼思想。"(《在语言的背后》)

肖川先生特别喜欢海德格尔的"语言是存在的家"、"所有的思都是诗"的命题，于是他反复强调："锤炼语言，也就是锤炼思想；追求表达的独特与精致，也就是追求思想的独特与精致。"他坚定地认为："表达决不仅仅是一个修辞学的问题、一个技巧性的问题，它涉及你在表达中用一套什么样的语言——精确程度、情感色彩和审美趣味。用哲学的话说，你的语言跟你的世界是一致的。"(《在语言的背后》)也就是说，一个人的思想与表达是一体的。语言的舒展即是思想的流畅，语言的优美源于思想的精致。他执著地认为，一篇文章只有当它不仅能够给人以心智的启迪，也能够给人以美的陶冶的时候，才能算是一篇好的文章。所以他非常认同约翰·布雷恩的观点："如果一本书不能被大声朗诵出来的话，它就不是一本好书。"于是，你读肖川先生的教育随笔就像读古今中外的诗歌一样可以"大声朗诵出来"：

"教育是为幸福人生奠基，为自由社会培养人——为民主社会培养好公民"(《教育的方向与方法》)，其如箴言般简洁的语言揭示着"教育的方向"，那是远古《诗经》的风格；

"建基于价值引导与自主建构相统一的教育，从学生的成长过程来说，是精神的唤醒、潜能的显发、内心的敞亮、主体性的弘扬与独特性的彰显；从师生共同活动的角度来说，是经验的共享、视界的融合与灵魂的感召"(《教育的意蕴》)，化抽象的教育本质为绚丽的形象描述，那是唐诗宋词韵味无限的风采；

"完美的教学一定能让学生感受到人性之美、人伦之美、人道之美；感受到理性之美、科学之美、智慧之美；感受到人类心灵的博大与深邃；感受到人类所创造的文化的灿烂与辉煌；能够唤起学生对于生活的热爱与柔情；唤起学生对未来生活的热烈憧憬和乐观、光明、正直的期待；能够以新的眼光审视生活、洞察人性物理"(《完美的教学》)，这气势磅礴、激情四溢、一泻千里的气概应是现代诗歌热情与理趣的完美融合。

而"受过教育的人，是这样一个人：他(她)严正而又宽容，深邃而又单纯，执著而又潇洒，真诚而又练达；他(她)勤勉而又从容，刚毅而又柔情，豪放而又儒雅，平实而又不断地追求人生更高的生命境界"(《受过教育的人》)，如此的语句直使我似乎置身于茫茫旷野之中大声吟诵着惠特曼《草叶集》中《我的歌唱》，又如迎着凛凛的北风呼喊着雪莱《西风颂》中最后那句经典的名言，憧憬着教育的春天正大步向我们走来。

是的，读肖川先生的教育随笔，就宛如欣赏古今中外的诗歌。

既有中国古典诗歌的优雅深邃、现代诗歌的明白晓畅,又有西方诗歌的激情与气势。庄重严肃学术化的教育学理论也能如此的如诗如歌如画,一扫众人心目中教育学理论面目可憎的印象,这就是肖川先生的教育随笔赋予了教育学诗的品格,“寄予我们熟悉的汉字以优雅的魅力”,提升了“教育学”“言说的品质”。

“当代教育思想所追求的是一种诗意的教师生活”(《论当代教育思想的基本特征》),是的,“诗意的教育学”还在于肖川先生本人诗意的生活着,在诗意的读书中、思考中、写作中酝酿着诗意的教育学的思想。

在《真诚的言说》一文中,他劝告老师们:“您不妨在忙碌了一天以后,在沉沉的夜色下,在漫漫的长夜里,挑一盏孤灯,或伴一杯香茗,仔细阅读《教育参考》或是《素质教育博览》,相信它会给我们带来意外的收获。让长久躁动的心暂时安静下来,聆听那些历尽世间风雨的智慧老人娓娓道来、如数家珍的言说。恰似夜半江上传来的杳杳钟声,清悠绵长,给世人焦灼的心田以清凉的抚慰,让孤独的旅者警醒,在静夜中仔细思考教育以至人生的哲学问题。”(《真诚的言说》)“当你工余饭后,案前林下,一卷在手,古往今来,神游物外,可增长知识,陶冶性情,滋润生命,抚慰心灵。”(《读书之乐》)——这其实就是他在诗意的生活的“夫子自道”。

“我许多可以自鸣得意的思想和表达都是在与自我对话中产生的。这更多的是在夜深人静的时候。这个时候,远离尘世的纷扰,流浪的心真正回到了家中,独自面对历史,面对社会与人生,面对自我,什么都可以想,什么都可以不想,也不必担心睡得太晚明天不能按时起床。我体悟到:思考与自由有着须臾不可分的关系,无论对于个人,还是社会。其实,睡觉睡到自然醒也是一种待遇。生活的辩证法就在于:有所得必有所失。任其自然,随遇而安,是生活的最高智慧。”(《边想边说》)——这是他诗意地思考着!

当然,他更提倡诗意的写作:“深刻的思想是一种美。深刻的思想加上细腻的笔触和感性的铺陈，一般都能写就美文。美文往往是一种生命至真的感受，纯粹、人性、自然而又经典。美文拒绝独断论的表达，它温柔而又张力，它有着直抵心灵的力量，却没有强暴的施虐。它娓娓道来，把我们带入冥想和遐思，遥远我们记忆的归程。”(《边想边说》)同时，肖川先生“诗意的写作”还包括他那些仗义执言、秉笔直书、“铁肩担道义”的创作。作为“公共知识分子”的肖川先生“首先是一个战士，其次是一个读书人，最后才是一个学者”，于是他针砭时事、不平则鸣、“热烈地主张着所是，热烈地攻击着所非”。面对学术“官场化”，他毫不忌讳地《期待官员从学界退场》；直面社会腐败，他大胆建言要《遏制“能者多捞”》；正视民族性格，他深思明辨《是什么妨碍我们说真话》；而一旦得知荒唐的所谓“中华文化标志城”将要建设，他不禁拍案而起，在《给许嘉璐先生的公开信》中直陈己见。肖川先生的作品有柔美，也有壮美；似婉约，亦是豪放。丰富多样的创作风格正是他侠骨柔情、剑胆琴心的“真我风采”的展示。他“诗意”的写作就如诗人阿兰·博斯凯所说的：“在每个词的深处，我参与了我的诞生。”

“看着灿烂而纯净的阳光从窗外照射进来，心中便蓄满了暖暖的诗意，便有了写作、表达和用心营造一点什么的冲动……生活由于浪漫的加盟而充满活力与情趣，将人生旅途点缀得花香弥漫、浓情四溢。”(《浪漫就是真心的爱》)于是“诗意的生活”与“诗意的教育学”“相看两不厌”，终于达到了“我见青山多妩媚，料青山见我应如是”的相互悦纳的完美境界。

肖川先生博大精深的教育理念已在当今的教育学界，特别是在教育实践领域产生了极大的影响。是的，当我们感受着肖川先生“人文教育学”阳光般的温暖、“生命教育学”春天般的活力、“教师教育学”宗教般的情怀以及“诗意教育学”莲花般的美丽的时候，我们的心中一定会播种下“教育的理想与信念”，激发起“教育的智慧与真情”，运用“教育的情趣与艺术”来肩负起“教育的使命与责任”。

肖川先生自陈,“我所倾力追求、不懈努力的其实就是融入了世界其他民族先进文化的教育学的中国风格、中国气派与中国情怀”(《跋:路漫漫》)。是的,肖川先生的教育学思想熔铸了中西方先进的文化,又有独树一帜的鲜明的特征,既有其深厚的理论根基,又打上了深深的实践的烙印,这种孕育着新形态的教育学思想使我不禁想起这样的一段话:“它是站在海岸遥望海中已经看得见桅杆尖头了的一只航船,它是立于高山之巅远看东方已见光芒四射喷薄欲出的一轮朝日,它是躁动于母腹中的快要成熟了的一个婴儿。”

附录二

肖川作品索引:

1. 《教育与文化》,肖川著,湖南教育出版社,1990年。
2. 《中国秦汉教育史》,肖川、何雪艳著,人民出版社,1994年。
3. 《世界近代中期文化教育史》,肖川、何雪艳著,中国国际广播电视出版社,1996年。
4. 《小学生文库》,肖川主编,北京师范大学出版社,1999年。
5. 《打破神话——解读(学习的革命)》,肖川、王文宝主编,中国青年出版社,1999年。
6. 《教育的理想与信念》,肖川著,岳麓书社,2002年。
7. 《主体性道德人格教育》,肖川著,北京师范大学出版社,2002年。
8. 《教育的视界》,肖川著,岳麓书社,2003年。
9. 《教师:与新课程共成长》,肖川主编,上海教育出版社,2004年。
10. 《教育的智慧与真情》,肖川著,岳麓书社,2005年。
11. 《办好学校的策略》,肖川等著,南京师范大学出版社,2005年。
12. 《基础教育课程改革关键词》,肖川、张文质著,福建教育出版社,2005年。
13. 《名师备课丛书》,肖川主编,教育科学出版社,2006年。
14. 《生命化教育丛书》,肖川、张文质、黄旭主编,福建教育出版社,2006年。
15. 《现代教育思想精要》,肖川主编,开明出版社,2006年。

16.《造就自主发展的人》，肖川等著，四川教育出版社，2006年。
17.《名著精品》，肖川审校，岳麓书社，2006年。
18.《生命教育》（地方课程和校本课程教材），肖川、张文质主编，人民出版社，2006年。
19.《教育的使命与责任》，肖川著，岳麓书社，2007年。
20.《名师作业设计丛书》，肖川主编，教育科学出版社，2007年。
21.《创造积极的学校文化》，肖川、倪晓玉、徐涛译，肖川审校，中国轻工业出版社，2008年。
22.《教育的力量》，肖川著，湖南教育出版社，2008年。
23.《教育的情趣与艺术》，岳麓书社，2008年。

肖川学术演讲主题：

1. 教育的方向和方法
2. 理解"教育"的关键词和核心命题
3. 生命教育的价值、目标与实践策略
4. 教师的幸福人生与专业成长
5. 教学与写作
6. 有效教学的策略
7. 新课程背景下学生学习方式的转变
8. 办好学校的策略
9. 以务实的精神对待学校德育
10. 打造有魅力的学校
11. 为了孩子幸福的人生——今天我们怎样做父母

图书在版编目(CIP)数据

教育的情趣与艺术/肖川著. —长沙:岳麓书社,2008(2021.7 重印)
ISBN 978-7-80665-881-9

Ⅰ. 教…　Ⅱ. 肖…　Ⅲ. 教育学—研究　Ⅳ. G40

中国版本图书馆 CIP 数据核字(2008)第 058293 号

肖川教育随笔 ㊃

教育的情趣与艺术

作　　者:肖　川
责任编辑:马美著　彭卫才
封面设计:刘　峰

岳麓书社出版发行
地址:湖南省长沙市爱民路 47 号
直销电话:0731-88804152　0731-88885616
邮编:410006

版次:2008 年 5 月第 1 版
印次:2021 年 7 月第 6 次印刷
开本:890×1240　1/32
印张:11.375
字数:290 千字
印数:28 001—32 000
书号:ISBN 978-7-80665-881-9
定价:38.00 元

承印:长沙裕锦印务实业有限公司

如有印装质量问题,请与本社印务部联系
电话:0731-88884129